Lawrence Sutin
Eine Liebe im Schatten des Krieges

Zu diesem Buch

Die berührende, authentische Liebesgeschichte der beiden jüdischen Partisanen Jack und Rochelle ist zugleich ein Bericht über den alltäglichen Überlebenskampf im polnischen Untergrund. Beide kamen aus angesehenen jüdischen Familien einer Kleinstadt in Ostpolen, lernten sich auf einem Tanzfest in den dreißiger Jahren kennen und trafen sich im Winter 1942 unter völlig veränderten Umständen wieder: Unabhängig voneinander war es ihnen gelungen, dem Hunger und dem Terror des Ghettos zu entfliehen und sich in den nahen Wäldern zu verstecken. Sie überlebten, drei Jahre kämpften sie gegen die ständige Todesgefahr – und spürten, wie ihre Liebe ihnen half und sie stark machte. »Seine große Aufrichtigkeit macht dieses schonungslose, berührende Buch zu einer wirklichen Bereicherung der Holocaust-Literatur.« (The New York Times Book Review)

Lawrence Sutin, geboren 1951 in Minnesota, schrieb die Geschichte seiner Eltern auf.
Jack und *Rochelle Sutin* stammen beide aus Stolpce im früheren Ostpolen. Inzwischen sind sie seit über fünfzig Jahren verheiratet und leben seit 1949 in Minnesota.

Lawrence Sutin

Eine Liebe im Schatten des Krieges

Aus dem Amerikanischen von
Barbara Heller

Piper München Zürich

Ungekürzte Taschenbuchausgabe
September 1998
© 1995 Lawrence Sutin
Titel der amerikanischen Originalausgabe:
»Jack and Rochelle. A Holocaust Story
of Love and Resistance«, Grawolf Press,
Saint Paul/Minnesota 1995
© der deutschsprachigen Ausgabe:
1996 Piper Verlag GmbH, München
Umschlag: Büro Hamburg
Simone Leitenberger, Susanne Schmitt, Annette Hartwig
Foto Umschlagvorderseite: Robert Capa/FOCUS
Gesamtherstellung: Clausen & Bosse, Leck
Printed in Germany   ISBN 3-492-22650-7

Für die Enkelkinder

DAVID, DANNY UND SARAH

Vorwort

Dies ist eine wahre Geschichte. Sie beruht auf einer langen Reihe von Interviews, die ich mit meinen Eltern Jack und Rochelle Sutin geführt habe. Die beiden haben den Text anschließend Wort für Wort geprüft, um sich zu vergewissern, daß ihr Leben ganz genau beschrieben wird.

Alle Holocaust-Überlebenden, die in den Nachkriegsjahren Familien gründeten, standen vor einem Dilemma: Wieviel von dem, was sie erlebt hatten, sollten sie mitteilen? Zu welchem Zeitpunkt? Liefen sie nicht Gefahr, ihre Kinder zu traumatisieren? Würde sich, wenn sie schweigen, nicht eine beklemmende Kluft zwischen ihnen und ihren Kindern auftun?

Meine Eltern wählten den Weg, offen mit uns – meiner Schwester Cecilia und mir – über ihre Erlebnisse zu sprechen. Ich weiß nicht mehr, wie alt ich war, als ich zum ersten Mal davon hörte. Diese Holocaust-Geschichten waren Teil meiner Kindheit, und sie haben mir keinen Schaden zugefügt. Ich will nicht leugnen, daß sie überaus schmerzhaft waren, und ich will auch nicht leugnen, daß dieser Schmerz mich geprägt hat. Leiden aber bleibt keinem von uns erspart, und ich hatte, so lange ich denken kann, stets das Gefühl, daß es ein notwendiger Schmerz war.

Schweigen – die Weigerung, uns die Wahrheit anzuvertrauen – wäre weit schlimmer gewesen. Wir hätten es nicht ertragen.

Nicht nur der Inhalt der Geschichten weckte Schmerz. Am schwersten war es, die Gesichter meiner Eltern zu beobachten, während sie erzählten. Es war bitter, demütigend und quälend für uns, sie weinen zu sehen.

Anfangs sagten sie zu uns: »Wir wissen, ihr werdet uns diese Dinge nicht glauben können. So etwas kommt in Amerika, in der Welt, die ihr kennt, nicht vor.« Aber wir glaubten ihnen. Und wir wurden ermuntert zu fragen, was immer uns in den Sinn kam. In diesen Stunden des Erzählens konnten wir in größter Offenheit mit ihnen reden. Vom Holocaust zu hören, heißt, etwas über das Leben und den Tod zu lernen.

Ich muß dazusagen, daß dabei manchmal *keiner* von uns traurig war. Wir lachten, wir waren gefesselt von der Schilderung der so unterschiedlichen Kindheit unserer Eltern in den polnischen Städten Stolpce und Mir, und wir hörten mit immer neuer Begeisterung, wie unser Vater und unsere Mutter sich ineinander verliebt hatten, während sie sich in den polnischen Wäldern vor den Nazis versteckt hielten und für die jüdischen Partisanen kämpften.

Und ich möchte auch sagen, daß wir nie so töricht waren zu glauben, das Überleben unserer Eltern hätte etwas mit moralischer oder sonstiger Überlegenheit zu tun. Im Holocaust war der Tod allgegenwärtig; ohne die Zufälligkeiten des Schicksals gäbe es keinen Unterschied zwischen den Millionen von Juden, die starben, und dem kleinen Rest der Überlebenden.

Zwei Stimmen sind in diesem Buch ineinander verwoben: Jacks Stimme und die von Rochelle. Ab und zu unterbrechen sie einander, und genauso haben sie ihre Geschichte in den vergangenen fünfzig Jahren erzählt: Seite an Seite, einer ein aufmerksamer Zuhörer des anderen, immer bereit, sich einzuschalten, damit auch nicht ein einziges notwendiges Detail verlorenging. Diese Geschichten sind ihr Leben, das Vermächtnis ihres Überlebens und ihrer Liebe zueinander.

Lawrence Sutin

Schauplätze des Buches
1939 – 1945

I

Familiäre Wurzeln, Kindheit und Jugend

ROCHELLE   Meine Eltern lernten sich kurz nach dem ersten Weltkrieg kennen. Es war ein Zufall – vielleicht ein unglücklicher Zufall.

Meine Mutter Cila kam im Jahr 1900 zur Welt. Ihr Mädchenname war Benienson. Sie wuchs in einer kultivierten, gebildeten Familie der Oberschicht in der russischen Stadt Minsk auf. Ihr Vater besaß ein holzverarbeitendes Unternehmen, ihre Mutter führte den Haushalt und widmete sich den Kindern, einem Sohn und fünf Töchtern.

Es war eine für die damalige Zeit ungewöhnliche Familie, denn alle Töchter wurden angehalten, eine akademische Ausbildung zu absolvieren. Cila erwarb an der Universität von Charkow ein Zahnmedizin-Diplom, eine ihrer Schwestern, Rachel, studierte Jura und praktizierte in Warschau als Rechtsanwältin. Rachel war kein langes Leben beschieden. Sie heiratete und bekam einen Sohn, bei dessen Geburt sie starb. Indirekt war es ihr Tod, durch den meine Eltern sich kennenlernten.

Cila fuhr zum Begräbnis ihrer Schwester von Minsk nach Warschau, eine etwas umständliche Reise, da man auf der Hinfahrt an der Grenze zu Polen und auf der Rückfahrt in Stolpce, der letzten Stadt auf polnischem Gebiet, umsteigen mußte. Stolpce liegt in Weißrußland, das sich bis zum Ende des ersten Weltkrieges, als Polen die Gebiete an seiner Ostgrenze nach mehr als einem Jahrhundert zurückgewann, in russischer Hand befand. Wie man sieht, hatte Stolpce ein besonderes Talent, stets an der Route von Eroberungsarmeen zu liegen, ein Talent, das sich auch auf mein eigenes Leben auswirken sollte.

Als meine Mutter an jenem Tag in Stolpce aus dem Zug stieg, herrschte noch Frieden. Sie war damals noch sehr jung, ein schönes, liebenswürdiges Mädchen mit dichtem dunklem Haar und großen forschenden braunen Augen. Man sah ihr an, wie sensibel sie war – sie registrierte alles, was um sie her vorging. Der ungünstigen Zugverbindung wegen mußte sie zwei Tage auf ihren Anschluß nach Minsk warten.

Als Cila in Stolpce ankam, befand sich mein Vater Lazar Schleiff gerade auf dem Bahnhof, um die Verladung von Terpentin und Teer auf Güterwaggons zu überwachen. Das war das Geschäft der Familie: *smolarne* (raffinierte Holzprodukte) und Kohle. Mein Großvater hatte es gegründet, und seit seinem Tod, der noch nicht lange zurücklag, leiteten es zwei seiner Söhne, Lazar und sein jüngerer Bruder Oscar.

Als meine Mutter auf dem Bahnsteig stand, wurde mein Vater auf sie aufmerksam. Lazar war zwölf Jahre älter als Cila, ein gutaussehender Mann mit gebieterischem Blick und markanter Stirn. Er muß auch ziemlich wortgewandt gewesen sein, denn er konnte Cila dazu bewegen, die beiden Tage als Gast im Haus der Familie Schleiff zu verbringen. Er begann sofort, um sie zu werben, mit allen Mitteln, die ihm zu Gebote standen. Er versprach ihr seine Treue und die Annehmlichkeiten seines Reichtums, und um sie von dem Wunsch nach einer Rückkehr nach Minsk abzubringen, gab er ihr zu bedenken, daß das Leben unter dem neuen kommunistischen Regime in Rußland für ausgebildete Fachkräfte nicht leicht sein werde.

Cila ist nie nach Minsk zurückgekehrt. Sie hat auch ihre

Familie nie wiedergesehen. Warum das so war, weiß ich offen gestanden nicht. Über viele Jahre schrieb sie ihren Angehörigen regelmäßig und schickte ihnen Geld und Lebensmittelpakete. Von Zeit zu Zeit sagte sie, sie vermisse ihre Familie. Aber ihre Verwandten kamen nicht zu ihrer Hochzeit, und es fanden auch sonst keine Besuche statt. Vielleicht lag es an den erschwerten Reisebedingungen zwischen Polen und Rußland nach Einführung der Vorschriften und Bestimmungen des neuen Sowjetregimes. Unter Lenin wie unter Stalin – besonders unter Stalin – wurden Kontakte zum nichtkommunistischen Westen, zu dem damals auch Polen zählte, mit äußerstem Argwohn betrachtet. 1933 schrieb Cila ihrer Mutter, sie müsse den Briefwechsel abbrechen, andernfalls müßten sie und die ganze Familie damit rechnen, verhaftet zu werden.

In den ersten drei Jahren ihrer Ehe wohnten Cila und Lazar im Haus der Familie Schleiff. Es war eine große Familie, der neben Lazars Mutter, Ethel Schleiff, auch seine acht Schwestern angehörten. In einer Großfamilie zu leben, war im damaligen Polen – anders als im Amerika unserer Tage – etwas ganz Normales. Dennoch kam es zu starken Spannungen, unter denen Cila sehr litt.

Man muß wissen, daß es unter den polnischen Juden der damaligen Zeit eine Art ungeschriebenes Gesetz gab: Die Söhne einer Familie durften erst dann heiraten, wenn die Töchter verheiratet waren. Ob zwischen den Geschwistern große Altersunterschiede bestanden, spielte dabei keine Rolle – es war nun einmal so. Das Wesentliche war, daß die Brüder dazu beitrugen, jeder ihrer Schwestern eine möglichst große Mitgift zu verschaffen, denn je größer die Mitgift, desto besser die Partie, die das Mädchen machen konnte. Da Lazars Vater nicht mehr lebte, war es besonders wichtig, daß Lazar sich um die Verheiratung seiner acht Schwestern kümmerte.

Lazar wußte, daß hier kein Ende abzusehen war, und er durchbrach die Regel. Cila hatte es ihm so angetan, daß er es nicht erwarten konnte, sie zu heiraten. Und dann wagte er es auch noch, sie in das Schleiffsche Haus zu bringen!

Alle seine Schwestern stellten sich gegen Cila, vor allem deshalb, weil Lazar noch nicht das Recht gehabt hatte zu heiraten. Und als verheirateter Mann konzentrierte er sich auf die Familie, die er mit Cila gründen wollte, und war nicht mehr in gleichem Maß bereit, für seine Schwestern zu sorgen. Aber das war es nicht allein. Sie haßten Cila auch deshalb, weil sie erkennen mußten, daß sie ihnen gesellschaftlich überlegen war. Im Gegensatz zu ihnen war Cila gebildet und sprachgewandt. Doch anstatt sich ihre Eifersucht einzugestehen, verhielten sie sich hartnäckig so, als bereite es Cila ein hochmütiges Vergnügen, sie schlecht zu behandeln.

Mein Vater Lazar war seinen Schwestern in vieler Hinsicht ähnlich. Auch er war in Stolpce, einer abgelegenen Provinzstadt, aufgewachsen. Als Junge hatte er eine elementare jüdische Schulausbildung erhalten und unter der russischen Herrschaft kurze Zeit die Oberschule besucht. Für ein Hochschulstudium hatte er sich nie interessiert. Lazar war durch und durch Geschäftsmann – ein sehr ehrgeiziger, reizbarer Mensch. Holzverarbeitung und Kohle waren nicht die einzigen Geschäftszweige der Familie. Auf ihrem Landgut wurden auch Pferde gezüchtet, Kühe, Hühner… Mit allem wurde Geld verdient. Meine Mutter dagegen kam aus einer großen Stadt. Sie las gern und spielte gern Klavier. Sie wußte nicht, wie man Kühe melkt oder mit Legehennen umgeht, und Lazars Schwestern verachteten sie für ihre Unwissenheit. Lazar selbst war sehr mit sich zufrieden, weil er eine so gebildete Frau geheiratet hatte.

Ich war das erste Kind und kam im vierten Jahr ihrer Ehe zur Welt. An das Leben im Schleiffschen Haus kann ich mich kaum erinnern, denn als ich drei Jahre alt war, zogen wir aus. Mein Vater wurde immer wohlhabender und beschloß, für seine Frau, sein Kind und die Kinder, die noch kommen würden, ein *größeres* Haus zu bauen – weit weg, am anderen Ende der Stadt. Vielleicht tat meine Mutter ihm leid. Vielleicht hatte er es auch selbst satt, unter den Augen seiner Familie zu leben. Jedenfalls sollte das neue Haus das alte in den Schatten stellen, und das gelang ihm auch.

Was für ein Haus! Für Stolpcer Verhältnisse war es unerhört feudal. Während man in der ganzen Stadt nur Klohäuschen im Freien kannte, gab es bei uns Innentoiletten mit Wasserspülung! Einige der besseren Häuser hatten zwar fließendes Wasser, aber nur kaltes; heißes Wasser mußte auf dem Herd eigens erwärmt werden. In unserem Haus dagegen waren Kupferleitungen verlegt, die den Wassertank auf dem Dachboden aufheizten, während auf dem Herd gekocht wurde. Wenn wir warm baden oder duschen wollten, brauchten wir nur den Wasserhahn aufzudrehen. So etwas hatte man hier noch nicht gesehen! Natürlich waren alle Räume und das gesamte Mobiliar sehr luxuriös. Der Hof war riesig. Es war ein äußerst komfortables Haus, ein richtiger Palast.

Man kann sich denken, daß der Umzug in das neue Haus nicht eben dazu beitrug, die Beziehungen zwischen meiner Mutter und den Schleiffs zu verbessern. Die Feindseligkeiten dehnten sich sogar auf mich und meine Schwestern aus, und das, obwohl nach und nach alle Schwestern meines Vaters heirateten und jede eine stattliche Mitgift bekam. Ich verlor nie das Gefühl, daß meine beiden jüngeren Schwestern – Sofka und Miriam – und ich als *Tzilas kinder* [Cilas Kinder] die ungeliebtesten von allen Enkelkindern waren. Ich spürte es deutlicher als Sofka, die eher ein sorgloser, unbekümmerter Typ war. Miriam war noch so klein, daß die Haltung unserer Verwandten sie, bis der Krieg kam, nicht weiter berührte.

Meine Mutter versuchte die Wunden im Laufe der Zeit zu heilen, aber alles, was sie tat, wurde in irgendeiner Weise gegen sie ausgelegt. So liebte sie zum Beispiel elegante Kleidung, machte sich gern »fein«, wie man es nennen würde. Aber anstatt zu sagen: »Wie hübsch sie aussieht!«, murrte die Verwandtschaft nur: »Ihr kann es ja egal sein. Lazar verdient das Geld, und sie wirft es hinaus!« Schließlich stellten meine Mutter und auch wir Kinder unsere Besuche im Hause Schleiff ganz ein, und mein Vater ging allein hin.

Die Beziehung zwischen meinem Vater und meiner Mutter blieb mit den Jahren nicht ohne Spannungen. Rückblickend ist mir klar, daß es keine gute Ehe war. Als Kind aber konnte ich das nicht beurteilen. In Polen war es damals anders als heute in Amerika, wo in Familienberatungs- und Scheidungsverfahren so viele Kinder in die intimen Einzelheiten der Ehe ihrer Eltern einbezogen werden. In meiner Generation stellte man die Beziehung zwischen den Eltern nicht in Frage; man dachte gar nicht darüber nach. Aber ich weiß noch gut, wie meine Eltern zueinander standen.

Bei der Planung für unser neues Haus hatte mein Vater zwei Räume als Zahnarztpraxis für meine Mutter vorgesehen, ein Wartezimmer und ein Behandlungszimmer. Aber sie nutzte sie nicht lange. Bald wurde Sofka geboren, und obwohl wir ein Kindermädchen und ein Dienstmädchen hatten, wollte mein Vater, daß meine Mutter aufhörte, als Zahnärztin zu praktizieren, und sich ganz ihren Kindern widmete. Und da sie sehr gern mit uns zu Hause blieb, war sie im Grunde nicht traurig darüber, ihre Arbeit aufzugeben. Die Praxisräume wurden als Wohnung vermietet, und da das Haus so groß war, wurden nach und nach auch alle Räume im ersten Stock vermietet. Nur wohlhabende Bürger konnten sich die Miete leisten.

Mein eigentliches Problem aber waren damals nicht die Spannungen zwischen meinen Eltern. Es war der Haß so vieler Polen auf die Juden. Von meinem ersten Schultag an wurde ich nur noch »dreckige Jüdin« genannt. Manchmal verprügelten mich meine Mitschüler, und manchmal warfen sie auf dem Nachhauseweg mit Steinen nach mir. Nicht weit von uns wohnte eine polnische Familie mit einem Mädchen in meinem Alter. Wir spielten zusammen, und sie erzählte mir die Judengeschichten, die sie von ihrer Mutter gehört hatte: Wenn sie nicht brav sei, würden die Juden kommen und sie töten; Juden würden Christenkinder töten, um mit deren Blut ihre Matza [ungesäuertes Passabrot] zu bereiten. Alle diese Geschichten kann man noch heute hören, nicht nur in Osteuropa, sondern auch in Amerika.

An Feiertagen wie Weihnachten und Ostern, wenn die christlichen Einwohner von Stolpce in Prozessionen durch die Straßen zogen, wagten die Juden sich nicht aus ihren Häusern. Wir mußten alle Fenster schließen und die Vorhänge zuziehen. Wurde man von draußen gesehen, flogen Steine. Wer erwischt wurde, bekam Prügel. Ständig kursierten Gerüchte über bevorstehende große Pogrome. Es gab in Stolpce einen kleinen Marktplatz, an dem sich das jüdische Geschäftsleben konzentrierte. Ein polnischer Polizist namens Schultz, der dort sein Revier hatte, erhielt von den Mitgliedern der jüdischen Gemeinde, unter anderem auch von meinem Vater, regelmäßig Bestechungsgelder, für die er uns dann – manchmal zumindest – vor geplanten Angriffen und Plünderungen warnte.

Mein Vater war kein ausgesprochen frommer Mann, aber er hatte in der jüdischen Gemeinde wichtige Funktionen inne. Praktische Hilfe leistete er im Aufsichtsrat einer

Bank, die von Juden für jüdische Geschäftsleute gegründet worden war, weil es für Juden nahezu unmöglich war, von polnischen Banken Kredite zu erhalten. Er legte jedoch auch um ihrer selbst willen Wert auf gewisse jüdische Rituale. Er war ehrenamtlicher Vorsitzender der Chewra Kaddischa [des Beerdigungsvereins], einer Gemeinschaft, die sich um die Einhaltung der jüdischen Bestattungsgebote kümmerte. Starb in der Gemeinde jemand, wurde mein Vater in dessen Haus gerufen. Zusammen mit seinen Mitbrüdern wusch er den Toten, zog ihm das Totenhemd an und regelte die Einzelheiten der Beerdigung.

Zu Hause gab mein Vater den religiösen Ton an. Er war zwar kein regelmäßiger Synagogenbesucher, doch an den hohen jüdischen Feiertagen – Rosch Ha-Schanah, Jom Kippur, Passah und anderen – ging er stets in den Gottesdienst, ebenso wie wir anderen. Jeden Freitagabend zündeten wir die Sabbatlichter an, aber wir hielten den Sabbat nicht streng ein. Nach amerikanischen Maßstäben gehörten wir der Kategorie des »konservativen« Judaismus an. Ich lernte so viel Hebräisch, daß ich die wichtigsten Segenssprüche und Gebete sprechen und verstehen konnte. Ich wuchs im Glauben an die jüdische Religion und den jüdischen Gott auf, so wie sie von meinem Vater vorgegeben wurden.

Bis zu einem gewissen Grad schlug sich seine Loyalität gegenüber der jüdischen Gemeinde auch in der Art und Weise nieder, wie er seine Geschäfte führte. Die leitenden Angestellten seiner Fabriken waren ausnahmslos Juden, die Arbeiter dagegen rekrutierten sich aus der polnischen Bevölkerung. Das Rohmaterial, das in seinen Betrieben verarbeitet wurde – das weitverzweigte Wurzelwerk alter Bäume –, stammte aus Wäldern, die mein Vater von Familien des niederen Adels gepachtet hatte. Dieser polnische Adel verpachtete auch Ackerland an polnische Bauern und hatte in der Region die eigentliche Macht in Händen.

Als Geschäftsmann war mein Vater nur sich selbst und seiner Familie gegenüber großzügig. Sein jüngerer Bruder Oscar war eher ein Praktiker; er wog die Wurzeln, um den Preis zu bestimmen, und beaufsichtigte die Fabrikarbeiter. Lazar aber war das, was man den Generaldirektor nennen würde. Er traf die Entscheidungen. Er kümmerte sich um langfristige Planung, Finanzierung, Rechnungswesen. Und er war nicht zimperlich. Einmal bekam einer seiner jüdischen Direktoren schweren Hüftgelenksrheumatismus. Er hatte starke Schmerzen, und sein Arzt hatte ihm geraten, ein Heilbad im südlichen Polen aufzusuchen, was er sich jedoch nicht leisten konnte. Immer wieder bat meine Mutter meinen Vater: »Kannst du ihm nicht eine Gehaltserhöhung geben? Laß ihn die Kur doch machen!« Aber mein Vater ließ sich nicht erweichen. »Das geht dich nichts an«, war seine Antwort. »Kümmere du dich um die Familie – das Geschäft ist meine Sache.«

Seinen Arbeitern gegenüber verhielt er sich nicht anders. In jeder seiner Fabriken gab es einen kleinen Gemischtwarenladen, in dem Dinge des Grundbedarfs wie Salz, Pökelfleisch, Zucker und Kerosin verkauft wurden. Das Kerosin benötigten die Arbeiter für ihre Lampen, denn in ihren Häusern gab es keinen Strom. Der Fabrikladen ersparte ihnen zwar den Weg in die Stadt, aber die Preise waren hoch. Mein Vater machte mit diesen Läden einen erheblichen Profit. Mit allem und jedem verdiente er Geld. Und er bezahlte kaum Steuern. Wenn man die richtigen polnischen Beamten kannte – und sie hinreichend bestach –, blieb man im großen und ganzen ungeschoren. Lazar war nicht der einzige, der davon profitierte; Bestechung war in Polen gang und gäbe, unter Juden ebenso wie unter Polen. Mein Vater wußte dieses Mittel geschickt einzusetzen: Er bewirtete die wichtigen Beamten reichlich und machte ihnen üppige Geschenke.

Doch selbst Lazar konnte mit seinem Reichtum nicht alles kaufen. Wie es der Zufall wollte, war unter unseren Mietern auch die Leiterin des polnischen Gymnasiums (in das man nur nach Bestehen einer strengen Aufnahmeprüfung gelangte). Sie hatte sich bei uns eingemietet, weil die Wohnung, die wir zu bieten hatten – die ursprüngliche Zahnarztpraxis meiner Mutter – weitaus die schönste war, die in dem kleinen Stolpce zu bekommen war. Obwohl sie unsere Küche und sogar unsere Dusche benutzte, hatten wir keinerlei Kontakt zu ihr. Sie war sehr auf Distanz bedacht.

Als ich zwölf wurde und es für mich an der Zeit war, aufs Gymnasium zu gehen, nahm ich an der Aufnahmeprüfung teil und bestand sie auch. Doch für einen Juden, der eine polnische Schule besuchen wollte, genügte das nicht – nicht bei den geltenden restriktiven Quoten. Erst nachdem mein Vater sich zu einer bedeutenden finanziellen Zuwendung an das Gymnasium entschlossen hatte, wurde ich aufgenommen – und das nur äußerst widerwillig, obwohl die Leiterin in unserem Haus wohnte! Als meine Schwester Sofka zwei Jahre später soweit war, wurde sie trotz bestandener Prüfung abgewiesen. Die Leiterin erklärte rundheraus, zwei Juden aus dem Haus, in dem sie wohnte, würden sie in ein sehr schlechtes Licht rücken. Keine Spende, nichts, womit man sie bestechen mochte, schien es ihr wert, als judenfreundlich angesehen zu werden. So machte mein Vater Pläne, Sofka im darauffolgenden Jahr auf ein rein jüdisches Gymnasium im nahen Baranowice zu schicken.

Ich selbst war zwar in das Gymnasium von Stolpce aufgenommen worden, aber meine Mitschüler gaben mir deutlich zu verstehen, daß ich dort eigentlich nicht hingehörte. »Warte nur«, sagten sie, »bis Hitler kommt und euch Juden alle einen Kopf kürzer macht!« »Freut euch nur nicht zu früh«, erwiderte ich dann. »Vielleicht machen mich die Deutschen wirklich einen Kopf kürzer, aber mit eurer Unabhängigkeit ist es dann auch vorbei. Polen wird nicht mehr Polen sein!« Worauf sie meinten, sie würden gern auf ihre Unabhängigkeit verzichten, wenn sie dafür die Juden loswürden.

In unserem Haus lebten wir sehr behaglich, aber aus Deutschland drangen schlimme Gerüchte zu uns, wenn auch natürlich nicht so schlimm wie die tatsächlichen Ereignisse, die später folgten. Doch Cila, meine Mutter, sah die Wolken am Horizont aufziehen. Noch heute besitze ich einen Brief von ihr an eine Tante in Amerika, in dem sie schreibt: »*Mir kenen lebn, ober mi lost nit*« [Wir könnten leben, aber man läßt uns nicht].

Mein Vater nahm die politische Lage in Deutschland und den heftigen Antisemitismus in Polen zwar zur Kenntnis, aber sein geschäftlicher Erfolg machte ihn blind für die Folgen. Meine Mutter drängte ihn, seine Position als vermögender Kapitalist zu nutzen. Er hätte seine Familie in fast jedes Land der Welt bringen können und wäre dort mit offenen Armen aufgenommen worden, weil wir für das Gastland keine finanzielle Belastung dargestellt hätten. Sie flehte ihn an, Polen zu verlassen. Er aber erklärte: »Wir haben die russischen Kosaken überstanden, und wir haben den Ersten Weltkrieg überstanden. Man braucht nur Geld, dann kommt man mit Bestechung überall durch, egal wer an der Macht ist. Und wenn es Krieg gibt – nun ja, Krieg hat es immer gegeben.« Niemand ahnte, was für Schrecken auf uns zukamen, mein Vater nicht und nicht einmal meine Mutter. Man konnte sich das damals einfach noch nicht vorstellen.

Amerika war stets die erste Möglichkeit, die Cila meinem Vater vorschlug. Amerika war die *goldine medine* [das goldene Land]. Eine Amerikareise, die mein Onkel

Oscar 1938 unternahm, setzte ihren Hoffnungen jedoch einen starken Dämpfer auf. Oscar hatte Hermann besucht, den jüngsten der Schleiff-Brüder, der als Jugendlicher nach einem Zerwürfnis mit der Familie nach Amerika ausgewandert war. Inzwischen hatten sich die Beziehungen jedoch soweit gebessert, daß Oscar ihn besuchen konnte. Aber als er zurückkam, hatte er nicht viel Erfreuliches über Amerika zu berichten. »*Kinder*« [hier als intime Anrede für alle Familienmitglieder gebraucht], sagte er, »hier in Polen haben wir das Paradies auf Erden. Dort drüben schuften sie sich fast zu Tode. In Amerika ist es nicht halb so leicht, seinen Lebensunterhalt zu verdienen, wie hier. Eigener Herd ist Goldes wert.«

Oft kamen Juden zu uns und baten um Spenden für die jüdischen Siedlungen in Israel. Das Geld gab mein Vater mit Freuden, doch wenn sie ihn fragten, ob er dort Land erwerben wolle, winkte er ab. Israel – oder Palästina, wie es damals hieß, eine unterentwickelte britische Kolonie – war ihm zu primitiv, zu unwirtlich. »Ich werde nicht dorthin gehen«, sagte er dann, »und meine Kinder auch nicht. Hier habt ihr Geld, und damit genug!« Dennoch war mein Vater an der Gründung eines jüdischen Staates interessiert. Fast alle Juden in Polen vertraten den einen oder anderen Standpunkt gegenüber den diversen zionistischen Parteien und Philosophien. Mein Vater hielt es mit Beitar, dem eher militanten rechten Flügel unter Führung von Vladimir Jabotinsky.

Meine Mutter wäre überallhin gegangen, auch nach Israel. Aber mein Vater hörte nicht auf sie, und damit war der Fall erledigt.

Da mein Vater ein wohlhabender Mann war, lebten wir sehr gut. Im Winter flohen wir vor der schlimmsten Kälte in den südpolnischen Karpatenort Zakopane, im Sommer reisten wir in elegante Badeorte wie Druskeniki und Ciechocinek.

Bei allem Luxus war es jedoch nicht einfach, mit einem Vater wie ihm aufzuwachsen. Wie im Geschäftsleben, so war er auch in der Familie: äußerst streng.

Ich erinnere mich, daß bei uns um Punkt sechs Uhr zu Abend gegessen wurde. Wenn ich zu spät kam, tat ich gut daran, einen triftigen Grund parat zu haben, sonst mußte ich mich in die Ecke stellen – das Eßzimmer war sehr groß – und den anderen mit angelegten Armen beim Essen zuschauen. Ich durfte nicht sprechen und mußte hungrig zu Bett gehen. Das war die gebührende Strafe, wenn ich gegen die Regeln der Familie verstieß.

Über dem Tisch hing ein Klingelzug, mit dem man nach dem Mädchen läutete. Sie brachte die Speisen auf schönen Platten aus der Küche herein, und wir Kinder bekamen riesige Portionen. Wenn ich meinen Teller nicht leeraß, erzählte mein Vater mir, daß er in meinem Alter den Ersten Weltkrieg miterlebt habe und für jedes Stück harte Brotrinde dankbar gewesen sei.

Manchmal, wenn ich zuviel übrigließ, schlug mein Vater mir kräftig auf die Hände und zwang mich, alles aufzuessen. An der Unterseite unseres großen hölzernen Eßtisches waren Beutel angebracht, in denen unter anderem die Servietten aufbewahrt wurden. Das brachte mich auf eine Idee. Wenn ich meinen Teller nicht leeressen konnte, spuckte ich die zerkauten Bissen heimlich in die Hand und versteckte sie in einem dieser Beutel. Später kam ich dann noch einmal zurück und entfernte die Reste. Aber einmal vergaß ich es. Die Reste schimmelten und begannen zu riechen. Niemand konnte sich erklären, woher dieser furchtbare Gestank im Haus kam! Doch schließlich entdeckte man die Ursache, und ich bekam ein paar tüchtige Schläge auf die Hände... Ich tat es nie wieder!

Meine Mutter mochte diesen harten Zug an meinem Vater nicht – nicht, wenn seine Angestellten und schon gar nicht, wenn seine Kinder ihn zu spüren bekamen. Im großen und ganzen aber überließ mein Vater unsere Erziehung gern ihr. Wenn wir Hilfe bei den Hausaufgaben brauchten oder auch nur reden wollten, wandten wir uns an sie. Vater verdiente das Geld.

Ich wollte meinen Eltern Freude machen, besonders meiner Mutter. Bevor wir Kinder schlafen gingen, bekamen wir von meiner Mutter einen Gutenachtkuß. Nur wenn sie böse auf mich war, gab sie mir keinen Kuß. Dann saß ich aufrecht im Bett und versuchte mich wachzuhalten – manchmal schlief ich jedoch im Sitzen ein –, bis sie kam, um mich zu küssen – und mir zu verzeihen. Manchmal dauerte es eine Stunde, und manchmal kam sie überhaupt nicht. Das machte mich wahnsinnig! Es war schrecklich, wenn sie böse auf mich war.

Als 1933 Miriam, die jüngste von uns, geboren wurde, war mein Vater niedergeschmettert. Drei Töchter! Er hatte sich immer einen Sohn gewünscht, einen *kaddischl*, ein männliches Kind, das nach seinem Tod für ihn Kaddisch [das Totengebet] sprechen würde, was den Mädchen nach jüdischer Tradition verboten war.

Ein halbes Jahr nach Miriams Geburt wurde mein Vater krank. Der einzige Arzt in der Stadt, Srkin, war ein guter Freund unserer Familie. Er und mein Vater spielten an mehreren Abenden in der Woche mit anderen zusammen Poker. Ein medizinisches Genie war Srkin freilich nicht. Seine Diagnose lautete auf Leukämie. Mein Vater wollte noch eine zweite Meinung einholen und fuhr nach Warschau, was im Winter eine sehr beschwerliche Reise für ihn war. Ich weiß noch, wie er aufbrach, in einem dunklen Pelzmantel, dessen sehr hoher Kragen seinen Hals mit den entzündeten Lymphknoten vor der Kälte schützen sollte. Er war sehr blaß. In seinen Achselhöhlen hatten sich große Furunkel gebildet. Der berühmte Spezialist in Warschau sagte ihm, er leide an der Hodgkin-Krankheit und könne bei guter Pflege noch zehn Jahre leben.

Die Krankheit trat in Schüben auf. Bald ging es ihm besser, bald schlechter. All die Medikamente... Wenn er extrem viele weiße Blutkörperchen hatte, kam eine Krankenschwester ins Haus und gab ihm eine Spritze. Es hieß, er solle möglichst viel Eigelb trinken, um die Bildung von roten Blutkörperchen anzuregen. Und immer wieder mußte er ins Krankenhaus.

All das machte meinen Vater ein wenig weicher, weil er sah, daß man Gesundheit und Glück nicht mit Geld kaufen kann. Er wurde sanfter, nachdem er krank geworden war, kein Heiliger, aber doch sanfter. Noch immer konzentrierte er sich, so gut es ging, auf das Geschäft, auch wenn es ihn viel Mühe kostete. Geld war nun einmal Geld. Auch als kranker Mann glaubte er noch, das Schlimmste, was das Leben bereithielt, mit Geld abmildern zu können.

Am 1. September 1939 begann die Invasion Polens – die Deutschen an der einen Front, die Russen an der anderen. Durch den Deutsch-Sowjetischen Nichtangriffspakt wurde Polen zwischen Deutschland und Rußland aufgeteilt. Der westliche Teil kam unter deutsche Herrschaft. Wir lebten im östlichen Teil, was die Ankunft der Nazimörder – für uns – um fast zwei Jahre hinausschob.

JACK Mein Großvater Isaac war Rabbiner. Er lebte mit seiner Frau Miriam in einer kleinen russischen Stadt namens Puchowicze. Ich habe meine Großeltern nie gesehen. Mein Vater Julius sprach nicht gern über sein Verhältnis zu ihnen.

Der Hauptgrund war, daß er sich mit seinem Vater

nicht über einen geeigneten Beruf hatte einigen können. Sein Vater hatte gehofft, er würde in seine Fußstapfen treten und Rabbiner werden, aber Julius war nicht der Typ dafür. Er hatte wesentlich modernere Anschauungen als sein Vater, könnte man sagen, und er wollte das Leben in vollen Zügen genießen. Die beiden hatten eine schwierige Beziehung zueinander. Julius hatte noch drei Brüder, denen er aber nicht sehr nahestand.

Als junger Mann zog Julius, um der Einberufung in die russische Armee zu entgehen, von Puchowicze in die polnische Hauptstadt Warschau. Er war froh, damit auch die orthodoxe Lebensweise seines Vaters hinter sich lassen zu können. In Warschau eröffnete er mit finanzieller Unterstützung seines Vaters zunächst ein Lederwarengeschäft, mit dem er jedoch scheiterte. Dann nahm er Malunterricht an einer Kunstschule und träumte davon, Künstler zu werden – ein seltsames Zusammentreffen, denn auch ein etwa gleichaltriger Vetter von ihm, dem er allerdings nie begegnet war, verließ Rußland und wurde Maler. Er ging jedoch nicht nach Warschau, sondern nach Paris und blieb im Gegensatz zu Julius seiner Kunst treu. Es war Chaim Soutine, der heute als einer der großen Maler unseres Jahrhunderts gilt. »Soutine« ist die französische Schreibweise unseres Familiennamens.

In Warschau lernte Julius durch einen gemeinsamen Freund meine Mutter Sarah kennen. Sarah studierte dort Zahnmedizin – ja, genau wie Cila. Julius und Sarah waren grundverschiedene Charaktere. Julius war ein guter, aber leichtlebiger Mensch. Er war klein, dabei kräftig und vital, und er hatte ein wunderbares Lächeln, das er auch oft zeigte. Sarah war ein ernster Typ. Sie hatte ein volles, von kurzem hellbraunem Haar eingerahmtes Gesicht und haselnußbraune Augen. Manchmal wirkte sie sehr traurig und verträumt. Vielleicht war es das, was meinen Vater zu ihr hinzog. Und vielleicht war es sein optimistischeres Naturell, was sie zu ihm hinzog.

Von Anfang an machte Sarahs beruflicher Ehrgeiz großen Eindruck auf Julius, und er beschloß, den Kunstunterricht aufzugeben und sich zum Zahntechniker ausbilden zu lassen. Nach ihrer Heirat eröffneten sie gemeinsam eine Zahnarztpraxis. Von Warschau zogen sie in die kleine polnische Stadt Rubizewicze und von dort später nach Stolpce, Rochelles Heimatstadt. So waren unsere Mütter die beiden Zahnärztinnen der Stadt! Sie lernten sich jedoch nie kennen, und kurz nach meiner Geburt zogen wir in das wenige Kilometer entfernte Mir.

Meine Großeltern mütterlicherseits habe ich nie gesehen; beide starben vor meiner Geburt. Meine Mutter hatte drei Schwestern und zwei Brüder, die aber weit entfernt lebten. Zwei Schwestern und ein Bruder wurden von den Nazis umgebracht.

In Mir waren meine Eltern sehr erfolgreich. Ihre Zahnarztpraxis war die einzige in der 4000 Einwohner zählenden Kleinstadt. Rund ein Viertel der Bevölkerung waren Juden, die Studenten und Lehrkräfte der Jeschiwa [einer traditionellen jüdischen Schule] mit eingerechnet. Die Jeschiwa von Mir war weltberühmt, und ihre Studenten kamen nicht nur aus Osteuropa, sondern auch aus Amerika und Afrika. Die jüdischen Familien in Mir vermieteten Zimmer an sie, eine gute Einnahmequelle, da die meisten Studenten wohlhabend waren.

Das Leben in Mir war sehr angenehm. In der jüdischen Gemeinde herrschten eine freundliche Atmosphäre und ein fester Zusammenhalt. Orthodoxe und weniger religiöse Juden hatten ein gutes Verhältnis zueinander. Juden, die man als nichtreligiös hätte bezeichnen können, gab es in Mir und im ganzen östlichen Polen so gut wie gar nicht. Wir alle gingen an den Feiertagen in die *schul* [die Synagoge]. An Sukkot [dem Laubhüttenfest] bauten wir *sukkahs* [rituelle Hütten im Freien zur Feier des Erntedanks]. Wir alle leisteten unseren Beitrag zum Unterhalt des Rabbiners, des Schammes [des Synagogendieners] und des Schochet [des Schächters]. Wir aßen ausschließlich koscheres Fleisch; anderes Fleisch gab es gar nicht oder nur unter großen Schwierigkeiten zu kaufen.

Ich besuchte nicht die Jeschiwa, sondern die Grundschule in Mir. Die Lehrer – und auch die meisten Schüler – machten der Minderheit der Juden dort das Leben schwer. In meiner Klasse waren ungefähr zwölf jüdische Schüler. Der Schultag begann mit einem katholischen Gebet. Während die anderen das Gebet sprachen, mußte wir Juden stehen und strengstes Schweigen wahren. Wir fühlten uns dabei unbehaglich und ausgeschlossen. Wenn wir im Unterricht eine Aufgabe nicht lösen konnten oder einen Test nicht bestanden, wurden wir wesentlich schärfer kritisiert als unsere polnischen Mitschüler. »Was ist los mir dir, Jude?« hieß es dann, »kommst wohl nicht mit?«

Nur wenige polnische Schüler waren bereit, in der Pause mit Juden zu spielen; die meisten weigerten sich. Trotzdem gewann ich eine Reihe von Freunden, in der Mehrzahl Juden, aber auch einige Nichtjuden. Ich war relativ kontaktfreudig, aber ich war auch sehr vorsichtig. Erst wenn ich sah, daß ein Kind ehrlich und anständig war, freundete ich mich mit ihm an. Mit Schülern, die ich nicht mochte, besonders mit Antisemiten, vermied ich jede Konfrontation, auch wenn sie mir gegenüber ausfallend wurden. Ich wußte, daß die Auseinandersetzungen, wenn ich mich einmal – in welcher Form auch immer – darauf einließ, dann kein Ende mehr nehmen würden.

Neben der Grundschulausbildung bereitete mich ein Privatlehrer von der Jeschiwa, den meine Eltern eingestellt hatten, auf meine Bar-Mizwa [die Einführung des Jungen in die jüdische Glaubensgemeinschaft] vor. Er unterrichtete mich in Hebräisch, im Chumesch [den fünf Büchern der Tora] und im Nach [den prophetischen Büchern], und ich war ein recht guter Schüler. Unsere Familie war nicht besonders religiös, aber wir hielten die jüdischen Feiertage ein, und am Sabbat bereiteten wir stets ein besonderes Essen zu und sprachen die Segenssprüche. Ich glaubte an Gott, wenn auch nicht im strengen Sinn der jüdischen Orthodoxie. Es war ein sehr persönlicher Glaube, ein Gefühl, daß allen Dingen ein lenkender Sinn innewohnt – konkretere Formen nahm dieser Glaube nicht an. Meine jüdischen Aktivitäten beschränkten sich im wesentlichen auf die Mitgliedschaft in einer linksorientierten, mit der Arbeiterbewegung sympathisierenden zionistischen Jugendorganisation namens *Haschomer Hatzair* [Junge Garde]. Sie setzte sich für die Besiedelung Palästinas durch junge Juden ein, die gemeinsam das Land bebauen sollten, womit man auch bereits begonnen hatte. In Polen gab es zu jener Zeit keine Spannungen zwischen Zionisten und orthodoxen Juden, von denen heute viele – in Übereinstimmung mit der Thora – den Staat Israel nicht anerkennen. Damals aber stand die jüdische Gemeinde unter zu großem äußeren Druck, als daß sie es sich hätte leisten können, sich in gegnerische Gruppen aufzuspalten. Man mußte Einigkeit bewahren, um zu überleben.

Man muß wissen, daß man zur damaligen Zeit nicht einfach seine Koffer packen und nach Israel gehen konnte. Die britische Mandatsregierung hatte Einwanderungsquoten festgelegt, und die palästinensischen Araber leisteten heftigen Widerstand gegen die jüdische Besiedelung. Nur wer reich war, konnte sich dort niederlassen, und meine Familie war nicht reich. Es gab jedoch noch eine andere Möglichkeit: Man konnte in Palästina eine Ausbildung absolvieren, und das wollte ich später tun. Jüdische Mädchen und Jungen sehnten sich danach, Polen zu verlassen und nach Palästina zu gehen. Mitunter wurden für die Mädchen durch *Haschomer Hatzair* und andere Organisationen Heiraten »auf dem Papier« arrangiert, mit jungen Juden, die dazu eigens aus Palästina nach Polen kamen. Daß die Frau dem Mann folgte, war erlaubt. Viele junge Juden gingen auch illegal nach Palästina. Sie lebten eine Zeitlang als Gast in einem Kibbuz und fügten sich dann, von den Behörden unbemerkt, in das Leben des Landes ein.

Ja, wir wußten, daß das Leben in Palästina schwierig war, aber wir wußten auch, daß es in Polen für uns keine Freiheit, keine Zukunft gab.

Hatte ich es im *Gefühl*, daß die Juden in Polen gehaßt wurden? Man brauchte es nicht im Gefühl zu haben. Ich *wußte* es, seit ich zwei oder drei Jahre alt war. So früh erkannte man als Jude, daß man anders war als die anderen Kinder, daß man sehr subtil und auch ganz offen und schmerzhaft diskriminiert wurde. Ich erinnere mich, wie ich als Schüler einmal in einen vollbesetzten Zug stieg. Ich durchquerte mehrere Wagen und fand schließlich ein Abteil, in dem noch ein Platz frei war. Da warf mir der Mann auf dem Platz daneben einen Blick zu und fuhr mich an: »Für Juden verboten!« Diese Szene ist mir in Erinnerung geblieben, weil sie mir deutlicher als alles, was ich bis dahin erlebt hatte, gezeigt hat, daß ich in Polen niemals ein normales, friedliches Leben würde führen können.

Der Haß zog sich durch die ganze Gesellschaft. An den Universitäten lagen die Quoten für Juden so niedrig, daß man nicht damit rechnen konnte, studieren zu können. Wer es dennoch schaffte, durfte sich in den Lehrveranstaltungen nicht setzen, sondern mußte hinten stehen. Ein Geschäft zu gründen, war sehr schwierig, wenn man keine reichen Eltern hatte, die einen finanziell unterstützten. Es blieb einem nichts anderes übrig, als Kaufmann, Schuster oder Schneider zu werden, irgendein Kleingewerbe zu betreiben, das für die Polen keine Bedrohung darstellte.

So träumten wir von Israel. Durch jüdische Zeitungen, die in Polen erschienen, und gelegentlich auch durch Zeitschriften, die direkt aus Israel kamen, hielten wir uns über die Vorgänge dort auf dem laufenden. Radio hören konnten wir nur nachts, weil es in Mir nur nachts Strom gab. Wenn in Israel etwas Schlimmes passierte – ein Überfall auf einen jüdischen Kibbuz oder ähnlich erschreckende Zwischenfälle –, wurde es im polnischen Rundfunk unter den Nachrichten aus aller Welt erwähnt. Durch *Keren Kajemet* [eine zionistische Spendenorganisation] sammelten wir Geld für die Siedlungen, und mit dem Kauf von Sondermarken trugen wir dazu bei, daß Bäume gepflanzt, Land von den Arabern gekauft und neue Kibbuzim gebaut werden konnten.

Als ich acht Jahre alt war, geschah etwas sehr Schmerzliches: Meine Eltern trennten sich. Es war eine für die damalige Zeit ungewöhnliche Trennung, denn die Familie blieb in vieler Hinsicht intakt. Wir aßen oft zusammen und begingen die Feiertage gemeinsam. Meine Mutter und mein Vater gingen freundschaftlich miteinander um und hegten keinen Groll gegeneinander, zumindest nicht nach außen hin. Sie wollten es mir dadurch leichter machen, doch ihr Verhalten verwirrte mich auch, denn ich sah, daß es ihnen mit der Trennung ernst war. Mein Leben hatte sich völlig verändert: Ich blieb mit meiner Mutter in unserer alten Wohnung, pendelte aber zwischen ihr und der kleinen Wohnung, die mein Vater nur einen halben Block entfernt gemietet hatte, hin und her.

Warum trennten sie sich? Warum reichten sie niemals offiziell die Scheidung ein? Das sind Fragen, die ich nicht beantworten kann. Ich war zu jung, um zu begreifen. Und ich habe meine Eltern nie danach gefragt, nicht einmal meinen Vater, der den Krieg überlebt und bis zu seinem Tod im Alter von neunzig Jahren bei mir gewohnt hat. In all den Jahren habe ich keine Fragen gestellt. Es stand mir nicht zu, und es wäre zu schmerzhaft gewesen, an diese Dinge zu rühren.

Meine Eltern liebten mich beide aufrichtig, doch damals kämpften sie, wenn auch insgeheim, oft um meine Liebe. Jeder fragte mich über den anderen aus: Was hat deine Mutter gesagt? Was hat dein Vater dir geschenkt? Und so weiter. So wurde es zu einem kleinen Problem, wer von den beiden Schulkleidung und Schuhe für mich aussuchen und bezahlen sollte. Keiner wollte im Schenken hinter dem anderen zurückstehen. Um beide zufriedenzustellen, gab ich deshalb acht, was ich sagte oder nicht sagte. Ich war noch ein kleiner Junge, aber ich verhielt mich wie ein Diplomat.

Irgendwann wurde meiner Mutter Sarah klar, wie schwer das alles für mich war. Und sie tat etwas Wunderbares. Sie nahm mich beiseite und sagte mir, daß wir zwar nicht mehr unter einem Dach lebten, daß aber mein Vater immer noch mein Vater und meine Mutter immer noch meine Mutter sei. Ich sei ihr ein und alles, und sie liebten mich beide und würden mich immer lieben. Es sei für meinen Vater nur natürlich, daß er mir von allem das Beste geben wolle, und genauso natürlich sei es, daß sie ebenso empfinde.

Tatsächlich milderte dieses Gespräch den Druck ein wenig, aber ich glaubte nach wie vor, die Dinge zwischen ihnen wieder ins Lot bringen zu können, da meine Mutter und mein Vater ja gute Menschen waren, die freundlich miteinander umgingen. Ich richtete es zum Beispiel so ein, daß sie zusammen zu Abend aßen, und sie waren auch bereit dazu, weil sie mir eine Freude machen wollten. Ich gab die Hoffnung nicht auf, daß eines Tages plötzlich alles wieder in Ordnung sein würde und wir wieder als Familie zusammenleben würden – ein Kindertraum.

Schließlich wurde es für mich Zeit, aufs Gymnasium überzuwechseln. Das nächste Gymnasium lag in Stolpce, aber von den Judenquoten dort hat Rochelle ja schon berichtet, und so besuchte ich das jüdische Gymnasium in Baranowicze. Ich hatte noch nie in einer so großen Stadt gelebt, und als ich von zu Hause fortging, war ich erst elf Jahre alt. Finanziell sorgten meine Eltern zwar für mich, aber im täglichen Leben mußte ich allein zurechtkommen.

In Baranowicze zur Schule zu gehen, war für mich entschieden das, was man ein zweischneidiges Schwert nennt. Einerseits war ich überglücklich, daß alle Lehrer und Schüler Juden waren und ich den Haß und die Schikanen an der Grundschule in Mir endlich hinter mir hatte. Andererseits aber mußte ich meine Eltern in Mir zurücklassen und meine Versuche, sie wieder zusammenzubringen, aufgeben. Ich mußte mich damit abfinden, daß die Trennung endgültig war.

Ich mietete ein Zimmer bei einer jüdischen Familie, ging allein zur Schule, kam abends zurück, machte mir mein Essen selbst und lernte für mich allein. Man muß wissen, daß wir in der Schule nicht wie die amerikanischen Schüler nur fünf oder sechs Fächer hatten, sondern insgesamt fünfzehn Pflichtfächer, darunter Latein, Polnisch, jüdische Religion, Geographie, Physik, Chemie, Geschichte, Psychologie und so weiter. Drei ungenügende Noten, und man mußte die Schule verlassen.

Das alles war anfangs nicht leicht für mich, aber bald begann ich meine Unabhängigkeit zu genießen. Ich lernte viel, schloß rasch Freundschaften und hatte sechs oder sieben Freundinnen. Es waren ausschließlich jüdische Mädchen, und in der Regel waren sie zwei oder drei Jahre älter als ich. Ich war größer als die meisten meiner Freunde, weiter entwickelt. Ältere Mädchen mochten mich, und ich mochte sie. Baranowicze war zwar größer als Mir, aber es war doch eine Kleinstadt, und so gab es, wenn man ausgehen wollte, nicht allzu viele Möglichkeiten. Gewöhnlich setzten wir uns in ein Café, aßen Unmengen von Gebäck und tranken Kaffee dazu. Manchmal ließ ich das Abendessen ausfallen und lebte nur von Gebäck. Oder wir gingen ins Kino, wo wir uns meistens amerikanische Filme mit Untertiteln ansahen. Oft machten wir auch Spaziergänge. Was wir taten, war nicht so wichtig. Wir wußten uns zu benehmen, aber mit dreizehn hatte ich doch schon einige ernsthafte Experimente hinter mir. Mit vierzehn hätte ich bereits ein Buch schreiben können. Und ich war nicht der einzige; ich würde sagen, die meisten meiner Freunde machten es genauso.

Dieses selbständige Leben stärkte mein Selbstvertrauen. Ich war daran gewöhnt, mich allein durchzuschlagen, geistig beweglich zu sein. Vielleicht half mir das, die späteren Ereignisse zu überstehen.

Meine Eltern sah ich noch ziemlich regelmäßig, denn die Winter-, Frühlings- und Sommerferien verbrachte ich in Mir, wo ich wie früher zwischen ihren Wohnungen hin und her pendelte. Sie fragten mich zwar nicht mehr aus, versuchten aber nach wie vor, einander an Geschenken, Überraschungen und Leckereien zu überbieten.

Bei den Mahlzeiten mit meinen Eltern – so war es schon vor ihrer Trennung gewesen – wurde ich stets ermuntert, von den üppigen Speisen zu essen, soviel ich nur konnte, und nicht etwa nur Milch zu trinken, sondern Sahne! Wenn wir in die Sommerfrische fuhren und ich während unseres Aufenthaltes nicht fünf oder sechs Pfund zunahm, war von hinausgeworfenem Geld die Rede! Diese Einstellung zum Essen war jedoch nicht typisch für meine Familie oder gar für die Juden. Im damaligen Polen war es ein Zeichen von Gesundheit, wenn man zunahm oder schön rundlich war. Hatte man Durchschnittsgewicht oder – noch schlimmer – war man dünn, dann wurde man gefragt, was einem fehle. Beim Metzger verlangte man ein Huhn mit viel Fett. Niemand aß mageres Fleisch. Ein Huhn, das nicht schön fett war, wurde *padleh* [krankes Huhn] genannt. Nahrungsmittel waren, anders als in Amerika, in Polen nicht im Überfluß vorhanden. Mollige, rotbackige Menschen galten als wohlhabend. Der arme Mann war dünn, der reiche demonstrierte seinen Reichtum mit seiner Figur.

In meinem zweiten Jahr in Baranowicze kehrte ich zu einem längeren Besuch nach Hause zurück, um meine Bar-Mizwa zu feiern. Es war ein großes Fest, zu dem eine Menge Freunde und Verwandte kamen. Aber eines meiner Geschenke war eine Geige, und ich mußte Geigenunterricht nehmen. Ich haßte das Instrument. Ich spielte miserabel, und sogar mein Lehrer meinte, ich würde es nie zu etwas bringen. Meine Mutter aber bestand darauf – es war eine Qual!

Ich hatte nach wie vor die Absicht, nach Palästina zu gehen. Ohne den Krieg hätte ich es auch getan und wäre wahrscheinlich noch heute dort. Ein halbes Jahr vor der Invasion Polens kam ein *schaliach* [ein zionistischer Abgesandter] nach Mir, um Jungen und Mädchen für eine Landwirtschaftsschule in Israel anzuwerben. In der zionistischen Bewegung wurden Jungen und Mädchen – ganz anders als in der orthodoxen Tradition – weitgehend gleich behandelt. Da ich nach Palästina auswandern wollte, meldete ich mich für die Schule an. Ich füllte die nötigen Formulare aus, und meine Mutter schickte eine Anzahlung; sie und mein Vater wollten später eventuell nachkommen. Ich sollte mit zwei Freunden reisen. Zwei

Monate vor Kriegsausbruch bekamen die beiden ihre Papiere und verließen Polen.

Dann wurde die Welt auf den Kopf gestellt. Und meine Papiere kamen nie an.

II
Unter sowjetischer Herrschaft

JACK Die Invasion Polens begann am 1. September
1939 und war sehr bald zu Ende. Die polnische Armee
wurde überrannt; ernsthaften Widerstand gab es nicht.
Schon nach einem Monat errichteten die beiden Eroberer
ihre Herrschaft im West- und Ostteil des Landes.

Daß es den Juden im Osten wesentlich besser ging,
steht außer Frage. Natürlich gab es auch unter den Russen
zahlreiche Antisemiten, und Stalin selbst hegte einen tief-
sitzenden, heftigen Haß gegen die Juden. Offiziell aber
war die Diskriminierung ethnischer oder religiöser Gruppen verboten; die sowjetische Politik betrachtete sie als
unannehmbar, da sie der Bildung einer einheitlichen sozia-
listischen Gesellschaft im Wege stand. Es gab keine Polen,
Juden oder Weißrussen, es gab nur Staatsbürger.

Mir, die Stadt, in der meine Eltern lebten, lag so nahe an
der russischen Grenze, daß die sowjetischen Truppen
schon wenige Tage nach Beginn der Invasion die Kontrolle
übernahmen. Ich erinnere mich, daß sie um die Mittagszeit
kamen und daß die ersten Fahrzeuge keine Panzer waren,
sondern offene Lastwagen voll russischer Soldaten. Die
Einwohner von Mir waren völlig verwirrt und wußten
nicht, was sie tun sollten – in ihre Häuser gehen und sich
verstecken oder sich an den Straßenrand stellen und win-
ken. Die Wagen hielten, und die Soldaten schienen zunächst abzuwarten. Schließlich kletterten sie herunter und
begannen Süßigkeiten und Zigaretten zu verteilen. Sie

wirkten freundlich, und die Menschen öffneten die Fenster, traten aus ihren Häusern und luden sie sogar zum Essen ein.

Für uns Juden war es, wie wir bald merkten, ein Glück, daß die Russen und nicht die Deutschen gekommen waren. Drei Monate erfuhren wir nichts von den Greueln im Westsektor Polens, erst dann gelang es einigen wenigen Juden – *bje-genzes* [Flüchtlinge] nannte man sie –, sich von dort auf unsere Seite durchzuschlagen, teilweise durch Bestechung der Grenzposten. Sie informierten uns über die Vorgänge in den westlichen Gebieten. Wir ahnten zwar nicht das Ausmaß dessen, was auf uns zukam – wir wußten beispielsweise nichts von den Konzentrationslagern –, aber wir begriffen, was uns erwartete: daß viele Juden leiden und sterben würden. Wir erfuhren, daß die Deutschen jüdische Häuser und jüdischen Besitz beschlagnahmten, daß alle Juden in Ghettos umgesiedelt wurden, die jeweils in den heruntergekommensten Stadtteilen lagen, und daß sie nur einen Koffer mit den wichtigsten Kleidungsstücken mitnehmen durften. Wer dabei erwischt werde, so erzählten uns die Flüchtlinge, daß er Pelze, Gold oder auch nur einen schönen warmen Wintermantel hineinzuschmuggeln versuche, der einem Deutschen oder einem Polen hätte gefallen können, der werde auf der Stelle erschossen. Die Juden mußten den gelben Stern tragen, zum Zeichen dafür, daß sie Untermenschen waren, die keine Rechte hatten, weder das Recht auf Schulbesuch noch auf medizinische Versorgung noch auch nur auf angemessene Nahrung – altbackenes Brot und Wassersuppe mit Fischgräten waren streng rationiert. Wir erfuhren, daß jüngere Juden arbeiten mußten, während ältere, Kleinkinder und Babys einfach verschwanden.

Nichts von alledem wurde je von der russischen Besatzungsmacht bestätigt. Entweder war sie nicht darüber informiert, oder – was wahrscheinlicher ist – sie wollte es nicht zum Thema machen. Vielleicht wollte man die deutschen Verbündeten nicht in ein schlechtes Licht rücken, vielleicht wollte man auch vermeiden, daß unter der jüdischen Bevölkerung Unruhe entstand, wenn diese Dinge allgemein bekannt wurden. Letztlich lief es darauf hinaus, daß die Russen »die Judenfrage« einfach ignorierten.

Nicht daß wir so töricht gewesen wären, uns einzubilden, die Russen hätten uns das Paradies beschert. Nach einiger Zeit fanden wir heraus, daß unter den Soldaten und Offizieren der sowjetischen Besatzungsarmee auch viele Juden waren. Sie blieben ein paar Wochen in Mir und freundeten sich mit den dortigen Juden an, so daß wir offen miteinander reden konnten. Sie erzählten uns von den entsetzlichen Geschehnissen in Rußland, von denen die gesamte Bevölkerung betroffen sei. Stalin hatte ja bereits in den dreißiger Jahren mit seinen Säuberungen begonnen, denen buchstäblich Millionen von Menschen zum Opfer fielen, die er des Widerstandes gegen ihn und die Sowjetideologie verdächtigte. Daß über Nacht Verwandte, Freunde und Nachbarn verschwanden, war an der Tagesordnung. Wenn man Glück hatte, kam man mit dem Leben davon und wurde für Jahre, wenn nicht gar Jahrzehnte nach Sibirien verbannt. Und selbst wenn man in Ruhe gelassen wurde, wußte man doch, daß man überwacht wurde. Man konnte nicht kaufen, was man wollte – man bekam es nicht. (Sehr viele russische Soldaten versuchten deshalb sofort nach ihrer Ankunft, von der polnischen Zivilbevölkerung Armbanduhren zu kaufen. Sie waren ganz verrückt nach Armbanduhren.) In Rußland mußte man aufpassen, was man sagte, was für ein Gesicht man machte, ob man nicht etwa den Eindruck erweckte, besser zu essen als die anderen. Die russischen Soldaten warnten uns: Wir sollten uns über unsere neuen Herren nicht zu früh freuen.

Nur zu bald griff die Unmenschlichkeit, die in Rußland herrschte, auch auf das eroberte Polen über. In Mir gab es etwa ein Dutzend polnischer Patrioten, die sich gegen die russische Okkupation wandten. Schon in den ersten Monaten verschwanden sie; sie wurden mitten in der Nacht abgeholt, und am nächsten Tag entdeckten wir, daß sie fort waren. Aber man mußte nicht unbedingt ein polnischer Patriot sein, um Schwierigkeiten zu bekommen. Galt man als Bourgeois – das heißt jemand, der Geld hatte – oder als Intellektueller, hatte man das Schlimmste zu befürchten. Es blieb kein Raum, Ideen, die in irgendeiner Weise von der offiziellen Linie abwichen, zu äußern oder auch nur zu *denken*. Als eine ihrer ersten Maßnahmen in Mir schlossen die Russen die – jahrhundertealte – Jeschiwa und funktionierten das Gebäude in eine Volksbegegnungsstätte um. Jedes Wochenende gab es dort russische Musik, russische Tänze und eine Menge Propagandareden.

ROCHELLE   Ich werde jetzt erzählen, wie ich den Einmarsch der Russen in Stolpce erlebt habe.

Ich erinnere mich, daß ich eines Tages früh am Morgen ein Dröhnen hörte. Ich rannte aus dem Haus und sah mich um. Ein russischer Panzer mit einer roten Fahne kam die Straße entlanggefahren. Ich fand das schrecklich aufregend! Der Panzer fuhr ganz langsam, und die Soldaten, die darauf saßen, waren sehr freundlich, grüßten nach allen Seiten und verteilten Süßigkeiten an die Kinder. »Wir kommen, um euch von den polnischen Kulaken zu befreien!« riefen sie uns zu.

Ich rannte ins Haus zurück. Ich glaubte, uns stünden herrliche Zeiten bevor. Als meine Mutter sah, wie aufgeregt ich war, schaute sie mich traurig an und sagte: »Mein liebes Kind, du verstehst das nicht. Dein Leben wird nie mehr so sein wie früher. Warte ab, was mit uns passiert!« Ich dachte: »Wovon redet sie nur?« Die russischen Soldaten waren doch so nett und freundlich.

Da mein Vater einer der reichsten Männer in der Stadt war, nahmen die Russen ihn besonders ins Visier. Sehr bald nach dem Einmarsch entzogen sie ihm nicht nur die Leitung seiner Geschäfte, sondern beschlagnahmten auch den größten Teil unseres Hauses für KGB-Funktionäre. Der KGB stellte die erste Welle russischer Besatzer. Er war beauftragt, ein politisches und soziales System zu errichten, und er tat es ganz nach Belieben – ohne den geringsten Widerstand von seiten der Polen. Wir lernten den KGB fürchten. Er konnte jedermann – einfach so – umbringen lassen oder in die Verbannung schicken. Später, als die »regulären« Russen kamen – Lehrer und andere Beamte –, konnten wir wieder ein wenig aufatmen. Sie erklärten uns in aller Freundlichkeit, was wir zu tun und zu lassen hätten, wenn wir uns nicht in Schwierigkeiten bringen wollten.

Doch bei uns, in unserem eigenen Haus, das mein Vater für seine Familie gebaut hatte, wohnten die KGB-Funktionäre mit ihren Frauen. Sie nahmen fast das gesamte Haus in Besitz. Unsere polnischen Mieter, unter ihnen auch die Leiterin des Gymnasiums, die meine Schwester Sofka abgewiesen hatte, wurden sofort verhaftet, weil sie der herrschenden Elite angehörten. Die Leiterin des Gymnasiums durfte nur einen einzigen Koffer mitnehmen; ihr ganzes Mobiliar und allen übrigen Besitz mußte sie zurücklassen. Und sie verschwand. Der KGB ließ uns zwei Zimmer, die Küche wurde gemeinsam benutzt. Das war gefährlich, denn wir hatten Angst, Gerichte zu kochen, die in irgendeiner Weise besser erscheinen konnten als das, was der KGB zu essen hatte. So mußten wir entweder ganz auf sie verzichten oder zuerst den KGB-Leuten davon anbieten. Die Spannung erfaßte unser ganzes häusliches Leben. Wir fürchteten, durch unsere Äußerungen oder unsere Kleidung Anstoß zu erregen. Wir lebten in ständiger Angst.

Das alles war für meinen Vater so bedrückend und zermürbend, daß er einen Herzanfall erlitt. Er ging in das unter sowjetischer Leitung stehende Krankenhaus, wo man ihn jedoch kurz abfertigte: Man gab ihm Tropfen und sagte ihm, er solle sich ins Bett legen. All das kam noch zu seiner Hodgkin-Krankheit hinzu. Er erholte sich zwar ein wenig von dem Herzanfall, aber er war nicht mehr der alte. Alles, wofür er in seinem Leben gearbeitet hatte, war ihm genommen worden. Er überwand sich, ging zu den Russen und bot ihnen an, als *Angestellter* in seinem früheren Geschäft zu arbeiten, nur um noch Einfluß auf die Dinge nehmen und sich seine Nützlichkeit beweisen zu können. Aber sie wollten nichts von ihm wissen.

Daran, wie schwer meinem Vater das Leben gemacht wurde, konnten wir ermessen, in welcher Gefahr wir schwebten. Mehrere Male in der Woche wurde er zum Verhör in die KGB-Büros geholt. Es lief immer nach dem gleichen Schema ab. Sie kamen unangekündigt etwa um zwei Uhr nachts und weckten uns dadurch alle auf. Sie scheuchten ihn aus dem Bett, und er ging mit ihnen fort und kam nicht vor fünf oder sechs Uhr morgens leichenblaß wieder zurück. Wir fragten ihn, was sie von ihm hätten wissen wollen, aber er sagte nur: »Fragt nicht!« Der KGB hatte ihm verboten, darüber zu sprechen. Seine Freunde und Nachbarn durften nicht einmal wissen, daß er überhaupt zu diesen nächtlichen Verhören abgeholt wurde. Nur einmal deutete er an, was sich dort abspielte. Der KGB befragte ihn über seine Freunde, die anderen Kulaken. Man wollte wissen, wieviel Geld sie besaßen, welche kapitalistischen Ansichten sie vertraten und ob sie dem kommunistischen Staat gegenüber illoyal seien. In anderen Nächten wiederum wurden die Freunde meines Vaters abgeholt und über ihn befragt. So wurde jeder gegen jeden ausgespielt. Man konnte seinen Freunden nicht mehr trauen. Man wagte kaum noch mit ihnen zu sprechen.

Ablauf und Ton dieser Verhöre machten es wahrscheinlich, daß der KGB eines Nachts kommen und unsere ganze Familie nach Sibirien schicken würde. Mein Vater versuchte deshalb, für diesen Fall vorzusorgen. Das Geld, das er vor dem Einmarsch der Sowjets auf der Bank gehabt hatte, war natürlich verloren, aber er hatte ausländische Goldmünzen versteckt – russische Rubel, englische Pfund, amerikanische Dollar. Wir taten die Münzen in Glasgefäße und gossen zerlassenes Schweineschmalz darüber, damit man sie nicht sah. Wenn die Russen nachts kommen und uns – wie es ihre Methode war – nur eine Viertelstunde Zeit zum Packen geben würden, konnten wir wenigstens einige dieser Gläser mitnehmen und hätten so nicht nur die Münzen, sondern auch das Schmalz, das uns helfen konnte, am Leben zu bleiben. Wir hatten gehört, daß man in Sibirien eine Menge Fett brauche; Fett liefere die nötige Energie, um die Kälte zu überstehen. Mein Vater versteckte die Gläser rings um das Haus und schärfte uns Kindern ein, wo wir sie finden konnten. »Merkt euch«, sagte er, »das hier ist in der Ecke versteckt, das da in dem Busch neben dem Baum.«

So lebten wir unter den Russen. Von einem Tag zum nächsten fragten wir uns, was mit uns geschehen würde.

JACK Von Anfang an bestand die sowjetische Politik darin, alle sozialen und wirtschaftlichen Unterschiede zu nivellieren – und sich außerdem zu nehmen, was man für Stalin und den Krieg brauchte oder haben wollte. In der ersten Woche nach dem Einmarsch gaben die Russen durch Anschlag bekannt, daß wir unsere *gesamten* polnischen Zloty abzuliefern hätten. Unabhängig von dem abgelieferten Betrag bekamen wir dafür *genau* 100 russische Rubel in Geldscheinen. Damit waren sämtliche Ersparnisse verloren. Wir alle wurden innerhalb einer Woche arm. Niemand hatte mehr Geld, um etwas zu kaufen. Die meisten Läden schlossen.

Meine Familie war wohlhabend; sowohl meine Mutter als auch mein Vater waren ausgebildete Fachkräfte. Reiche Freunde von ihnen wurden gleich zu Anfang nach Sibirien deportiert. Je länger die Russen blieben, desto gefährlicher wurde die Situation für Leute, die unter der polnischen Herrschaft »Bourgeois« gewesen waren. Schon in den ersten Monaten wurden die meisten dieser »Bourgeois« nach Sibirien verbannt.

Wir selbst hatten anfangs – Gott sei Dank – noch Glück. Meine Mutter hatte die einzige Zahnarztpraxis in Mir, und die Russen brauchten einen Zahnarzt, nicht nur für die einheimische Bevölkerung, sondern auch für ihre eigenen Zähne. Mein Vater fand Arbeit als Buchhalter bei einer russischen Dienststelle. Da er für die Russen arbeitete, bekam er zusätzliche Lebensmittelrationen, was bei der kriegsbedingten Knappheit ein großer Vorteil war. Er konnte auch bevorzugt Konsumgüter beziehen, doch die Versorgungslage war so chaotisch, daß uns das wenig nützte. Man bekam zwar Rasierapparate, aber keine Rasierklingen, oder umgekehrt. Meine Mutter brachte unterdessen Hühner, Erbsen, Käse, Butter und Brot mit nach Hause, denn die Bauern, die zu ihr in die Praxis kamen, zahlten in Naturalien. Es war ein Tauschsystem; Geld besaß niemand.

So hatten wir zu essen, aber wir mußten vorsichtig sein, denn wenn man zu gut lebte, zog man den Argwohn der sowjetischen Führung auf sich. Schon ganz zu Anfang wurde unser schönes Haus einem sowjetischen Funktionär zugewiesen, und wir mußten in eine schäbige Wohnung umziehen, wo meine Mutter auch praktizierte. Parteigenossen, die sich von ihr behandeln ließen, gingen ein und aus, und wir mußten darauf achten, nicht nur unser Essen, sondern auch alles Schöne, was wir besaßen, zu verstecken, denn wenn ein sowjetischer Funktionär beispielsweise eine Kristallschale sah und nur »Was für ein schönes Stück!« sagte, mußte man sie ihm auf der Stelle schenken – sonst war man verloren!

Dank der offiziellen sowjetischen Nichtdiskriminierungspolitik gegenüber den Juden brauchte ich nicht mehr auf das jüdische Gymnasium in Baranowicze zu gehen. Das Gymnasium von Stolpce war jetzt eine sowjetische Schule, *djeschiletka* genannt. Sie bestand aus zehn Klassen, stand allen Schülern offen und hatte einen ganz anderen Lehrplan. Die russischen Lehrer, die dort unterrichteten, legten besonderen Wert auf die sowjetische Verfassung, die kommunistische Philosophie, die Geschichte und Geographie Rußlands. Aber ich war froh, in Stolpce zur Schule gehen zu können, weil ich dort meinen Eltern näher war. Der Unterricht war weniger streng als unter den Polen, und wenn man vorsichtig war, zur rechten Zeit das Richtige sagte und ansonsten den Mund hielt, war es nicht schwer, mit den Sowjets zurechtzukommen.

Einmal wurden in der Stadt Schachturniere abgehalten, von denen ich eines gewann. Ich bekam ein Schachspiel mit Figuren, die aussahen, als wären sie aus Elfenbein, was sie aber wohl kaum waren. Ich gehörte auch der Redaktion der Schülerzeitung an, doch eine meiner sinnvollsten Aktivitäten war meine Ausbildung zum Erste-Hilfe-Lehrer. Trotz ihres Paktes mit Deutschland ahnten die Russen wohl, daß sie möglicherweise einmal mit den Nazis Krieg führen würden, und waren deshalb stark daran interessiert, daß jedermann Erste Hilfe lernte. Ich nahm also an einem Kurs teil, und schon brachte ich den jüngeren Schülern unserer Schule Erste Hilfe bei. Man stelle sich vor! Ich hatte kaum Kenntnisse, doch nach Abschluß des Kurses bekam man eine eigens geprägte russische Medaille. Einmal wurde ich zu einer Tagung für Erste-Hilfe-Instruktoren nach Baranowicze eingeladen. Ich verbrachte dort eine wunderschöne Zeit mit einem russischen Mädchen, einer Parteigenossin. Sie hatte eine sehr gute Figur und war vier oder fünf Jahre älter als ich. Oh, dieses Mädchen – sie war so freundlich!

Sie riet mir unter anderem, in die kommunistische Partei einzutreten, aber das wollte ich nicht. Und selbst wenn ich einen Aufnahmeantrag gestellt hätte, wäre ich wahrscheinlich abgewiesen worden, weil meine Eltern »Bourgeois« waren. Wären die Russen jedoch lange genug geblieben, wäre ich gezwungen gewesen, der Partei auf irgendeine Weise doch noch beizutreten, um zu überleben.

Und wer war mit mir im Erste-Hilfe-Kurs? Rochelles jüngere Schwester Sofka. Und bei Rochelle selbst leistete ich einmal Erste Hilfe! Im sowjetischen Lehrplan wurde viel Wert auf Körperertüchtigung gelegt, und alle Schüler mußten an Langstreckenläufen teilnehmen, ähnlich den Marathonläufen in Amerika. An der Ziellinie leistete ich allen, die es nötig hatten, Erste Hilfe. Ich hatte keine Medikamente, nicht einmal Salztabletten. Alles was ich hatte, war kaltes Wasser, und davon gab ich Rochelle.

Ich interessierte mich für sie und wäre gern mit ihr ausgegangen. Ich sah sie – von weitem – ziemlich häufig, denn eine Freundin von ihr, Aschke Prass, wohnte in derselben Pension wie ich. Damals ging ich oft mit zwei oder drei Mädchen gleichzeitig aus. Wir schwelgten in den Leckerbissen der Konditoreien, redeten, lachten und tranken

Kaffee. Es herrschte eine freundschaftliche Atmosphäre ohne Eifersucht. Eines Tages sagte ich zu einem dieser Mädchen, das Rochelle kannte, daß ich gern einmal mit Rochelle ausgehen würde. Doch das Mädchen meinte: »Das geht nicht. Rochelle trifft sich noch nicht mit Jungen.«

Aber ich hatte ein Auge auf sie geworfen. Ich ging in Stolpce oft zum Postamt. Da nur wenige Häuser Telefon hatten, mußte man von der Post aus telefonieren. Ich hatte in einer anderen Stadt eine Freundin, mit der ich in Verbindung bleiben wollte. Auf dem Weg zum Postamt sah ich Rochelle oft in ihrem Garten stehen und begrüßte sie, aber sie bat mich nie herein. Es wäre schön gewesen, ihre Eltern kennenzulernen – ich habe sie nie auch nur gesehen.

ROCHELLE Daß ich Jack ins Haus bat, kam nicht in Frage. Man muß wissen, daß mein Leben damals ganz anders aussah als Jacks Leben. Ich stand wie die meisten meiner Freundinnen, die in Stolpce aufgewachsen waren, unter strenger elterlicher Aufsicht. Wäre ich in einer fremden Stadt, wo niemand mich kannte, zur Schule gegangen, hätte sich das gelockert, so wie bei Jack und seinen Freunden. Aber in Stolpce konnte ich es mir auf keinen Fall erlauben, mit Jungen auszugehen.

Ich erinnere mich, wie meine Eltern mich einmal an einem kalten Tag ermahnten, für den Schulweg einen Schal anzuziehen. Da ich oft Halsschmerzen hatte, waren sie sehr besorgt. Unterwegs öffnete ich den Schal, so daß er lose über meinen Mantel herabhing. Als ich später nach Hause kam, war ihre erste Frage doch tatsächlich, warum ich meinen Schal nicht umbehalten hätte. »Woher wißt ihr das?« fragte ich. Irgend jemand hatte mich gesehen und es ihnen erzählt. Wenn ich in einem Teil der Stadt nieste, sagte in einem anderen jemand: »Gesundheit!«

Aber ich weiß noch, daß meine Freundinnen mir rieten: »Geh doch mit diesem Izik [Jacks jiddischer Name] Sutin aus. Er hat die Taschen immer voll Geld und führt auch gern ein paar Mädchen auf einmal aus.«

JACK   Einmal fand eine Tanzveranstaltung statt, zu der alle Schüler von Stolpce kamen, auch Rochelle. So konnte ich sie sehen und zum Tanzen auffordern. Ein magischer Moment, könnte man sagen.

ROCHELLE   Ich hatte neue marineblaue Wildlederschuhe an. Jack tanzte mit mir, und ich weiß nur noch, daß er mir dauernd auf die Zehen trat. Meine neuen Schuhe waren total zerkratzt! Ich konnte es kaum erwarten, ihn wieder loszuwerden. Er war ein unglaublicher Tolpatsch. Den ganzen Rest des Abends versteckte ich mich hinter meinen Freundinnen, sobald ich ihn auf mich zukommen sah.

JACK   Näher sind wir einer Verabredung in den zwei Jahren der Sowjetherrschaft nie gekommen.

ROCHELLE   In der neuen russischen Schule in Stolpce fühlte ich mich wie eine Ausgestoßene. Man nannte mich »Kulakentochter«. Ich durfte mich nicht mucksen und mußte besser sein als alle anderen, um mit meinen russischen Lehrern zurechtzukommen. Das war jedoch nicht allzu schwer, denn meine Mutter Cila war in Rußland aufgewachsen und zur Schule gegangen. Sie sprach mit uns Kindern Russisch und las uns russische Geschichten vor. Ich hatte zwar Schwierigkeiten, weil ich der besitzenden Klasse angehörte, aber ich brauchte mich nicht mehr zu fürchten, daß ich bedroht oder geschlagen würde, weil ich Jüdin war. Inoffiziell war ein dreckiger Jude für meine polnischen Mitschüler zwar immer noch ein dreckiger Jude, aber wenn einer von ihnen einen Juden mit diesen Worten beschimpfte oder sich anderweitig judenfeindlich äußerte, wurde er zum Rektor geschickt und streng bestraft. Plötzlich hielten sie alle den Mund.

In der russischen Schule gab es nicht nur den Rektor und die Lehrer, sondern auch die Politruks [politische Berater]. Ihre Aufgabe bestand darin, die Schüler mit der sowjetischen Ideologie zu indoktrinieren und sie für den Komsomol [die kommunistische Jugendorganisation] zu gewinnen. Ich machte natürlich gar nicht erst den Versuch, dort einzutreten, weil ich wußte, daß man mich auf keinen Fall aufnehmen würde. Die Politruks waren die Augen und Ohren der Schule. Sämtliche Aktivitäten wurden von ihnen kontrolliert. Bei allen Schulveranstaltungen wurden große Fotos der etwa zwölf Politbüromitglieder aufgehängt: Stalin, Molotow, Berija und die anderen. Die Schüler mußten aufstehen und im Chor »Lang lebe Towarisch [Genosse] Stalin« rufen, und so fort, alle Namen durch. Und während dieser ganzen Litanei mußten wir freudig in die Hände klatschen.

Einmal stand ich in einer Versammlung mit meiner Schwester Sofka und einigen Freundinnen zusammen. Wir waren beim gerade zweiten oder dritten Namen angelangt, als mir das Ganze plötzlich so absurd vorkam, daß ich in ein hysterisches Gelächter ausbrach! Ich konnte gar nicht wieder aufhören.

Die anderen zupften mich am Ärmel, kniffen mich sogar und sagten: »Hör auf! Du bringst dich in Teufels Küche, und deine ganze Familie dazu!« Aber es half nichts.

Kaum war die Versammlung zu Ende, führten mich die Politruks in das Büro des Rektors und stellten mir eine Menge Fragen. Was so komisch gewesen sei, ob ich etwas gegen den Genossen Stalin hätte, ob ich etwas gegen die anderen Sowjetführer hätte. Ich sagte, ich hätte an etwas Lustiges denken müssen, das mir an diesem Tag passiert sei; als es mir plötzlich wieder eingefallen sei, hätte ich lachen müssen. Es habe nichts mit den Namen der großen Sowjetführer zu tun! Sie fragten mich stundenlang aus, aber irgendwie bewahrte mich meine Ausrede vor einer strengen Strafe.

Als meine Eltern am Abend davon erfuhren, wurden sie zornig. Mein Vater habe schon genug Schwierigkeiten, da müsse seine Tochter sich nicht auch noch wie eine Verrückte benehmen und dadurch erst recht den Argwohn auf ihn lenken.

JACK In der letzten Phase der sowjetischen Okkupation, etwa drei Monate vor dem deutschen Einmarsch in Ostpolen im Juni 1941, erreichten uns erschreckende Nachrichten.

Einer der Patienten meiner Mutter war ein sowjetischer Ankläger, der ziemlich oft zur Behandlung kam. Einmal war er angetrunken und sagte zu ihr: »Ich mag Sie und möchte, daß Sie wissen, was wir in unseren letzten Planungssitzungen beschlossen haben: Entsprechend der sowjetischen Politik werden wir unsere eigenen Ärzte und Zahnärzte nach Mir holen.« Das hätte vermutlich bedeutet, daß nicht nur meine Mutter, sondern auch mein Vater, der ja ebenfalls der Bourgeoisie angehörte, und ich selbst als ihr Sohn postwendend nach Sibirien geschickt worden wären.

Im nachhinein würde ich sagen, daß das vielleicht ganz

gut gewesen wäre. Vielleicht wären wir alle am Leben geblieben. Die meisten Juden, die vor dem Einmarsch der Deutschen nach Sibirien geschickt wurden, überlebten. Vielleicht hätte meine Mutter dann die volle Spanne eines ganzen Lebens haben können.

ROCHELLE Mein Vater war über die Russen so verzweifelt, daß er tatsächlich glaubte, alles würde besser werden, wenn die Deutschen in Ostpolen einmarschierten und die Kommunisten vertrieben. Er wußte nichts von den Nazis und ihrer Ideologie. Mit Deutschland verband Lazar den ersten Weltkrieg, als sein Vater noch gelebt und mit der Armee des Kaisers Geschäfte gemacht hatte. »Mit den Kommunisten kann man nichts anfangen«, sagte er, wenn wir unter uns waren. »Aber wenn erst die Deutschen da sind, produziere ich wieder Terpentin und Teer. Das werden sie brauchen, um Straßen zu bauen. Mit Geld kann ich sie bestechen und allen Schwierigkeiten aus dem Weg gehen.« Mein Vater hatte, wie gesagt, keine Ahnung, was auf uns zukam. Seine Krankheit und seine Depressionen während der sowjetischen Okkupation machten ihn blinder denn je.

III

Die Anfänge des Nazi-Terrors

ROCHELLE Im Juni 1941 marschierten die Deutschen – eindeutig auf dem Weg nach Rußland – in Ostpolen ein. Die Russen mochten zwar ihre Zweifel gehabt haben, was die Haltbarkeit ihres Paktes mit Hitler anbelangte, aber es war offenkundig, daß sie durch den Blitzkrieg der Nazis überrascht wurden. Die Sowjetarmee leistete nur wenig ernsthaften Widerstand. Wir lebten nahe der russischen Grenze, und zwei oder drei Tage nach der Invasion sahen wir einen Strom sowjetischer Soldaten auf dem Rückzug in ihre Heimat.

Als wir vom Einmarsch der Deutschen hörten, wollten wir in Richtung Osten fliehen, nach Rußland. Sogar mein Vater hätte das für vernünftig gehalten, wenn es überhaupt möglich gewesen wäre. Viele Juden wären nach Rußland geflohen, wenn sie gekonnt hätten, aber nur wenige schafften es. Alles hatte sich gegen uns verschworen.

Offiziell waren die sowjetischen Grenzen für Juden und andere Flüchtlinge aus Polen geschlossen worden. Die Russen mißtrauten der polnischen Bevölkerung. Sie argwöhnten, daß unter den Flüchtlingen Umstürzler oder Spione sein könnten, und so durften in den ersten Tagen des deutschen Angriffs nur sowjetische Funktionäre und Soldaten die Grenzen passieren. Erst gegen Ende des Angriffs, als die Grenzen nicht mehr bewacht wurden, weil die ganze Region in einem blutigen Chaos versank, konnten einige polnische Zivilisten, darunter auch Juden, durchschlüpfen. Die meisten gaben sich als Russen aus. Zehntausende von sowjetischen Soldaten blieben unterdessen in Polen zurück, so rasch rückten die Deutschen vor und so ungeordnet und überstürzt verlief der russische Rückzug. Schon ganz zu Anfang drangen die Deutschen etwa dreihundert Kilometer auf russisches Gebiet vor und gelangten bis Minsk. Sie verfolgten die Strategie, die Sowjettruppen, die ohne Nachschub und ohne jegliche Aussicht auf sofortige Hilfe in Polen festsaßen, in einer Zangenbewegung einzuschließen. Mehrere tausend russische Soldaten gerieten in Kriegsgefangenschaft, und viele von ihnen wurden fast sofort erschossen, weil die Deutschen auf ihrem Vorstoß nach Rußland keine Kriegsgefangenenlager unterhalten wollten. In den Lagern, die dennoch eingerichtet wurden, verhungerten zahlreiche Sowjetsoldaten. Später erfuhren wir, daß sich auf polnischen Bauernhöfen Hunderte von russischen Soldaten versteckt hielten, die ihre Uniformen vergraben und den polnischen Bauern im Austausch gegen ihr Leben ihre Arbeitskraft angeboten hatten.

Sehr viele sowjetische Soldaten versteckten sich auch in den Wäldern und schlossen sich zur Nahrungsbeschaffung zu bewaffneten Banden zusammen. Aus vielen dieser Gruppen entwickelten sich später Partisaneneinheiten. Damals führten sie jedoch noch keine ernsthaften militärischen Aktionen gegen die Deutschen durch – ihr einziges Ziel war, am Leben zu bleiben. Es waren bewaffnete, ausgebildete Soldaten – im Gegensatz zu den Juden, die weder bewaffnet noch ausgebildet waren und alte und junge Angehörige zu berücksichtigen hatten.

Selbst wenn wir beschlossen hätten, Stolpce zu verlassen, hätte es keine Garantie gegeben, daß wir lebend bis an die russische Grenze, geschweige denn auf russisches Gebiet gelangt wären. Man darf sich nicht vorstellen, daß es in Stolpce Personenwagen gegeben hätte! Mein Vater, ein reicher Mann, hatte hinter unserem Haus nicht etwa eine Garage gebaut, sondern einen großen Schuppen für unsere Zugpferde. Viele andere Juden aber machten sich trotz allem auf den Weg, zum Teil zu Pferd oder mit Pferdewagen, die meisten jedoch zu Fuß. Die Züge verkehrten nicht mehr. Die Straßen waren voll von fliehenden Juden, Polen und russischen Soldaten. Etwas bessere Chancen hatte man auf den Nebenstraßen, auf denen aber jede Art des Reisens schwierig war. Die Hauptstraßen in Richtung Osten unterlagen ständiger Überwachung durch die deutsche Luftwaffe – niemand blieb von den Tieffliegerangriffen der Nazis verschont. Auf Kinder wurde ebenso geschossen wie auf Soldaten. Die Toten wurden am Straßenrand aufgeschichtet, zerbombte Armeelastwagen versperrten den Nachfolgenden den Weg.

Als uns klar wurde, daß die Deutschen bald in Stolpce sein würden, packten wir die nötigsten Kleidungsstücke und die Schweineschmalzgläser mit den Goldmünzen zusammen und gingen, so schnell wir konnten, in eine nahe Kleinstadt namens Kruglice, in der mein Vater eine Fabrik besaß. Bis wir in Erfahrung bringen konnten, was in Stolpce geschah, hielten wir uns im Haus des jüdischen Aufsehers der Fabrik auf. Am meisten fürchteten wir zu diesem Zeitpunkt die Bombenangriffe der Luftwaffe, die, wie wir hörten, viele kleine Städte im Westen des Landes dem Erdboden gleichgemacht hatten. Es gab ja fast nur kleine Holzhäuser, die den Explosionen nicht standhielten, so daß sich das Feuer rasch ausbreiten konnte. Wir wollten deshalb nicht riskieren, in unserem Haus festzusitzen, wenn Stolpce mit Bombenteppichen belegt wurde.

Die Deutschen besetzten Stolpce, und wir hatten keine Ahnung, ob unser Haus noch stand oder nicht. Um das herauszufinden, gab es nur eine Möglichkeit: Wir mußten selbst nachsehen. Mein Vater war dafür zu krank. Es war ein Fußmarsch von insgesamt achtundzwanzig Kilometern, und man mußte aufpassen, daß man nicht gesehen wurde. Meine Mutter konnte meine jüngeren Schwestern nicht alleinlassen, und so wurde beschlossen, daß ich nach Stolpce gehen und herausfinden sollte, ob wir nach Hause zurückkehren konnten. Eine Woche nach dem Einmarsch der Deutschen in Stolpce machte ich mich auf den Weg. Ich hielt mich so weit wie möglich im Schutz der Wälder, mußte teilweise aber auch die Straße benutzen. Am Straßenrand lagen tote russische Soldaten. Es war das erste Mal, daß ich Leichen sah. Fliegen krabbelten ihnen in Mund und Augen.

Am Stadtrand angekommen, versteckte ich mich am Fluß Njemen. Ich sah, daß viele Gebäude in Rauch aufgegangen waren. Die Stadt war völlig verändert. Zum Glück kannte ich mich gut genug aus, um mich zurechtzufinden, auch wenn die Straßen nur noch durch Trümmer führten. Schließlich gelangte ich zu unserem Haus. Es stand noch und war bereits voll von verzweifelten Juden, die dort Zuflucht gesucht hatten, weil ihre eigenen Häuser zerstört waren. In dem Schuppen hinter dem Haus hatten wir Fässer mit Mehl, Zucker, Salz, Erbsen und anderen Nahrungsmitteln gelagert. Ich öffnete sie und verteilte den Inhalt unter den Juden. Alle litten großen Hunger. Ich blieb die Nacht über im Haus und sagte: »Hört zu, meine Familie kommt zurück, also macht Platz für uns.«

Die Deutschen bemerkten mich zwar, als ich in der Stadt war, doch unter so vielen Menschen erregte ich weniger Verdacht, als wenn man mich allein auf der Straße gesehen hätte. Zu diesem Zeitpunkt traten die Deutschen noch in erster Linie als vorrückende Armee in Erscheinung. Es war ein Chaos, ein Niemandsland. Noch wurde man nicht als Jude oder Nichtjude eingeordnet. Wenig später kam die SS, und damit begannen die organisierten Maßnahmen gegen die Juden. Doch davon wußte ich damals noch nichts.

Am nächsten Tag wanderte ich zu meinen Eltern zurück. Sie brachen in Tränen aus, als sie mich sahen. Sie hatten geglaubt, ich sei getötet worden, weil ich drei Tage fort gewesen war, ein wenig länger als geplant. Ich erzählte ihnen, wie es in Stolpce aussah, und wir beschlossen, in unser Haus zurückzukehren. Die Juden, die jetzt darin wohnten, waren sehr freundlich zu uns, und wir waren freundlich zu ihnen. Es gab keinerlei Streit um Besitzrechte. Nach dem, was jüdische Flüchtlinge uns schon früher erzählt hatten, war uns allen klar, daß unsere Lage verzweifelt war, daß wir bald genug das Haus würden verlassen und ins Ghetto gehen müssen. Meine Familie richtete sich in einem Raum des Hauses ein. Und dann warteten wir.

Zwei Wochen später kam die SS, und damit etablierten sich die Deutschen in Stolpce erst richtig. Innerhalb weniger Tage war die Verbindung mit der polnischen Polizei hergestellt, die froh, ja sogar hocherfreut war, mit den Nazis zusammenzuarbeiten. Sie lieferte umgehend eine Liste bekannter Persönlichkeiten – größtenteils Juden, aber auch einige Polen, denen man aktiven Widerstand zutraute. Sechs oder sieben von ihnen wurden sofort getötet. Anfangs versuchten die Deutschen noch, die Liquidierungen geheimzuhalten. Es hieß, die Betreffenden seien in ein besonderes Lager eingewiesen worden. Später erfuhren wir, daß sie in eine verlassene Gegend etwa elf Kilometer außerhalb von Stolpce gebracht worden waren. Dort hatte man sie gezwungen, ihr eigenes Massengrab zu schaufeln.

Einer von ihnen war mein Vater Lazar. Die Nazis kamen in Begleitung einiger polnischer Polizisten, um ihn abzuholen. Sie scheuchten ihn aus dem Bett und befahlen ihm, sich rasch anzuziehen – so rasch, daß er nicht einmal Zeit hatte, in seine Schuhe zu schlüpfen. Er ging in Lederhausschuhen und einer dünnen Jacke. Meine Mutter sagte den Polizisten, daß er lebensnotwendige Medikamente einnehmen müsse, und sie erwiderten: »Keine Sorge, er ist bald wieder da.« Sie erklärten, sie nähmen meinen Vater und andere bekannte Bürger der Stadt als Geiseln, um Angriffe der Bevölkerung gegen die deutschen Soldaten zu verhindern.

In Wirklichkeit aber wurden diese Menschen, wie gesagt, sofort getötet. Nachdem sie ihr Massengrab ausgehoben hatten, wurden sie zu Tode gesteinigt. In den Leichen fand man später nur wenige Patronen; die Deutschen wollten keine Munition vergeuden. 1945, als der Krieg zu Ende war, öffnete die Polizei von Stolpce – jetzt wieder unter sowjetischem Befehl – das Massengrab im Zuge ihrer Ermittlungen zur Aufklärung von Naziverbrechen. Mein Vater hatte seine Hausschuhe noch an den Füßen.

Ein paar Tage, nachdem mein Vater abgeholt worden war, suchte uns einer der deutschen Offiziere nochmals auf und teilte uns mit, daß es meinem Vater gutgehe. Er werde ihm die nötigen Medikamente bringen, und wir sollten seine besten und wärmsten Kleider einpacken – der Winter rücke näher, und mein Vater werde sie brauchen. Bevor er ging, dankten wir alle ihm wieder und wieder für seinen Besuch. Und dabei war mein Vater bereits tot! Der Offizier aber hatte sich gute Kleider verschafft, ohne erst mühsam das Haus durchsuchen zu müssen. Noch zogen die Deutschen es vor, ihre Aktionen hinter höflichen Lügen zu verstecken. Die Todesdrohung war da, aber sie war verschleiert – mit einem hauchdünnen Schleier.

Der nächste Schritt in dieser Strategie höflicher Lügen war die Aufforderung an die Juden, ein etwa sechsköpfiges Komitee zu bilden, einen sogenannten Judenrat als – von den Nazis kontrolliertes – leitendes Organ der jüdischen Bevölkerung. Das deutsche Militär und die polnische Polizei benutzten den Judenrat, um Befehle zu übermitteln. Einer ihrer ersten Befehle wies uns an, gelbe Sterne mit der Aufschrift »Jude« an unsere Kleider zu nähen, einen vorne links und einen hinten in der Mitte. Dem Judenrat wurde mitgeteilt, daß jeder Jude, der ohne diese Sterne angetroffen würde, sofort erschossen werde.

Doch auch vorher hatten Juden kaum eine Chance gehabt, sich als Polen auszugeben und damit der Verfolgung zu entgehen. Nicht etwa deshalb, weil die Juden an ihrem Äußeren so leicht zu erkennen gewesen wären – die Deutschen konnten nach dem Aussehen oft nicht unterscheiden, ob sie einen Juden oder einen Polen vor sich hatten. Hier aber kam ihnen die polnische Polizei zu Hilfe. Man muß sich klarmachen, daß die kollaborierenden Polen in vieler Hinsicht schlimmer waren als die Deutschen selbst. Sie wußten ganz genau, wer Jude war; oft kannte man sich noch aus Kinderzeiten. Jetzt war die Gelegenheit da, alte Rechnungen zu begleichen. Die Polen wußten, welche Juden Geld und Wertgegenstände besaßen, und konnten sie erpressen, wann immer es ihnen gefiel. Und mehr noch: Sie besaßen nun einen Freibrief, die Juden nach Belieben zu terrorisieren – bei ihnen einzubrechen, sie zu verprügeln, ihre Frauen zu vergewaltigen, sich zu nehmen, was sie gerade haben wollten.

Aber es war nicht nur die polnische Polizei. Fast alle polnischen Einwohner von Stolpce – auch Leute, die man für Freunde gehalten hatte – arbeiteten bereitwillig mit den Nazis zusammen. Sie schadeten uns, wo sie nur konnten. Wer die Nazibestimmungen zu umgehen versuchte, wurde von ihnen denunziert. Und diese Menschen waren unsere Nachbarn, unsere Schulkameraden gewesen.

Von Anfang an mußten wir für die Deutschen arbeiten. Als Zwangsarbeiter hatten wir das Chaos zu beseitigen, das sie bei der Eroberung Polens hinterlassen hatten. Mädchen und Jungen wurden herangezogen, ebenso alle Erwachsenen, die sich noch rühren konnten. Die Betreuung von Säuglingen und Kleinkindern blieb den Alten überlassen, vor allem den alten Frauen. Wir räumten die Straßen von den Trümmern der Luftangriffe. Meine Mutter, meine jüngere Schwester Sofka und ich arbeiteten zusammen. Miriam war noch zu klein.

Anfangs wurden wir von den Deutschen beaufsichtigt, später übertrug man diese Aufgabe den Polen. Wir wußten, daß die Deutschen uns haßten, aber wir glaubten noch nicht, daß sie uns jederzeit erschießen konnten. Ich war als Kind ein wenig vorlaut und wagte zu protestieren. Eines Tages riefen uns die deutschen Bewacher bei den Räumarbeiten immer wieder zu: »Dreckige Juden! Macht schneller!«, um sich dann zu beklagen, daß sie unseretwegen in den Krieg hätten ziehen müssen. Da sagte ich zu ihnen: »Was soll das? Wir sind doch nicht zu euch gekommen, sondern ihr zu uns! Wie könnt ihr sagen, wir hätten den Krieg angefangen?«

Da packte mich einer der deutschen Offiziere, nahm seine Lederpeitsche und schlug sie mir über den Rücken, wieder und wieder, bestimmt fünf oder zehn Minuten lang. Und während er mich auspeitschte, schrie er: »Damit du weißt, wer den Krieg angefangen hat, du dreckige Jüdin!« Meine Mutter und meine Schwester wagten nicht aufzublicken. Sie wollten die Szene nicht mitansehen und hatten Angst, selbst geschlagen zu werden, wenn sie den Kopf hoben. Kaum hatten die Schläge aufgehört, mußte ich wieder an die Arbeit. Mein Rücken war blutig und geschwollen. Als ich am Abend nach Hause kam, sah ich, daß ich gestreift war wie ein Zebra. Wochenlang konnte ich mich nur unter Schmerzen bewegen. Trotzdem mußte ich jeden Tag zur Arbeit.

Nachdem wir die Straßen freigeräumt hatten, mußten wir unser ehemaliges Gymnasium säubern, das jetzt als Truppenunterkunft diente. Ich arbeitete in einer Gruppe von Mädchen, die die Böden und Toiletten zu putzen hatten. Während wir die Toilettenschüsseln reinigten, kamen SS-Offiziere herein und urinierten über unsere Hände. Und dazu lachten sie.

In diesen ersten Wochen wohnten SS-Offiziere in unserem Haus. Wir hatten dort noch unser Zimmer, die anderen Flüchtlinge aus Stolpce waren ausquartiert worden. Das Ghetto wurde erst zwei Monate nach dem deutschen Einmarsch eingerichtet. So lebten wir einige Wochen mit einem SS-Offizier im ersten Stock und mehreren Armeeoffizieren im Erdgeschoß unter einem Dach. Die Armeeoffiziere waren noch zu ertragen. Sie befanden sich auf dem Weg an die russische Front und waren mehr mit dem beschäftigt, was sie dort erwartete, als mit den Juden. Manchmal teilten sie sogar ihre Rationen mit uns. Ich weiß noch, wie einer von ihnen eines Tages zu uns sagte: »Ihr tut mir leid, wenn ich euch so sehe, denn ich weiß, was euch bevorsteht.« Wir fragten ihn, was er damit meine, aber er erwiderte, er könne es uns nicht sagen.

Nachdem die Reinigungsarbeiten in der Schule abgeschlossen waren, mußten wir die Kommandantur, den Sitz der örtlichen SS-Führung, säubern. Mein Vater war seit einem Monat fort. Ich wollte unbedingt wissen, wie es ihm ging, und aus irgendeinem Grund entschloß ich mich, einfach an die Tür des höchsten SS-Offiziers zu klopfen und ihn danach zu fragen! So stand ich vor ihm, ein jüdisches Mädchen, schmutzig von der Arbeit, und berichtete, was mit meinem Vater geschehen war. Ich fragte, ob er die Kleider bekommen habe, die wir für ihn eingepackt hätten; ein deutscher Offizier habe sie mitgenommen und uns versprochen, wir würden von meinem Vater hören, aber wir hätten nichts gehört. Ich sagte zu dem SS-Offizier, ich wisse, daß er in der Stadt ein wichtiger Mann sei, und ob er sich nach meinem Vater erkundigen und mir Bescheid geben könne.

Er sah mich an, als sei ich nicht ganz richtig im Kopf, aber ich glaube, er hatte auch Mitleid mit mir. Er hätte mich schlagen oder töten können, doch er brüllte mich nicht einmal an. Er sagte: »Ich weiß nichts von deinem Vater, aber ich werde mich erkundigen und dir Bescheid geben.«

Als ich nach Hause kam und meiner Mutter davon erzählte, bekam sie fast einen hysterischen Anfall. Sie traute ihren Ohren nicht. Wieder und wieder rief sie: »Er hätte dich auf der Stelle erschießen können!«

Etwa zwei Monate nach Beginn der Okkupation wurden die Maßnahmen gegen die Juden verstärkt. Die SS erteilte dem Judenrat Befehle, und der Judenrat gab sie an uns weiter. Als erstes mußten wir alles Gold, das wir besaßen, und allen Schmuck abgeben. Wir behielten zwei der vergrabenen Gläser mit Goldmünzen, alle übrigen Wertsachen lieferten wir ab.

Meine Mutter trennte sich auch von ihrem Ehering – sie hatte keine andere Wahl. Wer mit Schmuck angetroffen wurde, wurde erschossen. Mit dem nächsten Befehl wurden wir aufgefordert, sämtliche Pelzmäntel abzugeben. In Polen waren Pelzmäntel damals verbreiteter als heute in Amerika, der Wärme wegen, nicht um zu renommieren. Am Schluß, als nichts Wertvolles mehr übrig war, hieß es, wir sollten zusammenpacken, was wir tragen könnten, und ins Ghetto übersiedeln. Unsere eigenen Häuser wurden deutschen Offizieren oder kollaborierenden Polen zugewiesen.

Das Ghetto lag im heruntergekommensten Teil der Stadt und war mit starkem Stacheldraht eingezäunt. Als Ein- und Ausgang diente ein einziges großes Tor, das ständig von SS oder polnischer Polizei bewacht wurde. Jeder Jude, der das Tor passierte, wurde durchsucht.

Kurze Zeit nach unserem Umzug ins Ghetto wurden alle noch übrigen jungen und etwas älteren Männer fortgebracht, unter ihnen auch meine Onkel und Vettern. Es hieß, sie kämen in ein Arbeitslager. Im Ghetto blieben fast nur Frauen, Kinder und alte Männer zurück, und es gab niemanden mehr, der irgend etwas organisieren konnte.

Nun waren wir nur noch zu viert: meine Mutter und ihre drei Töchter. Die Hoffnung, daß mein Vater als Geisel der Deutschen noch am Leben sein könnte, hatten wir inzwischen aufgegeben. Zu viele Juden verschwanden, zu viele Gerüchte kursierten über Massenmorde an Juden in anderen Ghettos. Wir begriffen, daß die Deutschen meinen Vater als Geisel nicht brauchten. Alle Juden in Stolpce – die Juden in den Ghettos *aller* Städte – waren Geiseln der Nazis. Nach all den deutschen Lügen mußten wir der grausamen Wahrheit ins Auge sehen, daß unser Vater ermordet worden war. Und mit dieser Wahrheit mußten wir leben, während die Mörder triumphierend herumliefen, als Herren über Polen und über unser aller Leben. Für meine Mutter war es die Hölle, für mich und Sofka ebenfalls. Miriam war zum Glück noch zu jung, um wirklich zu begreifen.

Als wir ins Ghetto kamen, wurde uns als Unterkunft eine ehemalige Versammlungshalle zugewiesen, die den Baptisten der Stadt als Betsaal gedient hatte. Man stellte ein paar alte Möbel hinein, und pferchte Dutzende jüdischer Familien in dem Raum zusammen. Wir hatten gerade so viel Platz, wie wir zum Schlafen brauchten. Es gab zwei Holzöfen, an denen wir uns wärmten und auf denen alles kochte. Viel zu kochen war freilich nicht da. Die Essensrationen waren minimal; bestenfalls gab es altbakkenes Brot. Ein Bad war nicht vorhanden, so daß wir uns nicht waschen konnten. Nachts schliefen wir schlecht, egal wie müde wir waren, denn die Matratzen waren voller Wanzen, die uns das Blut aussaugten. Morgens waren die Laken rot vom Blut der Wanzen, die wir im Schlaf zerquetscht hatten. Am Tag traten die Läuse an die Stelle der Wanzen. Sie saßen in den Haaren, in jeder Hautfalte. Es juckte, und wir hatten Hautausschläge, so rot und dick wie Striemen.

Meine Mutter war sehr schwach, und so fiel mir die Aufgabe zu, für die Familie zu sorgen. Man schickte uns zur Arbeit in ein Sägewerk. Meine Mutter fing dort mit mir zusammen an, aber sie hielt nicht durch; die großen Sägemehlkisten waren zu schwer für sie. So blieb sie im Ghetto zurück – älteren Menschen und kleinen Kindern gestattete man das, weil sie ohnehin bald sterben sollten. Meine jüngere Schwester Sofka dagegen war körperlich in hinreichend guter Verfassung, um arbeiten zu können. Vor der deutschen Invasion waren wir beide etwas pummelig gewesen, und obwohl wir stark abgenommen hatten, waren wir doch noch kräftig. Doch Sofka weigerte sich, ins Sägewerk zu gehen. Sie war verzweifelt. »Wieso soll ich so lange arbeiten, bis ich erfriere?« meinte sie. »Sie bringen uns ja doch um.« Miriam war gerade neun Jahre alt geworden. Sie war schon immer ein zartes Kind gewesen. Im Ghetto magerte sie stark ab; sie wurde krank und so schwach, daß sie nicht mehr ohne Hilfe gehen konnte – wir mußten sie fast tragen. Miriam verfiel vor unseren Augen.

So blieben die drei im Ghetto zurück, und ich arbeitete zusammen mit anderen jungen Mädchen in dem Sägewerk am Stadtrand von Stolpce. Es war im Winter 1941–42.

Ich hatte zweierlei Aufgaben: Ich mußte das Sägemehl zusammenfegen, in Kisten sammeln und dann in den unterirdischen Ofen kippen, der die dampfbetriebenen Sägemaschinen in Gang hielt. Und ich bediente die Maschine, die die Rinde von den rohen Brettern schnitt. Nachdem die Rinde entfernt war, stapelte ich die Bretter auf Karren, schob sie nach draußen und lud sie auf die Wagen der Kunden. Es war eiskalt, aber man durfte sich nicht einmal die Hände wärmen. Immerhin erlaubten uns die Deutschen, soviel Rinde, wie wir wollten, ins Ghetto mitzunehmen. Rinde war für sie Abfall, für uns dagegen Brennstoff für den Holzofen. Sie war feucht und rauchte stark, abe es wurde doch ein wenig warm, und wir konnten auf der Herdplatte kochen. Unser Hauptnahrungsmittel war ein Teig aus Mehl und Wasser, aus dem wir eine dünne Suppe kochten und manchmal auch eine Art Pfannkuchen buken. Ich erinnere mich an eine besondere Mahlzeit im Herbst 1941, kurz nach Jom Kippur. Meine Mutter hatte etwas Milch beschafft, von einem Juden, der sie ins Ghetto eingeschmuggelt hatte. Milch war eine Rarität, eine Delikatesse. Meine Mutter goß etwas davon in unsere Mehl-Wasser-Suppe, und wir aßen sie, als wäre es die traditionelle Mahlzeit zur Beendigung des Jom-Kippur-Fastens. Es schmeckte herrlich.

Ich erinnere mich an einen Vorfall aus jener Zeit, der deutlich macht, wie wenig wir in der Regel auf unsere früheren Nachbarn zählen konnten. Ein Weißrusse namens Schekele hatte vor dem Krieg die Fabrikläden meines Vaters mit Schweinefleisch beliefert, und wir hatten geglaubt, er und mein Vater seien gute Freunde gewesen. Vor unserem Umzug ins Ghetto waren meine Mutter und ich deshalb zu ihm gegangen und hatten ihn gebeten, einige unserer schönen Wohnzimmermöbel in Verwahrung zu nehmen. Sollten wir die deutsche Okkupation überstehen, wollten wir die Sachen wieder abholen. In der Zwischenzeit sollte Schekele uns, falls wir hungern mußten, ab und zu mit Lebensmitteln aushelfen.

Eines Tages erschien Schekele im Sägewerk. Er hatte eine große Ladung Baumstämme gebracht, die zu Brettern verarbeitet werden sollten. Wir wurden streng bewacht und durften nicht mit polnischen Zivilisten sprechen, ebensowenig wie sie mit uns. Irgendwie gelang es mir trotzdem, mich in Schekeles Nähe zu schleichen, und ich bat ihn, mir für meine Familie etwas zu essen zu bringen, einen Laib Brot, irgend etwas. Sofort fing er an zu jammern, daß er selbst nichts zu essen habe. Da stand er, gut angezogen, ein Mann, der mit den Deutschen Geschäfte machte, und erzählte mir, er müsse hungern. Zwei Tage später, als er die nächste Ladung Baumstämme brachte, steckte er mir ein kleines Glas Honig zu. Das sei alles, was er mir geben könne. Ich schmuggelte das Glas unter einer Ladung Rinde versteckt ins Ghetto. Immerhin konnte ich auf diese Weise meiner Mutter etwas bringen, was sie an ihre Töchter weitergeben konnte – einen seltenen süßen Geschmack auf der Zunge.

Im Frühjahr 1942 starb um die Zeit des Passahfestes meine Großmutter Ethel Schleiff. Sie war über siebzig Jahre alt gewesen und hatte sich eine Erkältung zugezogen, aus der eine Lungenentzündung geworden war. Wer im Ghetto krank wurde, war verloren. Kein Arzt behandelte einen Juden. Ethel hatte mit ihren Töchtern, den Schwestern meines Vaters, und einigen ihrer Enkelkinder in einem einzigen Raum zusammengepfercht gelebt. Ich war nicht gerade ihr Liebling gewesen, aber wir hatten doch Kontakt zueinander gehabt, und ich weiß noch, wie ich eines Morgens auf dem Weg zur Sammelstelle dort vorbeiging. Sie war in der Nacht gestorben, und ihre Töchter hatten ihre Leiche auf den Fußboden gelegt. Meine kleinen

Vettern und Kusinen rannten in höchster Aufregung um sie herum, und eines der Kinder zog ihre Augenlider hoch und rief: »Wach auf, Oma!«

Schließlich kamen die noch lebenden Mitglieder der Chewra Kaddischa – die alten Männer des Beerdigungsvereins, dem auch mein Vater angehört hatte –, holten die Leiche von Lazars Mutter ab und begruben sie auf dem jüdischen Friedhof, der nicht weit vom Sägewerk entfernt lag. Und alle meinten, wenn man an die Alternativen denke, sei es ein großes Glück für Ethel Schleiff gewesen, daß sie im Kreise ihrer Enkelkinder eines natürlichen Todes habe sterben dürfen. Sie müsse ein *zadik* [eine Gerechte] gewesen sein, um soviel Glück zu verdienen! Wenn man zur Passahzeit starb, war das in der jüdischen Tradition auch ein Zeichen, daß man geradewegs in den Himmel kam.

Zu diesem Zeitpunkt war im Ghetto allen klar, daß unsere Tage gezählt waren. Bereits im Frühjahr war es in den Nachbarstädten, darunter auch in Mir, zu ersten großen *schchitim* [Massakern] an Juden gekommen. Oft wurden im Zuge der ersten *schchite* nicht alle Juden getötet; es gab immer einige, die gerade unterwegs waren oder auf den Feldern arbeiteten. Andere versteckten sich. Deshalb fanden stets noch zwei oder drei weitere »Säuberungen« statt – die Nazis benutzten den Ausdruck »judenrein«. Das Morden war allgegenwärtig. Im Ghetto erfuhren wir davon durch Berichte Dritter. Und es gab keinen Ort, an den wir hätten fliehen können, an dem wir sicher gewesen wären.

Der Sommer verging. Jeden Morgen, wenn ich zur Arbeit aufbrach, dachte ich daran, daß meine Mutter und meine Schwestern bei meiner Rückkehr vielleicht nicht mehr dasein würden. Aber ich stellte mir nicht vor, daß ich ihr

Schicksal teilen würde. Eine Vorahnung sagte mir, daß es nur sie und nicht mich treffen würde. Immer wieder fragte ich mich: »Wieso glaube ich, daß nur sie sterben werden, und ich nicht?« Ich konnte es mir damals nicht erklären, und ich kann es auch heute nicht.

Mit meiner Familie sprach ich nicht darüber, doch der Gedanke war immer da. Ich empfand dabei keine Freude. Man konnte es nicht einmal Hoffnung nennen. Es war nicht mehr als ein Gefühl in meinem Innern.

Dann kam der Herbst 1942. Am Tag nach Jom Kippur – ein Jahr nach unserer köstlichen Mehl-Milch-Suppe – stand ich am Morgen auf, um wie üblich zur Arbeit zu gehen. Wir wurden in einer Gruppe zum Sägewerk geführt, die von einem deutschen Soldaten und einem polnischen Polizisten bewacht wurde, und waren daher daran gewöhnt, von Bewaffneten umgeben zu sein.

An jenem Morgen aber schaute ich aus dem Fenster und sah, daß das Ghetto von deutschen Truppen und polnischer Polizei mit Maschinengewehren umstellt war. Es glich einer Belagerung! Alles hatte sich in der Nacht abgespielt, während wir schliefen.

Alles fing an zu weinen und zu schreien. Wir wußten nicht, was wir tun sollten. Irgend jemand fragte einen Deutschen, ob an diesem Morgen mehr Juden als sonst zur Zwangsarbeit abgeholt würden. Er bejahte. Ich rannte zum Ghettotor und sah, daß es tatsächlich so war. Dann rannte ich zurück in unser Zimmer. Meine jüngste Schwester Miriam konnte auf keinen Fall mitkommen. Sie war so schwach, daß sie kaum gehen, geschweige denn arbeiten konnte. Ich flehte meine Mutter und meine Schwester Sofka an, mit mir zum Sägewerk zu gehen. »Kommt mit!« rief ich. »Vielleicht merkt es keiner, wenn zwei mehr in der Gruppe sind. Ihr habt nichts zu verlieren! Kommt!« Aber Sofka wollte nicht, und meine Mutter Cila sagte, sie werde

Miriam nicht allein sterben lassen. Sie umarmte Miriam und sagte: »Was ihr zustößt, wird auch mir geschehen.«

Ich verließ das Zimmer, und ich wußte, daß ich sie nie wiedersehen würde. Ich ging zu meiner Arbeitsgruppe, und wir wurden zum Sägewerk geführt. Nach zwei oder drei Stunden hörten wir Schreie, wie wir sie nie zuvor gehört hatten. Man muß wissen, daß das Sägewerk kein geschlossenes Gebäude war. Es gab ein Dach zum Schutz für die Maschinen, aber die Seiten waren offen. Nicht weit entfernt lag am Stadtrand ein Gelände, das die Deutschen zum Massengrab bestimmt hatten. Wenn wir von der Arbeit aufschauten, sahen wir Armeelastwagen voll jüdischer Frauen und Kinder auf der Straße vorbeifahren. Sie wurden von SS-Offizieren und polnischer Polizei bewacht. Von diesen Lastwagen kamen die Schreie.

Die Schreie... Wenn es dort oben einen Gott gibt, dann hat er diese Frauen und Kinder nicht gehört.

Wir sahen auch die Einwohner von Stolpce am Straßenrand stehen, als sähen sie sich eine Parade an. Und bei jedem Wagen – besonders bei den leeren, die in die Stadt zurückfuhren – klatschten diese Menschen Beifall!

Ich war überzeugt, daß meine Mutter und meine Schwestern an diesem Tag umgebracht worden waren. Ich stand unter Schock. Etwas in mir war zerbrochen. Ich konnte weder sprechen noch mich bewegen. Ich konnte auch nicht weinen. Es war so entsetzlich, daß mir die Worte fehlen, um meinen Zustand zu beschreiben. Die meisten Menschen werden eine solche Erfahrung nie machen, und dafür sollten sie Gott danken.

An diesem Abend brachte man die jüdischen Arbeiter nicht ins Ghetto zurück, sondern trieb sie in einen leeren Raum in der Nähe der deutschen Kasernen. Dort sollten wir eine Woche bleiben, bis die Deutschen ihr Gemetzel im Ghetto beendet hatten.

Die Juden, mit denen ich zusammenarbeitete, merkten, daß ich in meinem Zustand die Schufterei am nächsten Tag nicht würde überstehen können. Mein Gehirn hatte buchstäblich aufgehört zu funktionieren. Da nahmen sie ein Risiko auf sich – ein *großes* Risiko, das sie das Leben hätte kosten können. Sie versteckten mich ein paar Tage im Innern eines großen Holzstapels neben der Hütte, in der wir schliefen. Dort drinnen, so hofften sie, würde ich wieder zu mir kommen. Während der ganzen Zeit aß und trank ich nichts. Irgendwann muß ich vierundzwanzig Stunden hintereinander geschlafen haben. Ich weiß offen gestanden nicht, was mit mir geschah, was ich dachte, wie ich existierte. Die polnische Polizei, die uns bei der Arbeit beaufsichtigte, zählte nicht so genau nach, so daß mein Fehlen nicht bemerkt wurde. Wenn morgens ein Jude weniger zur Arbeit antrat, nahm man an, daß er in der Nacht verhungert oder an einer Krankheit gestorben sei.

Endlich war ich soweit, daß ich unter dem Holzstoß hervorkriechen und wieder an die Arbeit gehen konnte.

Unterdessen durchkämmten die Deutschen das Ghetto mit Polizeihunden und suchten jeden einzelnen Raum nach versteckten Juden ab. Nach Beendigung ihrer Vernichtungsaktion erlaubten sie den polnischen Einwohnern von Stolpce, ins Ghetto zu gehen und sich zu nehmen, was sie wollten – Kleider, Bettwäsche, Kissen, Töpfe, Pfannen. Sie wollten sich damit die Unterstützung der Bevölkerung sichern, hatten zuvor aber dafür gesorgt, daß es nichts Wertvolles mehr zu holen gab.

Wir wußten, daß sie, nachdem sie das Ghetto gesäubert, es »judenrein« gemacht hatten, auch uns beseitigen würden.

Eine Woche verging. Ich arbeitete wieder im Sägewerk, obwohl ich in meiner Verfassung den Tag kaum überstand. Da sah ich eines Tages einen polnischen Jungen, der auf dem Gymnasium in meiner Klasse gewesen war. Er hieß Dmitri Zarutsky. Er hatte ein bißchen für mich geschwärmt und mich hin und wieder gefragt, ob ich mit ihm ins Kino wolle. Meine Familie hätte niemals erlaubt, daß wir uns verabredeten, aber wir wurden dennoch Freunde, und er besuchte mich zu Hause. Er verstand sogar etwas Jiddisch. An diesem Tag stand Dmitri in einer Scheune in der Nähe des Sägewerks und forderte mich durch Zeichen auf, zu ihm zu kommen und mit ihm zu reden. Ich schwankte, ob ich gehen sollte oder nicht. Ich riskierte, geschlagen zu werden, wenn ich meinen Arbeitsplatz verließ, und außerdem hatte ich keine Ahnung, was er in meiner jetzigen Situation von mir wollte.

Schließlich ging ich doch zu ihm. Dmitri sprach hastig – er wollte nicht im Gespräch mit einer Jüdin gesehen werden. »Hör zu«, sagte er, »ich bin gerade am Ghetto vorbeigekommen. Die Deutschen holen die letzten Juden heraus, die sich noch versteckt hatten. Deine ganze Familie... deine Mutter und deine Schwestern, deine Tanten, Vettern und Kusinen sind in einer Gruppe zusammen. Sie werden von SS-Leuten und polnischer Polizei bewacht.«

Später erfuhr ich, daß es bei den Ghetto-Liquidierungen üblich war, die zusammengetriebenen Juden den ganzen Tag unter Bewachung zu halten und sie dann bei Einbruch der Dunkelheit zu den Massengräbern zu bringen. Auf diese Weise konnten die Deutschen bis zum Abend Juden aufspüren und an einem Ort zusammenfassen, um sie dann alle auf einmal umzubringen, anstatt sich den ganzen Tag mit einer Serie kleinerer Liquidierungen abgeben zu müssen.

Meine Mutter hatte Dmitri am Ghetto vorbeigehen sehen. Sie hatte ihn aufgefordert, näherzukommen und mir eine Botschaft zu überbringen. Sie mußte schreien, damit er sie hörte, aber die Wachen hatten sich anscheinend nicht darum gekümmert, da meine Mutter und die anderen ohnehin sterben sollten. Sie bat Dmitri herauszufinden, wo ich arbeitete, und mir zu sagen, daß sie und alle anderen an diesem Tag getötet würden. Sie erzählte ihm, daß sie eine Woche in einem Versteck zugebracht hatten, das meine Onkel vorbereitet hatten, bevor sie abgeholt und umgebracht worden waren. In dem Raum, der ihnen zugewiesen worden war, hatten sie unter dem Sofa eine Öffnung in den Holzboden gesägt und in der Erde darunter eine tiefe Grube ausgehoben, die sie mit dem ausgesägten Holz abgedeckt hatten. In dieser Höhle hatten meine Mutter und meine Schwestern sich mit dem Rest der Familie versteckt. Und ich hatte eine Woche lang geglaubt, sie seien bereits tot.

Als Dmitri mir mitteilte, daß meine Familie noch lebte, erwiderte ich nur: »Danke, daß du es mir gesagt hast.« Mehr konnte ich nicht denken oder sagen. Es war, als wären sie zum zweiten Mal gestorben.

Und noch etwas erfuhr ich von Dmitri. Meine Mutter hatte ihm zugerufen, er solle mir sagen, daß ich *nekome* – Rache – nehmen solle.

JACK Als ich hörte, daß die Deutschen im Anmarsch waren, verließ ich Stolpce und ging zu meinen Eltern nach Mir. Ich wußte, daß das Leben ganz anders werden würde als unter den Sowjets. Ich hatte genug davon gehört, wie die Deutschen im westlichen Teil Polens mit den Juden verfuhren. Ich wußte, daß ich bei meiner Familie sein mußte.

In Mir wurde wie überall ein Judenrat eingesetzt. Als die Deutschen kamen, lebten in der Stadt nur noch rund zweitausend Juden; die Jeschiwa war ja bereits zwei Jahre zuvor aufgelöst worden. Aus der verbleibenden jüdischen

Bevölkerung wurden sechs oder sieben Vertreter für den Judenrat ausgewählt, ältere Männer, Gemeindeälteste. Gleich zu Beginn wurden sie angewiesen, alle jungen Juden zwischen sechzehn und etwa dreißig Jahren in einer Liste zu erfassen. Die jungen Leute – ich gehörte natürlich dazu – mußten sich zum Arbeitseinsatz melden: Straßen instandsetzen, die Häuser der deutschen Offiziere säubern, die beschlagnahmten Ställe betreuen. Wenn einem Deutschen – oder einem polnischen Polizisten – etwas an uns nicht paßte, konnte es passieren, daß wir verprügelt wurden. Oder man wurde sofort erschossen. Die anderen Mitglieder der Arbeitsgruppe mußten dann eine Grube ausheben und ihren toten Kameraden begraben.

Kurz darauf wurde der Judenrat aufgefordert, alle Juden über fünfzig Jahren zu registrieren. Auf diese Weise konnte man sie leichter zusammentreiben und töten, denn als Arbeitskräfte waren die Menschen dieser Altersgruppe für die Deutschen wertlos.

Nach etwa zwei Wochen schwerer Zwangsarbeit hieß es, wir sollten in einen besonderen Bezirk übersiedeln, ein Ghetto, in dem alle Juden von Mir zusammengefaßt würden. Es handelte sich um einige wenige Häuserblocks, deren polnische Bewohner in die freigewordenen besseren Wohnungen der Juden umquartiert wurden. Die Polen nahmen sämtliche Möbel und Kleidungsstücke in Besitz, die wir zurücklassen mußten – eine willkommene Gelegenheit für sie.

Meine Mutter Sarah hatte die einzige Zahnarztpraxis in Mir, und da die Deutschen einen Zahnarzt brauchten, durfte sie weiter praktizieren. Sie gaben ihr einen Raum in einem Ghettohaus, das ausgebildeten Fachkräften und Handwerkern – einem Arzt, einem Apotheker, einigen Schustern und Schneidern – vorbehalten war, die für die Deutschen arbeiteten. Dieser Kategorie ordnete man anfangs auch uns zu. Mein Vater wurde als Zahntechniker ebenfalls in dem Haus untergebracht. Er und meine Mutter arbeiteten wieder zusammen.

Ich selbst wurde hauptsächlich für Instandsetzungsarbeiten an den wichtigsten Landstraßen eingesetzt, die die Deutschen für militärische Zwecke benötigten. Ich gehörte einer großen jüdischen Arbeitsgruppe an. Hin und wieder fuhren deutsche Truppenlaster an uns vorbei, und die Soldaten fingen an zu schießen. Manchmal schossen sie in die Luft, um uns angst zu machen, manchmal töteten sie auch einige von uns, einfach so, des Nervenkitzels wegen. Jeden Tag gab es Tote, wenn nicht in unserer Arbeitsgruppe, dann im Ghetto. Es wurde völlig willkürlich getötet, ohne Untersuchung, ohne besonderen Befehl. Sie töteten Babys, alte Leute, jeden – er mochte noch so jung sein –, der ihnen gemeldet wurde, weil er angeblich gegen deutsche Vorschriften verstoßen hatte.

Das Ghetto war völlig überfüllt. In jedem der kleinen Häuser waren in der Regel etwa sechs jüdische Familien zusammengepfercht, in jedem Raum schliefen fünf oder sechs Personen. Das Bett war der einzige Platz, den man für sich allein hatte. Es gab keine Duschen, keine Toiletten, nur Klohäuschen im Freien. Wir hörten Gerüchte, daß in den Nachbarstädten Juden zusammengetrieben und getötet worden seien. Die einzigen, die verschont blieben, waren Fachkräfte, die von den Deutschen als nützlich eingestuft wurden – ein sehr geringer Teil der jüdischen Bevölkerung. Da man meiner Mutter zugesichert hatte, sie am Leben zu lassen, weil sie als Zahnärztin gebraucht wurde, schien sie uns nicht ernstlich in Gefahr zu sein. Mein Vater aber wurde als Zahntechniker weniger hoch eingeschätzt als meine Mutter, und als durch all die Gerüchte immer deutlicher wurde, daß es auch in Mir zu Massenliquidierungen kommen würde, wurde uns klar, daß wir für meinen Vater und mich ein Versteck suchen mußten. Das war im Herbst 1941.

Für meinen Vater fanden wir einen Platz auf dem Dachboden einer christlichen Familie in Mir. Alle Mitglieder dieser Familie waren Patienten meiner Mutter, und der Sohn war ein Schulfreund von mir. Sie versprachen, meinen Vater ausreichend mit Nahrung zu versorgen und niemandem zu verraten, daß er bei ihnen war.

Ich selbst, so wurde beschlossen, sollte auf einen Bauernhof etwa sechs Kilometer außerhalb von Mir fliehen. Er gehörte einer Familie namens Kurluta, deren Mitglieder ebenfalls Patienten meiner Mutter gewesen waren. Als die Schwierigkeiten begannen, erst mit den Russen und später mit den Deutschen, hatten meine Eltern ihnen einige unserer Besitztümer in Verwahrung gegeben, und sie hatten durch alle Schrecken hindurch ehrlich dazu gestanden. Viele andere polnische Familien hatten ebenfalls jüdisches Eigentum in Verwahrung genommen, später jedoch alle entsprechenden Abmachungen geleugnet, auch wenn die jüdischen Besitzer überlebten und sich wieder bei ihnen meldeten. Der Kurluta-Hof lag in einer waldreichen Gegend, doch um doppelt sicherzugehen, daß ich nicht auffiel, gab man mir Landarbeiterkleider und ließ mich auf den Feldern arbeiten.

Beide Familien waren sehr gut zu uns, aber die ganze Situation war natürlich gefährlich. Konnten wir sicher sein, daß sie uns nicht verrieten? Die Antwort lautet: Wir hatten keine andere Wahl, als diesen Menschen zu trauen.

Anfang November, als ich bereits einige Tage auf dem Bauernhof war, erfuhr ich, daß die Deutschen und die polnische Polizei – zur Unterstützung war noch Polizei aus einer Nachbarstadt hinzugezogen worden – das Ghetto von Mir umstellt hatten. Alle Juden, die sie hatten aufspüren können, waren Gruppe um Gruppe aus der Stadt hinausgeführt und mit vorgehaltenem Gewehr gezwungen worden, ihr eigenes Massengrab zu schaufeln. Die Liquidierungen zogen sich über zwei Tage hin. Die ersten Opfer waren der Oberrabbiner von Mir und die streng orthodoxen Juden. Danach wurde eine Gruppe nach der anderen willkürlich ermordet. Und unterdessen wurde das Ghetto nach Verstecken durchsucht. Der größte Teil der polnischen Bevölkerung von Mir half dabei mit. Wer von einem Juden wußte, der sich versteckt hielt oder sich für einen Polen ausgab, denunzierte ihn. Nur die »nützlichen« Juden – etwa 800 – blieben verschont.

Die Nachricht von den Liquidierungen hatte mich auf dem Bauernhof zwar erreicht, aber was das Schicksal meiner Eltern anbelangte, tappte ich völlig im dunkeln. Ich war verzweifelt. Nach ein paar Tagen, als sich die Lage etwas beruhigt hatte, ging der Bauer, der mich versteckt hielt, nach Mir und stellte vorsichtige Nachforschungen an. Als er zurückkam, sagte er mir, daß meine Mutter Sarah getötet worden sei… Später fand ich heraus, daß die Deutschen sie am Leben lassen wollten, daß aber polnische Polizisten in ihr Zimmer eingedrungen waren, sie ausgeraubt und genußvoll getötet hatten.

Ich hatte meine Mutter sehr geliebt. Sie war von brutalen Schlächtern ermordet worden, und es gab für mich keine Möglichkeit, unmittelbar zurückzuschlagen, sie zu rächen. Es war eine Qual – die schlimmste, die ich in meinem Leben je erlebt habe.

Zum Glück erfuhr ich von dem Bauern auch, daß mein Vater in seinem Versteck überlebt hatte, und da er möglicherweise meine Hilfe brauchte, entschloß ich mich, den Hof zu verlassen und nach Mir zurückzukehren. Die Liquidierungswelle hatte außerdem deutlich gemacht, daß der Bauer und seine Familie in Lebensgefahr schwebten, solange ich bei ihnen war. Er war ein guter Mensch, aber er konnte für meinen Schutz nicht sein eigenes Leben und das seiner Frau und seiner Kinder aufs Spiel setzen.

Die meisten der Juden in Mir, die zu diesem Zeitpunkt noch lebten, waren entweder ausgebildete Fachkräfte oder Leute, die die Pferde und Gärten der Deutschen betreuten und noch für Straßenarbeiten benötigt wurden. Einige hatten sich, so wie mein Vater und ich, außerhalb des Ghettos verstecken können. Die Deutschen zeigten sich ihnen gegenüber erstaunlich nachsichtig. Sie wußten, daß wir nirgendwohin konnten, da die polnische Bevölkerung uns nicht verstecken würde. So kehrten wir zu den anderen Juden ins Ghetto zurück, und niemand hinderte uns daran, denn vorerst waren wir noch als Zwangsarbeiter zu gebrauchen. Wenn es den Deutschen paßte, würde eine weitere Liquidierungswelle folgen.

Da unsere Zahl so stark geschrumpft war, befand man das Ghetto für zu groß und quartierte uns im Mai 1942 aus. Am Stadtrand von Mir gab es ein altes Gebäude, das Mirski-Schloß, auf polnisch Mir *zamek*. Im achtzehnten Jahrhundert erbaut, war es völlig heruntergekommen – keine Heizung, bröckelnde Wände, überall Schmutz und Schutt. Ein polnischer Grundbesitzer hatte darin gewohnt, der kurz nach dem russischen Einmarsch 1939 getötet worden war, und seitdem hatte das Schloß leergestanden. In dieses *zamek* trieben die Deutschen die noch übrigen Juden von Mir. Eine unheimliche Atmosphäre herrschte darin. Im Keller befanden sich alte Verliese mit rostigen Eisengittern, und in den dicken Mauern gab es nur ein einziges Tor und hoch über der Erde eine Reihe kleiner fensterartiger Öffnungen. Auf den Umfassungsmauern brachten die Deutschen Stacheldraht an. Die wenigen sanitären Anlagen waren völlig unzureichend für die achthundert zusammengepferchten Juden.

In jenem Sommer, den wir im *zamek* verbrachten, versuchten ungefähr vierzig von uns Jüngeren – viele hatten sich in der *Haschomer Hatzair* [der linksorientierten zionistischen Jugendorganisation] kennengelernt –, eine Art Widerstand zu organisieren. Wir waren zwischen sechzehn und dreißig Jahre alt, überwiegend Männer, aber auch einige Frauen. Im landläufigen Sinn war unsere Lage völlig hoffnungslos. Wir hatten keine Waffen, nur Steine, Flaschen und ein paar Messer, und wir waren eingeschlossen von einer Übermacht gut ausgebildeter deutscher Soldaten, die von den Einheimischen unterstützt wurden. Andererseits konnten wir ohnehin nicht erwarten, noch über die nächsten Wochen oder Monate hinaus am Leben zu bleiben. Warum also nicht Widerstand leisten, da die Alternative nur der Tod war, zu einem Zeitpunkt und an einem Ort, den die Nazis bestimmten? Unsere Triebfedern waren Verzweiflung und der Wunsch nach Rache. Unsere Familien waren abgeschlachtet und in namenlose Gräber geworfen worden, und der Gedanke, wenigstens einige Deutsche mit ihrem Leben dafür bezahlen zu lassen, war ein mächtiger Ansporn.

Anfangs wollten wir Strategien entwickeln, das *zamek*, das ja eine alte Festung war, eine Zeitlang – wenn auch noch so kurz – zu verteidigen.

Doch dann eröffnete sich uns eine ganz und gar unglaubliche, unwahrscheinliche Chance. Wir erfuhren, daß es in Mir einen Juden gab, dem es gelungen war, sich in die Reihen der deutschen Militärpolizei einzuschleusen. Dieser Jude war bereit, sein Leben zu riskieren, um den Juden im Ghetto von Mir Informationen und später auch Waffen zukommen zu lassen, in der Hoffnung, wenigstens einigen von ihnen das Leben zu retten.

Sein Name war Oswald Rufeisen. Er war in einer ländlichen Gegend im Westen Polens unweit der deutschen Grenze aufgewachsen. Sein Vater hatte in der österreichisch-ungarischen Armee gedient und war für seine Tapferkeit ausgezeichnet worden. Da Rufeisen seine ersten Schuljahre teilweise in deutscher Sprache absolviert hatte, sprach er nicht nur Polnisch, sondern auch fließend Deutsch. Jiddisch konnte er nicht, was für einen polnischen Juden ungewöhnlich war. Aber er war Mitglied zionistischer Jugendorganisationen gewesen und fühlte sich dem jüdischen Volk verbunden.

Als die Deutschen in Westpolen einmarschierten, floh Rufeisen in den Ostteil des Landes und gelangte schließlich in die Gegend von Mir, wo er sich als Bürger polnischdeutscher Abstammung ausgab. Durch eine Reihe von Zufällen und glücklichen Umständen wurde er aufgefordert, Offizier der deutschen Polizei zu werden und seine perfekten Deutsch- und Polnischkenntnisse als Übersetzer in deren Dienst zu stellen. Ein solches Angebot konnte er nicht ablehnen, ohne Verdacht zu erregen. Es widerte ihn an, für die Deutschen zu arbeiten, aber er war entschlossen, seine Position zu nutzen, um jüdische Leben zu retten.

Anfang 1942 ging Rufeisen das Risiko ein, mit einem jüdischen Bewohner von Mir persönlichen Kontakt aufzunehmen. Dieser Jude war Dov Resnik, ein junger Mann, der wie Rufeisen vor dem Krieg in Wilna gelebt hatte. Resnik und Rufeisen hatten sich bei Veranstaltungen verschiedener zionistischer Jugendgruppen mehrmals flüchtig gesehen.

Eines Tages wurde Resnik zu Instandsetzungsarbeiten in das Polizeirevier von Mir geführt. Rufeisen erkannte ihn, und Resnik erkannte Rufeisen. Sie konnten heimlich ein paar Worte wechseln und vereinbarten für den Abend ein weiteres Treffen in einem weit entfernten Stadtteil. Es war für beide außerordentlich gefährlich. Hätte man einen Offizier der deutschen Polizei in zwanglosem Gespräch mit einem Juden gesehen, hätte man sofort Verdacht geschöpft. Sowohl auf polnischer als auch auf jüdischer Seite konnte es Informanten geben, die sich von den deutschen Behörden Vergünstigungen erhofften. Rufeisen versprach Resnik, den Juden von Mir nach Kräften zu helfen. Es wurden keine konkreten Pläne gefaßt, aber die beiden wollten Mittel und Wege finden, über eine begrenzte Zahl jüdischer Mittelspersonen miteinander in Verbindung zu bleiben. Resnik versprach Rufeisen, nur noch zwei weitere junge Männer im Ghetto von Mir über seine Identität aufzuklären – ein notwendiger Schritt, damit sie zu Rufeisen als Verbündetem Vertrauen faßten. Allen übrigen wollte er sagen, Rufeisen sei ein deutscher Offizier, der ihnen wohlgesonnen sei. In dieser Form hörte auch ich von ihm, doch im Verlauf des Sommers erfuhr ich dann die ganze Wahrheit. Ich habe mit Rufeisen in dieser Zeit nie gesprochen, aber wenn wir uns auf der Straße begegneten, tauschten wir einen kurzen Gruß aus, wobei ich die Rolle des respektvollen Juden spielte und er die des strammen Nazi-Offiziers.

Schon bevor wir von Rufeisen konkrete Unterstützung erhielten, gab es, wie gesagt, Ansätze einer Untergrundtätigkeit im *zamek*, doch da wir keine Waffen hatten, war jeder Plan, den wir fassen mochten, ein reiner Verzweiflungsakt. Mit Rufeisens Hilfe aber gelang es uns, eine geringe Menge Pistolen, Gewehre, Granaten und Munition anzusammeln. Er verschaffte sich die Feuerwaffen in der Regel aus einem Lager, in dem die deutsche Polizei erbeutete Waffen aufbewahrte. Rufeisen war zum stellvertretenden Polizeichef der Stadt Mir aufgestiegen, unterstand aber noch dem deutschen Gendarmeriekommandanten, Polizeimeister Reinhold Hein. Hein hegte große Zuneigung und Hochachtung für Rufeisen, und so konnte Rufeisen eine offizielle Machtposition aufrechterhalten, die es ihm ermöglichte, uns zu helfen. In der Öffentlichkeit mußte er den Juden gegenüber natürlich hart sein, aber er wandte keine Gewalt an und versuchte stets, die Maßnahmen der deutschen Polizei und ihrer polnischen Gefolgsleute abzumildern.

Die Waffentransfers liefen häufig nach folgendem Schema ab: Rufeisen näherte sich in seiner Funktion als Polizeichef einer kleinen Gruppe von Juden, die an einer abgelegenen Stelle standen, neben einem Gebüsch beispielsweise, und schrie sie an, sie sollten an die Arbeit gehen. Und währenddessen schob er ein paar Waffen in die Büsche. Oder er ließ einfach etwas »fallen«, was später von Mitgliedern des jüdischen Untergrundes abgeholt wurde. Einmal sollte ich ein paar Handgranaten holen. Es war nicht einfach. Da es so aussah, als würde ich auf dem Gelände, wo Rufeisen die Granaten versteckt hatte, müßig herumschlendern, kam ein deutscher Polizist auf mich zu, schlug mich mit aller Kraft und schickte mich an die Arbeit zurück. Ich mußte später wiederkommen, um die Granaten abzuholen.

Eine der größten Schwierigkeiten bestand darin, die Waffen ins Ghetto-*zamek* zu bringen, ohne durchsucht zu werden. Auf Waffenbesitz jeglicher Art stand sofortige Todesstrafe. Die Granaten konnte ich damals durch ein Fenster hineinschmuggeln. Manchmal half Rufeisen uns auch in seiner offiziellen Funktion, indem er uns unter persönlicher »Bewachung« ins Ghetto zurückbrachte. Er versprach uns auch, uns über etwaige *schchite*[Massaker]-Pläne der Deutschen rechtzeitig zu informieren.

Anfangs gab es Meinungsverschiedenheiten darüber, ob wir die Waffen für einen Aufstand innerhalb des *zamek* einsetzen oder ob wir in die Wälder fliehen und versuchen sollten, uns den russischen Partisanen anzuschließen, über deren Aktivitäten wir vage Gerüchte gehört hatten. Verhältnismäßig rasch entschieden wir uns für die Flucht, denn angesichts unserer Lage im *zamek* war die einzige realistische Alternative unsere sofortige Vernichtung. Außerdem hätten wir durch einen Aufstand unsere Familien, alte Leute, Frauen und kleine Kinder in Gefahr gebracht. Die Frage mit der gesamten Ghetto-Belegschaft zu diskutieren, war unmöglich – die Gefahr, daß es undichte Stellen gab, daß wir verraten wurden, war zu groß. Und selbst wenn wir es taten, war nicht anzunehmen, daß alle mit einem bewaffneten Widerstand innerhalb des *zamek* einverstanden gewesen wären. Viele Mitglieder des Judenrates hofften noch immer, die jüdische Gemeinde durch Befolgung der deutschen Arbeitsbefehle am Leben erhalten zu können. Das war verständlich. Es ist schwer, sich das Schlimmste vorzustellen. Für die Alten und die Frauen mit Kindern gab es im Grunde auch gar keine andere Möglichkeit. Für sie war ein Überleben in den Wäldern nahezu unvorstellbar. Und wenn wir versucht hätten, alle gemeinsam zu fliehen, mit Kleinkindern und alten Leuten, wäre möglicherweise keiner von uns davongekommen.

Für diejenigen, die ihre Flucht planten, war es ein entsetzlicher Gedanke, ihre Familienangehörigen zurücklassen zu müssen. Aber wir konnten nicht die Augen davor verschließen, daß sie in jedem Fall sterben würden, ob wir nun flohen oder nicht. Wir waren überzeugt, daß die Nazis das Ghetto von Mir ebenso liquidieren würden wie alle anderen Ghettos der Umgebung. Und wir sollten recht behalten. Ich sage das ohne jede Überheblichkeit. Wir sahen ja, in welcher Hölle wir lebten – es war nicht zu übersehen.

IV
Jack flieht aus dem Ghetto von Mir

JACK   Im Juni 1942 erfuhr Rufeisen, daß die Liquidierung des Ghettos von Mir unter dem Befehl von Polizeimeister Hein auf den 13. August festgesetzt war. Wenig später gab er die Information an uns weiter. Die Risiken waren auf beiden Seiten ungeheuer. Wäre bekannt geworden, daß die jüdische Bevölkerung von den Plänen der Nazis wußte, hätte Hein gemerkt, daß Rufeisen ihn hintergangen hatte, denn außer ihm war Rufeisen der einzige, der das genaue Datum kannte. Auf der anderen Seite aber mußten die Juden gewarnt werden, damit diejenigen, die fliehen wollten, Gelegenheit dazu bekamen. Das Datum wurde einigen Mitgliedern des Judenrates etwa eine Woche vorher mitgeteilt. Die Reaktionen waren ganz unterschiedlich. Manche hielten die Information für falsch – sie glaubten noch immer, die Deutschen durch eine Kombination von Bestechung und Arbeitsleistung aufhalten zu können. Andere meinten, Rufeisens Information sei eine Falle, denn wie konnte man einem deutschen Offizier trauen? Diese Haltung machte es unumgänglich, den Judenrat an einem der allerletzten Tage über Rufeisens jüdische Identität aufzuklären. Sofort verbreiteten sich im ganzen *zamek* Gerüchte über den Juden, der sich als Deutscher ausgab.

Wir hatten unsere Flucht für die Nacht zum 10. August – einem Sonntag – geplant, vier Tage vor dem Liquidierungstermin. Die Atmosphäre im *zamek* war an jenem

Wochenende äußerst gespannt. Man mußte sich entscheiden, ob man fliehen oder bleiben wollte. Wir gaben bekannt, daß es am Sonntag soweit sein werde. Rufeisen hatte uns wissen lassen, daß er in dieser Nacht die deutschen und polnischen Polizeitruppen der Stadt in die entgegengesetzte Richtung führen werde, unter dem Vorwand, er habe einen Hinweis erhalten, daß sich in der Nähe russische Partisanen aufhielten, die man einkreisen und töten könne. Man hatte damals große Angst, die russischen Partisanen in Polen würden einen Aufstand anzetteln, die deutschen Nachschub- und Verbindungslinien unterbrechen und so den deutschen Vormarsch nach Rußland behindern. Jede Gelegenheit, ihnen einen Schlag zu versetzen, wurde begierig ergriffen. Für Rufeisen war das Risiko, die Polizeitruppen durch einen vergeblichen Einsatz gegen sich aufzubringen, relativ gering, weil Hinweise auf Standorte russischer Partisanen bekanntermaßen unzuverlässig waren. In Mir würde an diesem Abend nur eine Handvoll Polizisten zurückbleiben, der Eingang des *zamek* würde völlig unbewacht sein. Da die Deutschen nicht ahnten, daß wir von dem bevorstehenden Massaker und ihrer geplanten Aktion gegen die russischen Partisanen wußten, bestand für sie kein Grund zu der Befürchtung, wir könnten eine Massenflucht wagen.

Die etwa vierzig Mitglieder der Untergrundbewegung im Ghetto hatten vor, in kleinen Gruppen zu je fünf oder sechs Personen zu fliehen. So glaubten wir bessere Aussichten zu haben, daß wenigstens einige von uns entkommen würden und möglicherweise mit den russischen Partisanen Verbindung aufnehmen könnten. Sobald wir den Wald erreichten, wollten wir uns wieder zusammenschließen – doch dazu sollte es nicht kommen. Wir verteilten die Waffen an die Gruppen; es waren kaum genug für alle da. Der Besitz einer Waffe war ein ungeheurer Vorteil, denn soweit wir wußten, hatte man als Jude weit bessere Chancen, in eine russische Partisaneneinheit aufgenommen zu werden, wenn man bewaffnet war.

Den älteren Menschen im *zamek* versuchten wir klarzumachen, daß sie, sobald nach unserer Flucht Gerüchte über eine endgültige Liquidierung aufkämen, ebenfalls flüchten müßten, und zwar in bestimmte Gegenden auf dem Land, die wir ihnen beschrieben. Diese Gebiete seien am sichersten, hatte Rufeisen uns gesagt; er selbst werde versuchen, die deutschen und polnischen Polizeitruppen bei der Suche nach entflohenen Juden von dort fernzuhalten. Sollte den Zurückgebliebenen die Flucht gelingen, würden wir versuchen, sie zu finden und ihnen zu helfen. Wenn sie den Gerüchten jedoch keinen Glauben schenkten und noch immer hofften, man würde die Juden im *zamek*-Ghetto von Mir am Leben lassen, dann könnten wir nichts mehr für sie tun.

Mein Vater Julius hegte solche Hoffnungen nicht, und er überlebte. Er war damals bereits in mittleren Jahren, aber noch in guter körperlicher Verfassung. Er hatte einen starken Lebenswillen und die Fähigkeit, auch unmenschlichste Bedingungen geduldig zu ertragen. Am 10. August, einen Tag nach der Hauptgruppe, floh er zusammen mit einem anderen Ghettobewohner. Die beiden lebten eine Woche lang in einer Höhle, die sie in der Nähe einiger Bauernhöfe in den Abhang eines Hügels gegraben hatten. Tagsüber hielten sie sich in der Höhle versteckt, nachts gingen sie auf Äckern und in Scheunen abwechselnd auf Nahrungssuche. Von einem anderen jüdischen Flüchtling erfuhr ich, wo mein Vater sich aufhielt, und konnte ihn zu uns in den Wald holen. Ich kann gar nicht sagen, wie glücklich ich war, ihn lebend wiederzusehen.

Julius und der andere Mann waren nicht die einzigen, die einen Tag nach uns flohen. Auch andere – alte Leute,

Frauen und Kinder – konnten entkommen. Insgesamt waren es am 9. und 10. August rund dreihundert Menschen. Dann kamen die deutschen und polnischen Polizeikräfte von ihrer ergebnislosen Partisanenjagd zurück, und das Ghetto wurde wieder streng bewacht. Natürlich blieben nicht alle dreihundert am Leben, aber sie hatten zumindest eine Chance gehabt.

Soweit ich mich erinnere, gab es Pläne, mit Rufeisen zusammenzutreffen, wenn es uns gelang, in die Wälder zu entkommen. Rufeisen würde bei der Suche nach den Entflohenen natürlich eine wichtige Rolle spielen. Er wollte die Polizeitruppen in ein bestimmtes Waldgebiet führen, wo wir sie aus dem Hinterhalt angreifen konnten. Wir wollten möglichst viele von ihnen töten, ihnen Munition und Proviant abnehmen und es so einrichten, daß Rufeisen während der Kämpfe zu uns überlaufen konnte. So würden wir einen zweifachen Sieg erringen: Wir konnten uns für Rufeisens Hilfe revanchieren und es ihm ermöglichen, sich aus seiner gefährlichen Situation bei der deutschen Polizei zu befreien. Und gleichzeitig konnten wir Rache nehmen – durch einen bewaffneten jüdischen Angriff gegen die Schlächter, die unsere Familien umgebracht hatten.

Doch aus dem Plan wurde nichts, denn nach unserer Flucht und noch vor der endgültigen Liquidierung des Ghettos am 13. August wurde Rufeisen verraten. Ein Jude aus dem Ghetto, ein Mann namens Stanislawski, der in den Ställen der deutschen Gendarmerie arbeitete, klärte Polizeimeister Hein darüber auf, daß Rufeisen Jude war und uns geholfen hatte. Vermutlich hoffte er auf diese Weise sein Leben zu retten. Er hatte weder Frau noch Kinder; er hatte nur für sich selbst zu sorgen. Stanislawski gewann einen einzigen Tag: Am 14. August ließ Polizeimeister Hein ihn erschießen, einen Tag nach dem Massenmord an den Juden, die im *zamek* zurückgeblieben waren.

Was wäre geschehen, wenn Rufeisen nicht verraten worden wäre? Unser Überfall wäre ein einmaliges Ereignis in der Geschichte des Holocaust gewesen. Hätten wir die in der Stadt stationierte Gendarmerie vernichtet, hätte das Ghetto von Mir vielleicht noch etwas länger existiert. Statt dessen stürzte der Verräter Stanislawski sich selbst und das ganze Ghetto ins Verderben.

Rufeisens Schicksal ist ein Kapitel für sich. Aller Wahrscheinlichkeit zum Trotz wurde er nicht erschossen. Er konnte entkommen, weil Polizeimeister Hein, der ihn wie einen Sohn liebte, sich weigerte, sofortige Strafmaßnahmen gegen ihn durchzuführen, selbst nachdem er erfahren hatte, daß Rufeisen Jude war und das Ghetto mit Waffen versorgt hatte. Einen größeren Verrat an Heins Plänen hätte es nicht geben können! Doch Hein ließ Rufeisen am Leben und lud ihn sogar ein, mit ihm und den anderen Offizieren zu essen. Sie berieten, was mit ihm geschehen solle, und während des Essens – vermutlich mit Heins stillschweigendem Einverständnis – stahl Rufeisen sich davon und versteckte sich außerhalb der Stadt in einem Weizenfeld. Kurz darauf leitete die deutsche Polizei eine Suchaktion nach ihm ein. Es war, als hätte Hein ihm eine Chance gegeben, zu leben oder zu sterben, und den Ausgang dem Schicksal überlassen.

Nach wenigen Tagen fand Rufeisen ein Versteck, ein katholisches Kloster in Mir, nahe den Büros der deutschen Gendarmerie. In den Jahren bis Kriegsende diente er nicht nur in einer russischen Partisaneneinheit, sondern trat auch zum katholischen Glauben über. Nach dem Krieg ging er nach Israel – er verstand sich nach wie vor als Zionist – und legte die Gelübde als Priester und Karmelitermönch ab. Er heißt jetzt Pater Daniel, bezeichnet sich als einen christlichen Juden und setzt sich für eine Verbesserung der Beziehungen zwischen Christen und Juden in Israel ein. Noch heute steht er in freundschaftlicher Verbindung zu den Überlebenden des Ghettos von Mir. Ich bin dankbar, daß ich im Sommer 1944 nach der Befreiung Polens durch die Russen kurz mit ihm zusammentreffen und ihm dafür danken konnte, daß er sein Leben für uns aufs Spiel gesetzt hatte. 1970 konnte ich Rufeisen – inzwischen Pater Daniel – auf einer Israel-Reise mit Rochelle noch einmal besuchen und ihm meinen Dank sagen.

Natürlich erfuhr ich erst viel später von Rufeisens Schicksal. In der Nacht zum 10. August, als ich mit meinen Kameraden aus der Untergrundbewegung flüchtete, wußten wir nur, daß wir in die Wälder laufen und das Beste hoffen mußten. Die Polizeitruppen befanden sich zwar außerhalb der Stadt, und der Eingang des *zamek* war unbewacht, aber wir wagten nicht, ihn zu benutzen. Statt dessen kletterten wir aus einem Fenster, das auf eine Schutthalde und ein langgestrecktes offenes Feld hinausging, an dessen Ende der Wald begann. Wir hatten uns zu Fünfergruppen zusammengeschlossen.

Ich weiß noch, wie schnell ich rannte, als ich an die Reihe kam. Früher beim Fußballspielen war es meine Spezialität gewesen, in Höchstgeschwindigkeit über das Feld zu laufen. Aber in Panik, in nackter Angst zu rennen, war neu für mich. Ich war völlig außer mir, und in meinem Kopf drehte sich alles. Es war, als würde ich mir von oben dabei zusehen, wie ich um mein Leben lief.

Dank Rufeisen konnten wir alle in jener Nacht in die Wälder entkommen. Wie schon gesagt, wollten wir uns, sobald wir in Sicherheit waren, wieder zusammenschließen. Doch dann erreichte uns durch einen Juden, der nach uns geflohen war, die Nachricht, daß Rufeisen verraten und verhaftet worden war. Das machte jede Hoffnung auf einen Angriff gegen die Polizeitruppen zunichte und ließ unsere Lage sehr viel kritischer erscheinen. Wir teilten uns deshalb in kleine Gruppen auf und machten uns daran, in den Wäldern zu überleben. Wir hofften noch immer, uns russischen Partisanen anschließen zu können, aber wir hatten keine Ahnung, wo sie sich aufhielten.

In den ersten Wochen versteckten sich die fünf jungen Männer meiner Gruppe in den Wäldern, nicht weit von einer größeren Straße. Wir gruben einen kleinen Unterstand, ungefähr eineinhalb Meter breit, drei Meter tief und knapp zwei Meter hoch, den wir mit Zweigen und Reisig tarnten. Etwa eineinhalb Kilometer entfernt lag der Hof des Bauern Kurluta, bei dem ich mich als Landarbeiter versteckt gehalten hatte. Kurluta war überaus hilfsbereit. Er gab uns zu essen, und ich bekam von ihm ein Gewehr und eine Pistole, und das zu einem Zeitpunkt, da jede funktionierende Waffe für uns eine Kostbarkeit war. Nun hatte jeder von uns ein Gewehr. Ein Problem war, daß wir unsere Nahrung nicht ausschließlich von Kurluta beziehen konnten – das hätte ihn nicht nur zu stark belastet, sondern sowohl ihn als auch uns in Gefahr gebracht, weil es unsere Bewegungen vorhersehbar machte. Wir wollten nicht in eine deutsche Falle tappen.

So gingen wir an zwei Abenden in der Woche zu den feindselig eingestellten Bauern, die mit den Deutschen zusammenarbeiteten. Wir baten sie um Lebensmittel, und wenn sie uns nichts gaben, nahmen wir es uns. Fanden wir in ihren Häusern jüdische Gegenstände, eine Menora [einen kultischen Leuchter] etwa oder andere Dinge, die unverkennbar aus jüdischen Häusern gestohlen waren, wurden wir wütend und schlugen alles kurz und klein. Manchmal verprügelten wir die Kerle auch ein bißchen.

Dank dieser Besuche bereitete unsere Ernährung, als es in den Wäldern Herbst wurde, keine größeren Probleme. Anfangs kochten wir auf einem kleinen Holzfeuer, doch dann wurden wir gewitzter. Wir fanden ein paar Backsteine und bauten eine Feuerstelle, bei der das Holz zwischen den Backsteinen brannte und die Speisen an Drähten, die wir als Bratspieße benutzten, über das Feuer gehalten wurden. Wir kochten spät abends, um nicht von deutschen Patrouillen oder von Polen, die uns verraten konnten, gesehen zu werden. Meist aßen wir Kartoffeln, manchmal mit Pilzen, und ab und zu gab es Wurst oder Fleisch. Brot bekamen wir von den Bauern ziemlich häufig, hin und wieder auch Milch, aber meistens tranken wir das Wasser aus den Bächen.

Als der Sommer zu Ende ging, schloß sich unsere kleine Gruppe für kurze Zeit einer größeren Partisaneneinheit an. Ihre fünfzig bis sechzig Mitglieder – rund sechzig Prozent Juden und vierzig Prozent Weißrussen – stammten aus verschiedenen Städten der Umgebung: Mir, Stolpce, Nieswierz, Turec und Horodej. Andere jüdische Flüchtlinge, denen wir in den Wäldern begegnet waren, hatten uns von ihnen erzählt. Einen unterirdischen Bunker für so viele Menschen zu bauen, kam nicht in Frage, und so wechselten wir ständig unseren Standort und schliefen dort, wo der Wald am dichtesten war, auf der Erde.

Zu der Gruppe gehörte auch ein russischer Soldat, der behauptete, während des deutschen Vormarsches durch Ostpolen hinter den Linien zurückgelassen worden zu sein. Es war ein Politruk [ein politischer Berater], einer jener Russen, die eine gewisse sowjetische Präsenz unter der polnischen Bevölkerung aufrechterhalten und den Widerstand gegen die Nazis organisieren sollten.

Dieser Politruk schlug uns einen Überraschungsangriff auf eine deutsche Polizeistation außerhalb von Nieswierz vor. Wir besaßen Gewehre, reichlich Munition und sogar ein paar automatische Waffen. Die Idee, einen Polizeiposten zu zerstören, war sehr verlockend für uns. Wir verbrachten einen langen Abend mit Diskussionen und der

Ausarbeitung eines Plans. Und dann machten wir uns auf den Weg nach Nieswierz – kein leichtes Unterfangen, denn es war ein Fußmarsch von rund fünfundzwanzig Kilometern, und wir brauchten dazu volle zwei Tage und zwei Nächte. Wir mußten uns ja ständig verstecken und konnten uns nur bei Dunkelheit fortbewegen. Unser Plan sah vor, daß wir, wenn wir nahe genug herangekommen waren, einen Tag ausruhen würden. Um vier Uhr am nächsten Morgen wollten wir dann die Polizeistation umstellen und angreifen. Wir wollten einige unserer wenigen Handgranaten werfen und die Station mit gleichmäßigem Gewehrfeuer belegen. Wenn alles gutging, wollten wir das Gebäude niederbrennen, möglichst viele Polizisten töten und vielleicht sogar zwei oder drei als Geiseln nehmen. Von den Geiseln erhofften wir uns Informationen über deutsche Pläne, die Wälder zu durchkämmen und jüdische Gruppen aufzuspüren. Es war in unserem Lager, besonders unter den Jungen aus Nieswierz, auch die Rede davon gewesen, daß wir uns an den Geiseln für das, was unseren Familien angetan worden war, würden rächen können.

Aber aus unseren Plänen wurde nichts. Als der Zeitpunkt des Angriffs näherrückte, merkten wir plötzlich, daß unser Politruk fehlte – ein furchtbarer, beängstigender Schlag. Am wahrscheinlichsten erschien es uns, daß er ein deutscher Spion war, der zu seinen Auftraggebern zurückgekehrt war. Aber wir waren uns nicht sicher. Vielleicht hatte er sich nur entfernt, um die Station und das Gelände ringsum auszukundschaften. Was sollten wir tun? Wenn er ein Spion war und wir den Angriff wie geplant durchführten, würden die Deutschen uns mit Sicherheit bereits erwarten und uns töten. Andererseits standen auch unsere Chancen auf einen sicheren Rückzug mehr als schlecht.

Wir warteten, ob der Politruk zurückkommen würde, doch auch, nachdem es hell geworden war, konnten wir ihn nirgends entdecken. So packten wir unsere Sachen zusammen, um uns so schnell wie möglich zurückzuziehen.

Doch noch ehe unser Rückzug richtig begonnen hatte, traf uns heftiges Gewehrfeuer aus automatischen Waffen. Ob es Deutsche oder Polen waren, die auf uns schossen – oder beides –, war nicht auszumachen. Die Geschosse pfiffen auf allen Seiten an mir vorbei und über meinen Kopf hinweg. Schreie waren zu hören. Ich erinnere mich an einen Jungen aus Nieswierz, der mit einem Maschinengewehr bewaffnet war. Er bewegte sich in die Richtung, aus der das Feuer kam, und schoß zehn, fünfzehn Sekunden lang zurück. Wer weiß, was seiner Familie passiert sein mochte. Doch er verteidigte sich tapfer. Im Nu war sein Körper blutüberströmt, und er war tot, von sechs bis acht Kugeln getroffen.

Unsere Chancen in einem regelrechten Gefecht waren gleich null, und so beschlossen wir, um unser Leben zu laufen. Während ich rannte, kam es mir vor, als würden meine Füße den Boden kaum berühren. Zweige und Büsche tauchten vor mir auf, und ich sprang und flog über sie hinweg wie ein Vogel. Geschosse schlugen in die Bäume links und rechts von mir ein. Menschen stürzten zu Boden. Ich rannte vielleicht eine Stunde lang, ohne anzuhalten und ohne zu ermüden. Die Reste unserer Gruppe waren versprengt. Ich war allein.

Ich entsinne mich, daß ich eine Straße überquerte und dann in einen tiefen Wald lief. An einer geschützten Stelle legte ich mich nieder. Ich mußte mich ausruhen und mir überlegen, wie ich ins Lager zurückkommen sollte. Plötzlich hörte ich Schritte näherkommen. Ich dachte, ein Deutscher sei mir gefolgt, aber es war einer meiner Mitflüchtlinge aus Mir, der sich ebenfalls der Gruppe des Politruks angeschlossen hatte. Auch er war mit dem Leben davongekommen. Wir waren glücklich, daß wir uns gefunden hatten, und erleichtert, nicht mehr allein oder von Feinden umgeben zu sein.

Wir brauchten drei Tage, um ins Lager zurückzukommen. Wir waren sehr vorsichtig, denn der Politruk konnte den Deutschen verraten haben, wo sich das Lager befand, und es war möglich, daß sie ein zweites Mal angriffen. Einige von uns waren schon vor uns zurückgekehrt und hatten Bericht erstattet. Daraufhin hatte sich alles in kleine Gruppen zerstreut, doch zum Glück hatte mein Vater auf mich gewartet. Die Deutschen waren offenbar der Ansicht, ihre Attacke sei so erfolgreich verlaufen, daß ein massiver Gegenangriff auf unser Lager Zeit- und Materialverschwendung gewesen wäre.

Mein Vater und ich schlossen uns mit drei anderen Männern zu einer kleinen Gruppe zusammen. Wir waren uns darüber im klaren, daß der Winter bevorstand, daß wir einen größeren Bunker für uns würden bauen müssen, daß wir es nicht riskieren konnten, uns weiterhin so nahe der Straße aufzuhalten. Und da wir überzeugt waren, in einer größeren Gruppe bessere Überlebenschancen zu haben, taten wir uns mit einigen anderen Juden zusammen, die wir in den Wäldern schon öfter gesehen hatten. Die Wildnis, in der wir lebten, hieß Miranke – ein Sumpfgebiet größtenteils, dessen höhergelegene Teile bewaldet waren.

Unsere neue Gruppe bestand aus vierzehn Personen, darunter auch drei Frauen. Eine von ihnen, eine Ärztin, war mit ihrem Mann zusammen geflohen. Die acht jungen Männer der Gruppe übernahmen die Nahrungsbeschaffung und konnten sich notfalls auch auf Gefechte mit der deutschen oder polnischen Polizei einlassen. Mein Vater blieb im Lager zurück und kümmerte sich zusammen mit den Frauen um das Kochen und andere Arbeiten.

Tief im Wald begannen wir einen Bunker für den Winter zu graben, was angesichts der Größe unserer Gruppe ein schwieriges Unterfangen war. Allzu groß durfte der Bunker nicht sein, denn je größer er war, desto schwerer war er zu tarnen.

Wir fanden einen kleinen Hügel – es war mehr ein Buckel als ein Hügel – und gruben eine etwa eineinhalb Meter hohe, viereinhalb Meter tiefe und dreieinhalb Meter breite Höhle in das Erdreich. Die vier Ecken des Bunkers stützten wir mit kleinen Baumstämmen ab, und die Wände verkleideten wir mit Schößlingen, damit die Erde nicht auf uns herabrieselte. Über das Ganze breiteten wir ein Geflecht aus Zweigen, bedeckten es mit Erde und steckten immergrüne Sträucher hinein. Nach dem ersten längeren Schneefall sah der Bunker aus, als wäre es nichts als ein kleiner, mit immergrünen Pflanzen bewachsener Erdhügel.

An einer Seite des Bunkers lag der Eingang, ein abschüssiger Gang, den man wie eine Kinderrutsche benutzte. Es konnte immer nur eine Person auf einmal hineinrutschen oder herausklettern. An zweien der Innenwände waren Schlafkojen aus Schößlingen und Zweigen aufgereiht. Sie waren unbequem, schützten uns aber vor der direkten Berührung mit der kalten Erde. An einer dieser Wände bewahrten wir auch unsere Nahrungsvorräte auf. Wir aßen, was wir gerade bekamen und was man unter der Erde lagern konnte – hauptsächlich Mehl, Kartoffeln und Wurzelgemüse.

An der vierten Wand schließlich lag unser Küchenbereich. Wir bohrten ein kleines Loch in das Dach unseres Unterstandes und führten ein erbeutetes Metallrohr durch, als Schornstein für das Feuer, das wir nachts in einer kleinen Feuerstelle aus Backsteinen in der Mitte des Bunkers unterhielten. Wir benutzten es zum Kochen und um uns zu wärmen, doch da wir so wenig anzuziehen hatten, froren wir trotzdem ständig. Von den Bauernhöfen hatten wir zwar ein paar Decken mitgenommen, aber sie schützten uns nicht genügend vor der Winterkälte, die uns bis in die Knochen drang. Und das Feuer durfte nur nachts brennen; am Tage hätte man den Rauch – besonders vor dem klaren Winterhimmel – kilometerweit gesehen. So kochten wir im Schutz der Dunkelheit und konnten nur hoffen, daß die Bauern zu dieser Zeit schliefen.

Unser Zeitplan sah so aus, daß wir um zwei Uhr nachts zu kochen begannen, dann aßen und tagsüber schliefen. Wir stellten einen Eimer auf die Backsteine, und darin kochten wir unser Standardgericht. Hier das Rezept:

Zuerst wurde Wasser aufgesetzt. Neben der Feuerstelle hatten wir ein Loch gegraben, eine Art Brunnen, in dem sich das Grundwasser sammelte. Man brauchte nicht tief zu graben, um auf Wasser zu stoßen – brackiges Sumpfwasser, braun wie Starkbier. Und es stank auch nach Sumpf. Wir tranken es durch Stoffetzen hindurch, an deren Rückseite währenddessen alles mögliche krabbelte. Zu Anfang war es unvorstellbar, so zu leben. Konnten wir statt des gefilterten Sumpfwassers einmal geschmolzenen Schnee trinken, war das eine Delikatesse für uns! Wenn das Wasser kochte, schütteten wir Mehl hinein, so daß das Ganze wie Lehm aussah. Und das war alles: eine Lehmsuppe, mit Löffeln gegessen, die wir den Bauern gestohlen hatten. Wir hatten nicht einmal Salz zum Würzen. Wir nannten die Suppe *zacierke*. Aus den gleichen Zutaten bereiteten wir noch ein anderes Gericht. Statt des Eimers legten wir ein flaches Metallstück über die Backsteine und gossen den Mehl-Wasser-Brei zu Pastetchen, die wir von beiden Seiten buken. Das war unser Brot. Hin und wieder kochten wir auch einen großen Eimer Kartoffeln.

Unsere Notdurft konnten wir nicht im Freien verrichten, weil Bauern, die durch den Wald gingen, unsere Exkremente hätten entdecken können. So gruben wir neben unserem Bunker eine zweite Höhle, die mit dem Bunker durch eine kleine Öffnung verbunden war, verrichteten unsere Notdurft in einen kleinen Topf und leerten diesen Topf dann durch die Öffnung in das zweite Loch, das wir anschließend mit Lumpen verstopften. So sah unsere Toilettenspülung aus.

Nach draußen wagten wir uns nur bei Schneesturm. Wenn es stark genug schneite, verschwanden unsere Fußspuren sofort wieder und wir konnten spazierengehen oder Nahrungsstreifzüge unternehmen. Schneite es jedoch nicht, saßen wir tagelang im Bunker fest. Unsere Besuche auf den Bauernhöfen der Umgebung mußten wir dann natürlich drastisch einschränken, so daß das Essen knapp wurde. Manchmal mußten wir auch, wenn es nicht schneite, losziehen, um Lebensmittel zu beschaffen. Dann hatten wir Angst, man könnte unsere Fußspuren entdecken und uns verfolgen. Wir fühlten uns in unserem Versteck nie völlig sicher. Wir hofften nur, bei einem Überraschungsangriff nicht in unserem Bunker in der Falle zu sitzen, ohne uns verteidigen zu können.

So verbrachten wir den Winter 1942/43 wie Eichhörnchen in einer Höhle versteckt. Man kann sich vorstellen, was für ein bestialischer Gestank darin herrschte. Wenn es nachts schneite oder sehr dunkel war, hoben wir die Bunkerdecke ein wenig an. Und sonst saßen wir in unserem Loch.

Wir taten unser Bestes, um zu überleben und sogar Widerstand zu leisten, aber keiner von uns glaubte daran, daß er lebend aus dieser Hölle entkommen würde. Das Wichtigste war für uns, den Deutschen nicht lebend in die Hände zu fallen, uns nicht ihren Fragen, ihrer Folter, einem passiven Tod in ihrer Gewalt auszusetzen. Wir waren ständig bewaffnet und hatten vereinbart, daß wir bei einem Angriff so lange kämpfen würden, bis man uns tötete. Wenn nötig, würden wir uns lieber gegenseitig erschießen, als uns gefangennehmen zu lassen. Sterben würden wir ohnehin – aber zu unseren Bedingungen.

Als ich mich einmal an diesen Gedanken gewöhnt hatte, wurde ich außerordentlich tapfer. Ich sage das nicht, um damit zu prahlen, sondern nur, um meine Einstellung zu beschreiben. Ich hatte keine Angst mehr vor dem Tod. Ich wurde zum Anführer der Gruppe und unternahm ständig Beutezüge auf die Bauernhöfe. Ich setzte mich den größten Gefahren aus. Ich suchte mir Höfe aus, die Nazi-Sympathisanten gehörten und nur wenige Kilometer von deutschen Polizeistationen entfernt lagen. Wir brachen in die Häuser ein, stahlen Mengen von Nahrungsmitteln und Kleidung und zertrümmerten dann die Fenster und das Mobiliar. Wenn uns ein Hund biß, töteten wir ihn.

Das ging so weit, daß die Deutschen mich bereits mit Namen kannten. Von einem Bauern erfuhr ich, daß sie sogar ein Kopfgeld auf mich ausgesetzt hatten! Das war zu einem Zeitpunkt, da das Leben eines Juden nichts mehr wert war, eine Ehre.

Eines muß ich aus dieser Zeit noch erzählen. Es war im August oder September 1942. Ich hatte einen Traum, einen sehr eindringlichen Traum, an den ich entgegen aller Vernunft felsenfest glaubte.

Eine Stimme – ich glaube, es war die Stimme meiner Mutter – sagte mir, daß ich in den Wäldern Rochelle begegnen würde, daß wir uns finden und zusammenbleiben würden. Ich erinnere mich nicht, das Gesicht gesehen zu haben, das in dem Traum zu mir sprach. Ich hörte nur die Stimme. Aber Rochelles Gesicht sah ich ganz deutlich.

Als ich erwachte, fing ich an nachzudenken. Ja, Rochelle und ich hatten uns vor dem Krieg in Stolpce kennengelernt, aber wir waren nicht befreundet gewesen und hatten schon gar keine engere Beziehung zueinander gehabt. Warum war sie mir im Traum erschienen? Ich wußte ja nicht einmal, ob sie noch lebte. Aller Wahrscheinlichkeit nach war sie bei der Liquidierung des Ghettos von Stolpce ums Leben gekommen. Und selbst wenn sie dieses Martyrium überlebt hatte, standen die Chancen, daß sie in das Waldgebiet geflohen war, in dem ich mich versteckt hielt, nicht einmal eins zu einer Million.

Doch wie gesagt: Ich glaubte an den Traum. Ich nahm ihn so ernst, daß ich, als wir etwa einen Monat später unseren Winterbunker bauten, darauf bestand, neben mir einen Platz für Rochelle freizuhalten.

Als ich den anderen in der Gruppe sagte, daß Rochelle kommen würde, glaubten sie, ich sei verrückt geworden. Ich bin sicher, daß sie hinter meinem Rücken über mich lachten und Witze machten. Doch da ich als Anführer unserer Beutezüge sehr erfolgreich war, brauchten sie mich und versuchten mit mir zu diskutieren. Platz war in unserem Bunker Mangelware. »Wie kannst du sagen, daß sie kommt?« fragten sie mich. »Vielleicht ist sie längst tot, vielleicht ist sie meilenweit weg!«

Ich wollte ihnen nicht von meinem Traum erzählen. Ich gab überhaupt keine Erklärungen ab. Ich sagte nur: »Macht euch deswegen keine Sorgen. Ich will nur, daß Platz für sie ist, wenn sie kommt.«

So lagen die Dinge im November 1942, etwa drei Monate nach meinem Traum. Eines Tages saß ich in unserem Bunker. Draußen hielten zwei junge Männer an zwei verschiedenen Beobachtungsposten Wache, um sicherzugehen, daß wir nicht überrascht wurden. Plötzlich kam einer von ihnen herein und meldete mir, daß drei jüdische Frauen auf unseren Bunker zukämen. Der Posten hatte sie angehalten, und sie hatten gesagt, sie wollten mich sprechen. Ich hatte keine Ahnung, wer die Frauen waren – der Posten hatte sie nicht nach ihrem Namen gefragt. Also ging ich mit ihm hinaus.

Und da stand Rochelle. Es war unglaublich! Sie befand sich in Begleitung einer Freundin namens Tanja, und hergeführt hatte die beiden ein Mädchen aus meiner Heimatstadt Mir, Fania, die einer anderen kleinen Partisanengruppe in unserer Nähe angehörte. Auch in Fanias Gruppe hatte es sich herumgesprochen, daß dieser verrückte Izik Sutin in seinem Bunker einen Platz für ein Mädchen freihielt, das er seit Jahren nicht mehr gesehen hatte und von dem er nichts wußte. Fania hatte davon gehört, und als sie Rochelle zufällig begegnete, hatte sie beschlossen, sie zu mir zu bringen.

Und da war sie.

Als ich Rochelle dort stehen sah, wußte ich, daß mein Traum nicht gelogen hatte. Irgend jemand, irgend etwas wachte über uns. Es war Rochelle und mir bestimmt, einander zu begegnen.

Wie sonst hätte sie in die kleine Höhle in den Wäldern kommen können, in der ich mich versteckt hielt? Wie sonst hätte ich mich auf ihre Ankunft vorbereiten können?

Das waren in diesem Augenblick meine Empfindungen. Und noch viel mehr – doch dafür fehlen mir die Worte.

V

Rochelle flieht aus dem Ghetto von Stolpce

ROCHELLE Ein Klassenkamerad flüsterte mir etwas zu, und plötzlich war ich Waise.

Mit ihrer letzten Botschaft hatte meine Mutter mich aufgefordert, *nekome* – Rache – zu nehmen. Auf einer gewissen abstrakten Ebene konnte ich das verstehen, denn ich wollte es selbst. Zugleich aber war es mir unverständlich. Ich war allein, ein Mädchen ohne Macht und ohne Waffen, in einer Welt, die mir nur Haß entgegengebracht hatte.

Man gebraucht das Wort »Trauma«, um zu beschreiben, wie ein Mensch sich fühlt, dem etwas sehr Schlimmes zugestoßen ist, etwas, von dem er weiß, daß es bleibende Folgen haben wird. Für mich ist das Wort nicht stark genug, um auszudrücken, wie ich die ersten Tage nach der Nachricht vom Tod meiner Mutter und meiner Schwestern erlebte.

Eines empfand ich damals mit Sicherheit nicht: Angst davor, was mir noch zustoßen mochte. Das Schlimmste, was ich mir vorstellen konnte, war ja bereits eingetreten. Die Nazimörder hatten fast mühelos die Herrschaft übernommen und taten jetzt ungehindert ihr Werk. Ich war eine Sklavin in ihrer Gewalt, eine Sklavin, die im Sägewerk Holz für den Bedarf der deutschen Kriegsmaschinerie verarbeitete. Wovor hätte ich noch Angst haben sollen?

Tatsächlich empfand ich, als ich allmählich wieder klarer denken konnte, ein absurdes Gefühl der Freiheit. Ich hatte meiner Mutter geholfen, meine jüngeren Schwestern zu versorgen, hatte über sie gewacht und heimlich Holzstücke aus dem Sägewerk für unseren Ofen mitgenommen. Jetzt aber waren sie tot, und nichts konnte mich mehr davon abhalten zu tun, was ich tun mußte. Es stand mir sozusagen frei, mein Leben aufzugeben.

Am Abend, nachdem ich meine Arbeit wiederaufgenommen hatte, kehrte ich in das kahle, kalte Ghettozimmer zurück, in dem meine Mutter, meine Schwestern und ich während der letzten Monate gelebt hatten. Auf dem Boden lagen ein paar Fotos – meine Mutter und meine Schwestern blickten mich wieder an. Ich nahm die Bilder und steckte sie in meinen Büstenhalter. Ich habe sie noch heute.

Plötzlich wußte ich, was ich zu tun hatte... Ich hatte einen Entschluß gefaßt.

Mir blieb nur die Flucht. Nicht etwa, weil ich hätte überleben wollen. Ich wußte zu diesem Zeitpunkt noch gar nicht, daß so etwas wie der Versuch eines jüdischen Widerstandes existierte. Es gab ja keine Medien, kein Kommunikationssystem, durch das wir, die wir im Ghetto eingeschlossen waren, hätten erfahren können, daß sich in den Wäldern jüdische Partisanen versteckt hielten. Die Juden, die überhaupt noch am Leben waren, lebten völlig isoliert. Doch ich würde nicht zulassen, daß man mich vor den Augen der deutschen Polizei und der Polen, mit denen ich zur Schule gegangen war, nackt auszog. Mich würde man nicht auf einem Lastwagen zu meinem Grab fahren – so lange würde ich nicht warten. Ich beschloß, auf der Flucht zu sterben!

Im Sägewerk arbeitete neben mir ein Mädchen namens Tanja. Wir waren beide in Stolpce aufgewachsen, aber nicht näher befreundet gewesen. Unsere Arbeit bestand darin, die von den rohen Brettern entfernte Rinde zu stapeln und die Bretter aufeinanderzuschichten. Den ganzen Tag rollten die Bretter an, so daß wir ununterbrochen in Bewegung waren.

Tanja und ich sahen uns ähnlich: Wir hatten beide gewelltes braunes Haar und waren kräftig gebaut. Tanja war ein sehr sanftes, freundliches Mädchen, und so zog ich sie ins Vertrauen. »Hör zu«, sagte ich, »in ein paar Wochen bringen sie uns sowieso um. Im Moment teilen sie uns nur in Gruppen ein, um zu sehen, wie viele sie liquidieren müssen. Ich laufe weg – dann können sie mich in den Rücken schießen!«

Tanja entschloß sich mitzukommen. Ihre Eltern und Geschwister hatte man getötet. Tanjas Leben war zur Qual geworden. Sie war bereit, die Flucht zu wagen, ohne daß ich sie lange überreden mußte. Neben uns arbeitete ein jüdisches Ehepaar. Ich erinnere mich, daß der Mann Mottel hieß. Die beiden waren schon in der Schule ein Liebespaar gewesen, und sie hatten einen fünfjährigen Sohn. Wir beschlossen, gemeinsam zu fliehen – alle zu gleicher Zeit. Für Mottel und seine Frau war es eine grauenvolle Entscheidung, denn sie wußten, daß ihr Sohn, wenn sie ihn mitnahmen, auf keinen Fall überleben würde, daß sie seinen Tod würden mit ansehen müssen. So ließen sie ihn an dem Morgen, für den wir unsere Flucht geplant hatten, bei der älteren Jüdin im Ghetto zurück, mit der sie in einem Zimmer zusammengepfercht lebten. Sie nahmen von ihm Abschied in dem Wissen, daß er sterben würde. Es gab keine Alternativen, es gab nur verschiedene Arten zu sterben.

Das Sägewerk lag am Fluß Njemen. Nicht weit vom anderen Ufer war ein Wald. Wir wollten versuchen, den Fluß zu durchschwimmen und dann in den Wald zu laufen. Warum als Gruppe? Nur deshalb, weil die Aussicht, gemeinsam zu sterben, uns etwas mehr Mut gab. Weiter gingen unsere Pläne nicht. Wir sprachen nicht einmal darüber, was wir tun würden, wenn wir den Wald erreichten. Wir rechneten nicht damit, so lange am Leben zu bleiben. Wir wußten nur, daß wir nicht so getötet werden wollten, wie die Nazis es planten – langsam, ihren Zwecken entsprechend und nachdem wir uns fast totgeschuftet hatten. Wir wollten in Würde sterben. Wir würden versuchen zu entkommen, sie würden uns mit ihren Maschinengewehren erschießen, und alles würde vorbei sein.

Es gab einen günstigen Umstand, der eine gewisse Rolle spielte: das Gelände. Der Wald am anderen Ufer des Njemen gab uns eine hauchdünne Chance, die uns darin bestärkte, das Risiko einzugehen, auch wenn im Grunde keiner von uns glaubte, daß wir mit dem Leben davonkommen würden. Ohne den Wald wäre das Ganze schlicht und einfach ein gemeinschaftlicher Selbstmordplan gewesen.

Wir beschlossen, einen besonders nebligen Morgen abzuwarten, und gegen Ende September 1942 war es soweit. Unser Plan sah vor, daß wir unmittelbar, nachdem die Nazis uns im ersten Morgengrauen zu unserer endlosen Schufterei im Sägewerk geführt hatten, eine Pause einlegen würden. Ganz am Rand des Geländes, nicht weit vom Fluß, gab es zwei Klohäuschen. Der Tagesablauf im Sägewerk gestand den jüdischen Arbeitern nach der Ankunft am Morgen eine fünfminütige Pause zu, in der sie ihre Glieder strecken und ihre Notdurft verrichten konnten, bevor sie an die Maschinen gingen.

So begann unsere Flucht damit, daß wir ganz zwanglos auf die Klohäuschen zu schlenderten. Die Kleider, die ich trug, hatten die Nazis für wertlos befunden und daher nicht konfisziert. Es war meine Schuluniform: Faltenrock und Bluse, Schuhe und Jacke.

Dann krochen wir unter einem losen Stacheldrahtzaun durch, den die Deutschen um das Gelände gezogen hatten.

Wir waren etwa fünfzig Meter gerannt, als die Glocke ertönte, mit der die Juden an ihre Maschinen gerufen wurden. Am Ufer angelangt, sprangen wir ins Wasser und schwammen los, so schnell und kräftig, wie wir konnten.

Kurz darauf hörten wir die deutschen Polizisten rufen. Sie hatten jedoch weder Autos noch Motorräder; die Fahrzeuge wurden zu dringend für Massenliquidierungen und militärische Operationen benötigt, als daß man sie an einen abgerissenen jüdischen Arbeitstrupp verschwendet hätte. So jagten sie uns auf ihren Fahrrädern nach. Aber sie waren schwer bewaffnet, und wir hörten den Lärm der Maschinengewehre... rattattattattt. Ringsum peitschten Geschosse ins Wasser. Es war genau das, was wir gewollt hatten: Wir konnten jeden Moment sterben.

Doch irgendwie, ich weiß nicht wie, schafften wir es, bis ans andere Ufer zu schwimmen. Dann rannten wir auf den Wald zu. Noch immer wurde gefeuert. Die Geschosse schlugen in den Bäumen ein und zerfetzten die Blätter, die noch an den Zweigen hingen. Mottel und seine Frau mußten in eine andere Richtung gelaufen sein, denn ich sah sie längere Zeit nicht wieder. Tanja und ich aber blieben zusammen. Zwischen Schwimmen und Laufen hatte ich meine Schuhe verloren und lief barfuß weiter, und bevor ich ins Wasser sprang, hatte ich meine Jacke abgeworfen, weil sie mich beim Schwimmen behindert hätte. So hatte ich nur noch meinen Faltenrock und meine Bluse an.

Wir rannten und rannten. Noch immer hörten wir die Maschinengewehre, und ab und zu verstärkte sich das Feuer – Salven, die auf bestimmte Punkte zielten. Ich weiß noch, daß ich dachte, Mottel und seine Frau seien gefaßt und getötet worden. Und ich war sicher, daß man Tanja und mich verfolgen würde, bis wir vor Erschöpfung umfielen. So rannten wir den ganzen Tag. Wir liefen tief in die Wälder und mußten uns schließlich setzen – es war mehr ein Zusammenbrechen! –, um uns auszuruhen. Im nachhinein kann ich nur vermuten, daß man es nicht für der Mühe wert hielt, zwei jüdische Mädchen so angestrengt zu verfolgen. Es war bereits Herbst, und die Kälte würde den Rest besorgen.

Ende September war es tagsüber zwar noch ziemlich warm, aber nachts herrschte Frost, und während wir zu schlafen versuchten – was nur mit vielen Unterbrechungen gelang –, gefroren unsere Kleider. Meine Füße waren vom Laufen zerschrammt und blutig, und ich hatte große Schmerzen. So saßen Tanja und ich die ganze Nacht da, lange, trostlose Stunden hindurch, in eisiger Kälte. Als endlich der Morgen dämmerte und wir aufstehen und uns strecken wollten, waren unsere Kleider so steif, daß wir uns kaum bewegen konnten. Es war, als steckten wir in einem Panzer. Schließlich erreichten wir mit kleinen, mühsamen Schritten eine sonnige Lichtung. Es schien Stunden zu dauern, bis unsere Kleider endlich aufzutauen begannen, und selbst dann konnten wir anfangs kaum gehen.

Erstaunlicherweise hatten wir keinen Hunger; das Adrenalin wirkte noch in uns nach. Wir berieten, was als nächstes zu tun sei, glaubten aber noch immer nicht, daß wir auf Dauer überleben würden. Doch unsere Flucht war geglückt, und wir wollten etwas daraus machen – zumindest sollten uns die Deutschen nicht gleich wieder einfangen und erschießen. Unser Hauptziel war, weiter von Stolpce wegzukommen. Doch nachdem unsere Kleider aufgetaut waren, beschlossen wir, noch einen Tag und eine Nacht in unserem Versteck zu bleiben, für den Fall, daß eine Suchaktion nach uns gestartet worden war. Würden wir in dieser Zeit kein Gewehrfeuer mehr hören, konnten wir davon ausgehen, daß man uns nicht mehr verfolgte.

Tanja machte einen Vorschlag. Im Sägewerk hatte es

einen Weißrussen gegeben, der schon seit Jahren dort arbeitete und dem die jungen Juden, die dort wie Sklaven schuften mußten, leidtaten. Von ihm hatte Tanja erfahren, daß sich in den Wäldern Partisanen versteckt hielten, kleine Trupps russischer Soldaten, die durch den deutschen Einmarsch in Ostpolen überrascht worden waren. Der Mann hatte Tanja Namen und Adresse seines Onkels gegeben, eines Bauern, der sechzehn Kilometer vom Sägewerk entfernt wohnte. Dieser Bauer unterstützte die Partisanen und wußte, wie man mit ihnen Kontakt aufnehmen konnte.

Tanja meinte, wenn wir es schafften, zu dem Bauernhof zu gelangen, würden wir vielleicht eine Möglichkeit finden, uns dem russischen Widerstand gegen die Nazis anzuschließen. Es war ein weiter Weg, aber was waren unsere Alternativen? Und der Gedanke, den russischen Partisanen zu helfen und – wenn wir uns bewährten – Waffen in die Hand zu bekommen, mit denen wir kämpfen konnten, war das Beste, was wir uns unter den gegebenen Umständen erträumen konnten.

Unglücklicherweise besaßen wir keinerlei nähere Informationen über die russischen Partisanen. Wir wußten nicht, daß die meisten dieser Gruppen jüdische Flüchtlinge nicht als Verbündete und potentielle Mitkämpfer, sondern als Feinde betrachteten, nicht anders als die Nazis. Und das zu einem Zeitpunkt, da die Nazis in ihre russische Heimat einmarschierten!

So machten wir uns auf den Weg. Wir kannten uns in der Gegend nicht gut aus, hofften aber, den Bauernhof zu finden und uns den Russen anschließen zu können.

Wieder kam uns ein günstiger Umstand zu Hilfe, ähnlich wie der Wald am anderen Ufer des Njemen. In den Jahren vor dem Krieg hatte zwischen Juden und Weißrussen, anders als zwischen Juden und Polen, ein recht gutes

Verhältnis geherrscht, was darauf zurückzuführen war, daß die Weißrussen im östlichen Polen eine ethnische Minderheit bildeten. Der größte Teil ihres Volkes lebte jenseits der Grenze in der Sowjetunion. Viele Weißrussen hatten die Sowjettruppen, die Ostpolen bis zum Einmarsch der Nazis besetzt gehalten hatten, mit offenen Armen empfangen. Das hatte auch die Mehrheit der dortigen Juden getan – aus einem einleuchtenden Grund: Die Alternative wäre gewesen, den Nazis in die Hände zu fallen.

Die meisten Weißrussen, die über die ländlichen Gebiete Nordostpolens verstreut lebten, waren Bauern. In dieser Region lag auch meine Heimatstadt Stolpce. Natürlich waren nicht alle weißrussischen Bauern den Juden freundlich gesinnt, aber einige waren es, und ihre Unterstützung, auch wenn sie noch so gering war, fiel doch ins Gewicht.

Gegen Abend erreichten wir den Bauernhof, den wir gesucht hatten. Wir wagten uns nicht bis zum Haus vor, doch wir sahen den Bauern – er hieß Usik – auf dem Feld arbeiten, und so beschlossen wir, zu ihm zu gehen. Was hätten wir in unserer Lage anderes tun können? Er wußte, wer wir waren, er brauchte nicht erst zu fragen. Wir sagten ihm, wir hätten großen Hunger, und fragten ihn, ob er uns etwas zu essen geben könne. Er erwiderte, er habe nichts übrig, alles, was er uns geben könne, seien Eier. Jede von uns bekam ein kleines Ei, und wir bohrten ein Loch hinein und tranken das Eigelb aus, als wäre es Wasser. Wenigstens hatten wir das Gefühl, etwas im Magen zu haben.

Dann fragten wir den Bauern, ob er von versteckten russischen Partisanen in der Gegend wisse. Er sagte, er habe davon gehört, wisse aber nicht genau, wo sie sich aufhielten. Er riet uns, ein paar Kilometer weiter zu einem anderen weißrussischen Bauern zu gehen, der uns vielleicht Näheres sagen könne.

Es war ein mühsamer Weg. Wir waren mit den Wäldern nicht vertraut und verloren einen ganzen Tag damit, daß wir uns immer wieder im Kreis bewegten. Und wir waren noch immer barfuß. Nach zwei Tagen gelangten wir endlich zu dem Hof, den Usik uns beschrieben hatte.

Der Bauer gab uns etwas zu essen, das erste, was wir seit den Eiern in den Magen bekamen. Wir fragten ihn, ob es in der Gegend russische Widerstandskämpfer gebe, denen wir uns anschließen könnten. Er sagte: »Ja, vielleicht kommen heute ein paar von ihnen hier vorbei. Bleibt in der Nähe, dann könnt ihr sie fragen, ob sie euch mitnehmen.«

Einige Stunden später gab er uns durch ein Zeichen zu verstehen, daß sich russische Partisanen näherten. Sie waren nur zu zweit, unrasiert und in verdreckten Uniformen, aber bis an die Zähne bewaffnet. Und da standen wir – zwei jüdische Mädchen in zerrissenen Kleidern. Nach den Tagen und Nächten in den Wäldern müssen wir wie Tiere ausgesehen haben. Aber wir redeten mit ihnen. Wir flehten sie an, uns mitzunehmen. Wir würden alles für sie tun... kochen, putzen, waschen, was immer für die Widerstandsbewegung nötig war. Sie hatten Mitleid mit uns und willigten ein.

Ihre Gruppe bestand aus vierzig oder fünfzig Soldaten. Einige von ihnen waren versehentlich hinter die Linien der Nazis geraten, andere aber waren Deserteure, die keine andere Wahl gehabt hatten, als sich ihren früheren Kameraden anzuschließen. Anführer war ein gewisser Sorokin, der seine Position der Tatsache verdankte, daß er der höchstrangige Offizier in der Gruppe war. Doch so etwas wie militärische Disziplin gab es dort nicht. Es ging diesen Menschen mehr um das reine Überleben als um entschlossenen Widerstand. Während andere russische Partisaneneinheiten in dem Gebiet konkrete Aktionen gegen das deutsche Militär unternahmen, beschränkte sich diese, obwohl gut bewaffnet, auf Überfälle zur Beschaffung von Nahrung und anderen Dingen, die sie benötigte, um in ihrem Waldversteck überleben zu können.

Die beiden Partisanen, die uns mitgenommen hatten, hatten Mitleid mit uns gehabt. Die anderen nicht. Sofort hieß es, wir sollten für sie kochen, trockenes Feuerholz suchen, von weither Wasser holen. Aber das alles hatten wir *erwartet*. Wir wollten im Kampf gegen die Deutschen unseren Beitrag leisten.

Da Tanja und ich noch immer barfuß waren, gab man uns Stiefel von gefallenen russischen Soldaten. Ein komplettes Paar war nicht vorhanden, und so bekam ich zwei linke Schuhe, ohne Schnürsenkel und ohne Socken. Aber wir waren froh, überhaupt wieder etwas an unseren wunden Füßen zu haben. Die Partisanen besaßen einen Vorrat an Zelten, Decken und alten Armeemänteln, aber sie gaben uns nichts davon ab. Wir hatten nichts, womit wir uns zudecken konnten. Nachts saßen wir so nahe am Feuer, daß wir uns fast die Zehen verbrannten.

In der Gruppe lernten wir ein jüdisches Mädchen namens Sonia kennen. Sie lebte innerhalb der Gruppe mit einem weißrussischen Bauernsohn aus der Gegend zusammen, der sich den Partisanen angeschlossen hatte. Sonia war »sein Mädchen« und damit einigermaßen vor Mißbrauch geschützt. Auf dem Feuer, das ständig in Gang gehalten wurde, kochte sie für die Partisanen, was immer sie von ihren Überfällen mitbrachten. Als sie Tanja und mich sah, waren wir in unseren dünnen städtischen Kleidern halb erfroren. Sie hatte Mitleid mit uns und gab uns etwas Warmes anzuziehen. Sie versuchte uns auch sonst zu helfen, wo sie konnte, und uns beizubringen, was wir wissen mußten, um unter den Partisanen zu überleben.

Es war Oktober, und die kalte Jahreszeit rückte rasch

näher. Für Tanja und mich begannen Leiden ganz neuer Art.

Die Forderungen, die man an uns stellte, gingen immer weiter, und mit Arbeit allein war es nicht mehr getan. »Möchtest du bessere Stiefel? Möchtest du eine Jacke, eine Decke? Dann schlaf mit mir! Sonst kannst du die ganze Nacht am Feuer sitzen.« Wenn wir uns weigerten, sagten sie: »Ihr jüdischen Schlampen! Mit den Deutschen habt ihr doch auch geschlafen! Und jetzt kreuzt ihr hier auf, wir lassen euch leben, und ihr wollt nicht mit uns schlafen!« Es war ein hoffnungsloser Fall. Was sollten wir dazu sagen?

Besonders schwer zu ertragen war für Tanja und mich der Vorwurf, wir hätten mit den Nazisoldaten geschlafen. Wir schwiegen dazu. Wir hatten Angst zu widersprechen, mit den Partisanen in Streit zu geraten. Und wir wußten, daß sie uns nicht glauben würden, auch wenn wir Stein und Bein schworen, daß wir die Wahrheit sagten. Sie kannten nur ihre Begierde.

Und die Wahrheit beschränkte sich nicht darauf, daß wir um keinen Preis mit den Nazis geschlafen hätten. Sie hing auch mit den wirren, krankhaften Ideen der Nazis zusammen: Nicht einmal die schlimmsten von ihnen wären darauf erpicht gewesen, mit uns zu schlafen. Aus unserer Ghettozeit kannten wir die Vorschriften und Beschränkungen, denen die Nazisoldaten unterlagen: Jede Form von Gewalt, jede Grausamkeit gegen jüdische Männer und auch Frauen, ganz zu schweigen von jüdischen Kindern und Babys, war ihnen erlaubt. Doch sie wären auf der Stelle erschossen worden, wenn sie eine jüdische Frau vergewaltigt hätten. Der Grund lag in der Furcht der Nazis, die Reinheit der »arischen« Herrenrasse könnte gefährdet werden. Geschlechtsverkehr mit einer Jüdin war ein Verbrechen, das sie »Rassenschande« nannten.

Die russischen Partisanen aber, die jetzt über unser Leben bestimmten, wußten nichts von Rassenschande. Für sie waren wir Frauen, Jüdinnen, und damit zu nichts anderem gut als zu schmutziger Arbeit und schmutzigem Sex.

Sonia wußte Bescheid, und deshalb schlief sie mit dem Jungen – sie hatte keine andere Wahl. »Es fällt mir schwer, euch das zu sagen«, sagte sie zu uns, »aber früher oder später wird es heißen: Sex oder euer Leben. Viele von den Partisanen sind wütend, daß ihr überhaupt hier seid. Sie sagen, ihr verdient euch euer Essen nicht. Sie wollen euch töten.«

Doch dann redete Sonia mit ihrem »Mann«. Er war ein freundlicher Mensch und sagte: »Gut, sie können vorerst bei uns im Zelt schlafen.« Also nahm Sonia uns mit in ihr Zelt und gab uns ein paar von ihren Decken. Wir fühlten uns wie im Paradies... endlich hatten wir einen Beschützer. Doch Sonia warnte uns: »Fühlt euch nur nicht zu sicher. Er ist nicht sehr begeistert davon, euch beide vor den anderen zu schützen. Lange wird er das nicht machen. Er ist nur deshalb nett zu euch, weil ich ihn gebeten habe, euch zu helfen.«

Kurz darauf kam Sonia zu uns ins Zelt und sagte, sie habe schlechte Nachrichten für uns. Ihr »Mann« habe ihr gesagt, daß einige besonders rigorose Partisanen beschlossen hätten, uns loszuwerden – sie könnten uns nicht gebrauchen. »Sie wollen das Gerücht verbreiten, ihr hättet eine Geschlechtskrankheit, und die Deutschen hätten euch eigens in die Wälder geschickt, um alle anzustecken. Sie wollen sagen, ihr hättet, bevor ihr hierhergekommen seid, mit russischen Partisanen aus einer anderen Gruppe geschlafen, und alle dort hätten die Krankheit bekommen. Sie wollen eine kurze Verhandlung abhalten und euch dann töten.« Wie absurd diese Beschuldigung war, tat nichts zur Sache. Warum lagen sie uns ständig in den Ohren, daß wir mit ihnen schlafen sollten, wenn sie uns wirklich für geschlechtskrank hielten? Die Männer waren sich ihrer Sache sicher: Ihnen würde man eher glauben als zwei jüdischen Mädchen, die eines Tages in ihrem Lager aufgetaucht waren.

Ein paar Tage später kochten Tanja und ich über dem Lagerfeuer das Essen. Es war bei Tagesanbruch. Die Partisanen, die das Komplott gegen uns geschmiedet hatten, waren gerade von einem Beutezug zurückgekommen. Sie waren betrunken, setzten sich lachend zu uns ans Feuer und erzählten uns, daß sie auf der Straße von Minsk in Richtung Osten ein paar junge Juden überfallen und umgebracht hätten. Die Jungen hätten sie sofort getötet, die Mädchen die ganze Nacht vergewaltigt. Danach hätten sie die jüdischen »Schlampen« erschossen.

Wir saßen da und warteten. Sie zogen uns auf: »Ist dir kalt? Wenn du eine Decke möchtest, komm mit in mein Zelt!« Wir waren sicher, daß sie uns vergewaltigen und töten würden, doch vorerst drohten sie nur. Vielleicht war ihr Bedarf nach dieser Nacht gedeckt.

Doch in den nächsten Tagen wurde es noch sehr viel schlimmer…

»Wieso seid ihr zu uns gekommen?« hieß es jetzt. »Wir hassen euch, genauso wie die Deutschen!« Ich dachte: »Und dafür bin ich aus dem Sägewerk geflohen? Wenn Überleben so aussieht, liegt mir nicht viel daran.« Tanja und ich waren mit der Vorstellung geflohen, daß man uns in den Rücken schießen würde. Wir wollten auf der Flucht getötet werden, um nicht lebend zu unserem Grab gebracht zu werden. Und wofür hatten wir nun überlebt? Wir wurden gequält und mit Füßen getreten. Andererseits glaubte ich nicht, daß wir in diesem Lager noch lange zu leben hatten. Das einzige, was die Partisanen davon abhielt, uns sofort zu töten, war die Angst vor Zeugen – zum

Beispiel Sonias »Mann« –, die später vor den sowjetischen Militärbehörden gegen sie aussagen konnten. Antisemitismus war in Rußland offiziell verboten. Stalin war zwar ein fanatischer Antisemit, aber Gesetze und Personen stimmen ja nicht immer überein.

Gegen Ende des Jahres 1942 – das weiß ich aus Geschichtsbüchern – hatte Hitler persönlich Befehl gegeben, den Kampf gegen die Partisanen in den neu eroberten europäischen Ländern seines Reiches zu verstärken. Die Partisanentätigkeit behinderte seine Kriegsanstrengungen, und – schlimmer noch – es gab auch jüdische Partisanen, die den Liquidierungen entgangen waren und nun zurückschlugen. Es waren deshalb Bestrebungen im Gange, dem allem ein Ende zu setzen, und zwar mit Hilfe der neu geschaffenen Einsatzgruppen. Unterstützung erhielten diese Einheiten von einheimischen Kollaborateuren, Menschen gleicher nationaler und ethnischer Herkunft wie die Partisanenkämpfer. Sie wurden von den Nazis angeworben, um sich den Partisanengruppen anzuschließen und sie an ihre Auftraggeber zu verraten.

Dann geschah etwas Verrücktes: Ausgerechnet ein Schlag der Deutschen gegen die Partisanen »befreite« Tanja und mich aus unserer ganz speziellen Hölle von Vergewaltigung und Beschimpfung. Doch die »Befreiung« sollte nicht lange währen.

Eines Tages stießen ein russischer Soldat und seine Frau zu unserer Gruppe. Da sie ein Gewehr und Munition mitbrachten, wurden sie mit Respekt behandelt und bekamen ein Zelt. Wir, die jüdischen »Schlampen«, wurden der Frau als Dienstmädchen zugeteilt. Was immer sie benötigte – wir hatten es zu liefern: Wir mußten für sie kochen, ihre Sachen waschen. Sie war die »Königin« des Lagers, und wir versuchten sie zufriedenzustellen, so gut wir konnten.

Nach etwa einer Woche berichteten ihr Mann und sie

Sorokin, dem Anführer unserer Gruppe, von einem Bauernhof, auf dessen Gelände zurückweichende russische Soldaten große Mengen Munition vergraben hätten. Sie sagten, sie seien mit dem Bauern bekannt. Sorokin meinte, das höre sich gut an, und schickte einen seiner Partisanen mit den beiden los, um die Munition zu holen. Aber die beiden waren Nazi-Spione. Sie töteten ihren Begleiter und verrieten den Standort unseres Lagers an die Nazis.

Nachts mußten Tanja und ich das Feuer in Gang halten und konnten deshalb nie richtig schlafen. Bei Tagesanbruch hörten wir Maschinengewehrfeuer. Die ersten Schüsse töteten den Wachtposten, der etwa achthundert Meter vom Lager entfernt aufgestellt worden war. Dann kamen die Geschosse plötzlich von allen Seiten, wie ein Schneesturm. Ich hörte Schreie, deutsche Stimmen, die »Halt!« riefen.

Tanja und ich hatten Gerstengrütze gekocht, und an einem Zweig direkt über uns hing ein Schöpflöffel. Ein Geschoß traf den Löffel, und er zersprang in Stücke. Das brachte uns auf die Beine. Ich dachte noch: »Das hier war sowieso die Hölle«, und dann liefen wir – wieder einmal – um unser Leben. Ich erinnere mich, daß ich noch sah, wie unsere Freundin Sonia einem getroffenen Partisanen einen Verband um den Kopf wickelte. Sein Kopf sah aus, als wäre er halb offen, und das Blut strömte heraus.

Sobald wir aus dem Lager heraus waren, dachten wir keinen Augenblick mehr daran, dorthin zurückzukehren. Wir rannten, bis wir nicht mehr konnten, bis keine Schüsse mehr zu hören waren. Einmal sah ich Sonia noch kurz. Sie versuchte mit ihrem »Mann« in eine andere Richtung zu fliehen, aber ich hatte nicht die Zeit, anzuhalten und mir darüber Gedanken zu machen, ob sie es schaffen würde oder nicht. Im Grunde glaubte ich noch immer, daß keine von uns, Sonia ebensowenig wie Tanja und ich, noch lange zu leben hätte.

An diesem Tag, nach stundenlangem Laufen und Verstecken, überquerten Tanja und ich den Fluß Luze und kamen in eine ausgedehnte Wildnis, den Nalibocka-Wald, ein ideales Gebiet für Partisanenaktivitäten. Wenig später trafen wir erneut auf russische Partisanen, eine Gruppe, die sich in Anlehnung an ihre militärische Ausbildung *parachutzistn* [Fallschirmspringer] nannte.

Am Ufer des Luze stand ein Holzhaus. Es gehörte einem weißrussischen Bauern, der sich durch Fährdienste etwas Geld hinzuverdiente. Dort sahen wir die *parachutzistn* zum ersten Mal.

Wir hatten den Bauern angesprochen, weil wir hofften, er würde uns etwas zu essen geben, und erst als wir vor ihm standen, bemerkten wir die *parachutzistn*, die vor dem Haus saßen und literweise Wodka tranken. Der Bauer warnte uns. »Seid vorsichtig«, flüsterte er uns zu, »das sind üble Burschen, und stockbetrunken sind sie auch. Lauft weg, wenn ihr könnt! Ich weiß nicht, ob ihr sonst lebend hier herauskommt.« Es waren ungefähr ein Dutzend, in verdreckten Uniformen, und sie taxierten uns mit Blicken, als wären wir Vieh oder noch Schlimmeres.

Wir versuchten ihnen zu erklären, daß wir vor einem deutschen Überfall geflohen seien. Daß die *parachutzistn* die schlimmsten von allen waren, wußten wir nicht. Es war eine Gruppe, die es besonders darauf anlegte und sich ein Vergnügen daraus machte, Jagd auf jüdische Partisanen zu machen. Sie hatten vierzehn Jungen aus Mir, Jacks Heimatstadt, getötet – doch das erfuhr ich erst später.

Sie hatten eine ganze Batterie von Wodkaflaschen bei sich und füllten ständig ihre und unsere Gläser nach. Sie boten uns auch zu essen an, wenn auch ohne höfliche Floskeln. Es war offenkundig, daß sie uns nicht einfach weggehen lassen würden. »Trinkt Wodka und eßt, dann stirbt es sich leichter«, forderten sie uns ganz unverblümt auf. »Wenn ihr betrunken seid, spürt ihr die Kugeln nicht.« Wer hätte da essen oder trinken können? Ich brachte keinen Bissen hinunter. »Ich will nicht betrunken werden«, dachte ich bei mir. »Wenn ich sterbe, dann will ich wissen, was passiert.«

Hinter Tanja und mir stand ein Busch. Anstatt den Wodka zu trinken, kippten wir ihn heimlich zwischen die Zweige. Es waren bestimmt zehn Gläser, die ich auf diese Weise ausleerte. So schauten wir den *parachutzistn* beim Trinken zu, während sie glaubten, wir seien völlig betrunken. In Wirklichkeit waren sie es selbst, so sehr, daß sie nicht mehr in der Lage waren, unseren Zustand einzuschätzen. Schließlich sagten sie: »So, höchste Zeit, daß wir euch loswerden.« Wir rannten zum Fluß, der bereits zuzufrieren begann. Sie schossen auf uns, und ich wartete nur noch darauf, von einer Kugel getroffen zu werden.

Ich weiß nicht, ob sie gar nicht ernsthaft vorhatten, uns zu töten, oder ob sie zu betrunken waren, um genau zu zielen. Es dämmerte auch schon, so daß sie vielleicht nicht mehr genug sahen. Wir rannten quer über den Fluß, und unter unseren Stiefeln rissen Sprünge in die dünne Eisdecke. In Panik schrie ich Tanja immer wieder zu: »Bist du verletzt? Kannst du noch laufen?« Doch keine von uns war getroffen worden. Wir gelangten ans andere Ufer und rannten wieder in die Wälder. Warum auch nicht? Es war für uns inzwischen ganz natürlich, uns in den Wäldern aufzuhalten. Wir waren ja nichts anderes als gejagte Tiere.

Am Abend des nächsten Tages kamen wir wieder zu einem weißrussischen Bauernhof. »Lange könnt ihr nicht bleiben«, erklärte der Bauer, »aber heute nacht könnt ihr in der Scheune schlafen.« Wir kuschelten uns in die großen Heuballen und warteten auf den Morgen. Wir hatten beide genug von den Partisanen – und von allem anderen auch. »Laß uns nach Stolpce zurückgehen, ins Ghetto«, schlug ich Tanja vor. »In irgendeinem Haus werden wir sicher auf dem Boden schlafen können, bis die Deutschen uns finden.«

Ich war der Meinung, ich konnte genausogut wie ein Mensch sterben, in einem Haus, so wie ich früher gelebt hatte. Wir froren, wir waren total verlaust, hungrig und elend. Es war nichts anderes als ein Tod auf Raten. Eine Kugel wäre ein Segen gewesen!

Am nächsten Morgen, während wir noch schliefen, kamen sie in die Scheune. Sie hatten uns gefunden... die *parachutzistn*. Sie fingen an zu grölen: »Ihr jüdischen Schlampen! Ihr seid noch hier? Wir dachten, wir wären euch los!«

Ich war überzeugt, sie würden uns umbringen, aber sie waren total betrunken, und schließlich schliefen sie ein.

Da schlichen Tanja und ich uns davon und machten uns auf den Weg nach Stolpce. Mochten die Deutschen uns erschießen, dann war der Fall erledigt. Wir hatten keinen Kampfgeist mehr. In Stolpce hatte meine Familie gelebt, und wenn ich dort starb, würde ich auf einer gewissen höheren Ebene wieder mit ihnen zusammen sein.

Tanja war einverstanden. Wir waren beide bereit zu sterben. Eine Zeitlang gingen wir sogar auf offener Straße – eine Einladung an den Tod. Schließlich gelangten wir zu dem Dorf Luze, das etwa dreißig Kilometer von Stolpce entfernt lag.

Wir beschlossen, an einem Bauernhaus anzuklopfen. Mochte der Bauer uns töten, mochte uns töten, wer wollte. Zufällig war der Bauer jedoch ein Weißrusse, der als Förster tätig war und die Fabriken meines Vaters mit Holz beliefert hatte. »Ich kenne dich, du bist Schleiffs Tochter«, sagte er zu mir, und ich antwortete: »Ja.« Darauf er: »Kommt herein, ich gebe euch etwas zu essen.«

Wir bekamen eine warme Suppe, und er fragte uns, wo wir hinwollten. Er sagte, wir sähen furchtbar aus. »Wir sind seit einem Monat auf der Flucht«, erklärte ich ihm. »Wir sind am Ende. Keine russische Partisanengruppe will uns am Leben lassen. Jetzt gehen wir ins Ghetto zurück.« Die Einzelheiten behielt ich für mich.

Da sagte er: »Wartet! Macht keinen Unsinn! Seht ihr den kleinen Hügel da drüben am Waldrand? Dort leben ein paar jüdische Jungen und Mädchen in einem unterirdischen Bunker. Die helfen euch bestimmt. Geht nicht nach Stolpce zurück!«

Ich war nicht sehr angetan von diesem Rat. Wir wollten sterben. Wir hatten beide noch unsere zwei linken Stiefel an den Füßen, und unsere Kleider waren zerrissen, so daß wir kaum etwas auf dem Leib trugen. Der Förster schnitt für uns Decken entzwei, die wir uns um die Schultern legen konnten. Während wir aßen, zeigte er aus dem Fenster und sagte: »Schaut, dort drüben! Da gehen ein paar von den jungen Juden. Ich hole sie.« Er kannte sie, weil sie ihn einmal um Nahrung gebeten hatten.

Er kam mit zweien der jüdischen Partisanen zurück, einem Jungen und einem Mädchen. Das Mädchen hieß Fania und war mit mir auf die Oberschule gegangen! Sie stammte aus Mir und war immer sehr hübsch, intelligent und selbstsicher gewesen. Sie hatte ein Gewehr bei sich und trug eine Männerjacke und Stiefel. Wir sahen uns an und riefen beide gleichzeitig: »Mein Gott!«

Ich hatte körperlich und seelisch bereits aufgegeben. Aber da sagte sie: »Übrigens, in einer anderen jüdischen Partisanengruppe hier in der Nähe ist jemand, der dich sucht: Izik Sutin – erinnerst du dich an ihn?« Ich dachte: »Na, wunderbar. Was kann dieser Izik, den ich vor Ewig-

keiten einmal flüchtig gekannt habe, von mir wollen?«
»Seine Gruppe hat einen Bunker«, fuhr Fania fort, »und
als sie ihn gebaut haben, hat er einen Platz für dich freigehalten und allen gesagt, du würdest kommen!« Ich dachte,
entweder ist *sie* verrückt, oder *ich* bin verrückt. Ich wußte
nicht einmal mehr, wie Izik aussah.

»Komm!« sagte Fania. »Ich bring' dich zu ihm.«
Ich schaute Tanja an, und Tanja schaute mich an.

Hier muß ich noch etwas nachtragen. Bevor wir zu dem
Förster kamen, waren Tanja und ich die Straße nach
Stolpce entlanggegangen.

Wie Jack sagt: Es gibt Dinge, die man nicht erklären
kann. Vielleicht existiert etwas, eine Kraft…

Wir waren auf dem Weg zurück zum Ghetto. Plötzlich
trat ein alter Mann aus dem Wald. Er hatte einen graume-
lierten Bart, trug ein abgewetztes Jackett und einen Hut
und ging gebeugt an einem Stock. Ich weiß nicht, woher er
kam. Er sagte: »Lauft weg von der Straße, schnell, lauft in
den Wald! In ein paar Minuten kommt hier ein deutscher
Polizeikonvoi vorbei. Lauft weg!«

Wir rannten in den Wald und legten uns auf die Erde.
Fünf Minuten später kamen ungefähr fünfundzwanzig
Autos und Lastwagen – deutsche Polizei und deutsches
Militär. Unser Leben, das wir schon hatten aufgeben wollen, war noch einmal gerettet. Wenn es darauf ankam, zogen wir es doch vor, uns zu verstecken als uns erschießen
zu lassen. Aber wer war der alte Mann gewesen? Ich hatte
ihn noch nie gesehen. Und kaum hatte er ausgeredet, verschwand er wieder im Wald!

Kurz danach hatten wir das Haus des Försters gefunden
und die jüdischen Partisanen kennengelernt. Und jetzt erzählte Fania mir von Jack und bot mir an, mich zu ihm zu
bringen.

Tanja schaute mich an und fragte: »Willst du wirklich ins Ghetto zurück?«

Ich erwiderte: »Das können wir später immer noch tun.« Fania sah gut aus mit ihren Stiefeln, der Jacke und dem Gewehr. Ich dachte: »Vielleicht gibt es noch Hoffnung. Vielleicht ist es bei den Juden nicht ganz so schlimm.« Und so beschlossen wir, es zu versuchen, und folgten Fania in den Wald. Am Waldrand forderte sie uns auf zu warten – sie wolle Jack Bescheid sagen.

Da stand ich, mit zwei linken Stiefeln an den Füßen, die Decke um die Schultern, den Kopf voller Läuse, schmutzig und übelriechend. Reif für den Müllhaufen.

Nach einer Viertelstunde kam Fania mit einem Jungen in einem langen Schaffellmantel zurück. Er hatte einen Schnurrbart, auf dem Kopf eine Pelzmütze und über der Schulter ein Gewehr. Ich dachte: »Wer ist das?« Er sah aus wie ein wilder Waldbewohner.

Es war Jack. Ich erkannte ihn kaum wieder. Er sagte, ich könne in seinen Bunker kommen. Ich empfand nichts bei diesem Angebot, ich war nur erstaunt, daß er als Überlebender vor mir stand. Ich war innerlich abgestumpft, völlig erschöpft. Es war eine Wohltat, Juden vor sich zu haben, die wie menschliche Wesen aussahen, die zu essen und warme Kleider anzuziehen hatten. Aber im Grunde fühlte ich nur eines: »Wenn du eine Höhle hast, wo ich mich hinlegen und schlafen kann, in Ordnung. Zu mehr bin ich nicht in der Lage.«

Für Tanja war in Jacks Bunker kein Platz. Es hieß jedoch, sie könne bei einem weißrussischen Bauern namens Petrowitsch unterkommen, der in der Nähe lebte und die jüdischen Partisanen unterstützte. Tanja war einverstanden.

So ging ich mit Jack zu seinem Bunker, und Fania brachte Tanja zu Petrowitsch.

VI
Junge Liebe in den Wäldern

JACK Gleich als erstes lud ich Rochelle ein, zu uns in den Bunker zu kommen. Ich glaube, sie wußte nicht recht, was sie davon halten sollte, aber sie willigte ein. Nicht etwa, weil sie von meinem Anblick so angetan gewesen wäre – aber wo hätte sie sonst hin sollen?

Für Tanja war kein Platz mehr im Bunker, doch ich versprach ihr, auch für sie etwas zu finden, und tat mein Bestes. Petrowitsch, der weißrussische Bauer, zu dem ich sie schließlich schickte, war ein Freund der jüdischen Partisanen. Wenn wir Medikamente brauchten, ging er in die Stadt und besorgte sie für uns. Die russischen Partisanen, die ebenfalls im Nalibocka-Wald aktiv waren, hielten ihn für einen Doppelagenten, der die Partisanen zum Schein unterstützte, während er insgeheim den Deutschen Informationen zuspielte. Ich habe nie herausgefunden, ob das zutraf oder nicht.

Nachdem Tanja ein paar Wochen bei Petrowitsch gelebt hatte, besuchte sie uns im Bunker, um Rochelle zu sehen und Bericht zu erstatten. Sie erzählte, daß Petrowitsch drei Söhne habe – die Mutter lebte nicht mehr –, und daß sie für alle vier die Rolle der Ehefrau spiele. Sonst wurde sie gut behandelt. Sie hatte genug zu essen und ein warmes Haus zum Schlafen. Sie ging noch am selben Tag zu Petrowitsch zurück. In der Hölle, in der wir lebten, hatte sie noch die beste Zufluchtsstätte.

Einige Zeit später erfuhren wir, daß Tanja schwanger

war. Der Vater war einer der Petrowitsch-Männer – welcher, war nicht bekannt. Doch das Kind wurde nie geboren. Die russischen Partisanen hatten beschlossen, sich an Petrowitsch für seinen angeblichen Verrat zu rächen. Eines Nachts umstellten sie sein Haus und zündeten es an. Alle, die darin waren, verbrannten bei lebendigem Leibe. Vielleicht war Petrowitsch zu gut zu den Juden gewesen, und die Russen hatten ihn dafür gehaßt. Später hörte ich, daß Tanja die Russen angefleht hatte, sie laufenzulassen; sie sei Jüdin, sie sei keine Informantin, und außerdem sei sie schwanger. Selbst wenn die Russen Petrowitsch ernsthaft verdächtigten – eine schwangere Frau hätten sie in jedem Fall verschonen können. Doch sie töteten alle. So sah Tanjas Schicksal aus.

Wie die anderen aus meiner Gruppe reagierten, als ich Rochelle in den Bunker brachte, kann man sich vorstellen. Sie trauten ihren Augen nicht. Und auch Rochelle selbst fiel es schwer, mir zu glauben. Fania hatte ihr zwar gesagt, daß ich einen Platz für sie freigehalten hatte, aber als ich ihr von meinem Traum erzählte und davon, wie ich auf sie gewartet hatte, glaubte sie, ich hätte mir die Geschichte nur ausgedacht, um zu erreichen, daß sie mit mir schlief. Das glaubte sie so lange, bis sie mit den anderen aus der Gruppe sprach, die ihr bestätigten, daß ich die Wahrheit gesagt hatte.

Aber auch wenn ihr die ganze Geschichte halbwegs realistisch erschienen wäre, hätte sie sie nur schwer akzeptieren können. Als sie zu uns kam, hatte sie eine furchtbare Leidenszeit hinter sich. Wie konnte sie glauben, daß in den Wäldern ein fremder Mann auf sie wartete, um ihr seine Liebe zu schenken?

Die anderen in der Gruppe waren über ihre Ankunft nicht sehr erfreut, aber sie hatten keine Wahl. Ich war ihr Anführer, und sie wußten, daß sie mich brauchten, um ihre Nahrungsversorgung sicherzustellen. Ein Glück, daß ich den Platz freigehalten hatte, sonst hätte ich mich vor ihren Vorwürfen kaum retten können.

ROCHELLE Als ich mit Jack zu seinem Bunker ging, war ich in so schlechter Verfassung, daß ich es leichter und besser gefunden hätte zu sterben, als noch länger Kälte und Demütigungen zu ertragen. Ich erwartete wenig und fühlte nichts. Ich dachte mir: »Na gut, mal sehen, was passiert!«

Die anderen Mitglieder der Gruppe bestätigten mir, daß Jack meine Ankunft vorhergesagt hatte. Trotzdem konnte ich es nicht recht glauben. Wie konnte er wissen, daß ich noch lebte? Was war das für ein Traum, der ihm sagte, er solle mitten in der Wildnis auf mich warten? Ich dachte, die anderen erzählten mir die Geschichte nur, weil Jack sie darum gebeten hatte – damit ich mich willkommener fühlte.

Aber ich fühlte mich alles andere als willkommen. Für die anderen war ich nur ein weiteres Maul, das gestopft werden mußte. Und ich war eine Frau. Die Männer überfielen Bauernhöfe, um Nahrung zu beschaffen, die Frauen blieben zurück und warteten darauf, daß sie etwas zu essen bekamen. Und nun wartete noch eine mehr, auf einem Lager aus sechs dünnen Baumstämmen.

Die Ablehnung der anderen war schlimm für mich. Noch schlimmer aber wurde alles dadurch, daß ich noch nie unter der Erde gelebt hatte und nicht wie die anderen an das Leben im Bunker gewöhnt war. Tanja und ich hatten die ganze Zeit unter freiem Himmel geschlafen, hin und wieder auch in einer Scheune. So trostlos das auch gewesen war: Ich war inzwischen wie ein Waldtier – ich hatte mich an das Leben in frischer, freier Luft gewöhnt.

Den Zugang zu Jacks Bunker bildete eine Öffnung in der Erde, durch die man ins Innere hinabrutschte. Ein viereckiger Deckel verschloß die Öffnung. Drinnen war es sehr dunkel, und da rund zwölf Personen dort lebten, kann man sich die Luft vorstellen... Mir wurde so übel, daß ich dachte, ich würde in Ohnmacht fallen. Ich mußte sofort wieder ins Freie, um Luft zu schöpfen. Der Gestank war unbeschreiblich. Keiner der Bewohner wusch sich – die Kälte machte das unmöglich. Alle waren von Läusen und anderem Ungeziefer übersät. Nach und nach gewöhnte ich mich daran, doch in den ersten Tagen war mir ständig übel, ich kämpfte mit Brechreiz, wurde ohnmächtig und rannte immer wieder ins Freie, nur um mich nicht mitten im Bunker übergeben zu müssen.

»Da siehst du, was du dir aufgehalst hast!« sagten die anderen zu Jack. »Noch jemand, den wir durchfüttern müssen, und schwanger ist sie wahrscheinlich auch – sie ist doch bestimmt vergewaltigt worden!« Jacks kleine Gruppe bestand jeweils zur Hälfte aus Männern und Frauen, doch solche Äußerungen kamen von beiden.

Niemand kam zu mir, um mich selbst zu fragen, ob ich schwanger sei. Man redete nur hinter meinem Rücken über mich. Aber ich merkte natürlich, was vor sich ging, denn ich schnappte die eine oder andere Bemerkung auf und sah, daß man Jack mit diesen Vorwürfen das Leben schwermachte.

Ich wußte, daß ich nicht schwanger war, aber in gewisser Weise mußte ich ihnen recht geben. Wer brauchte mich schon? So sah es in mir aus.

JACK Ständig lagen sie mir damit in den Ohren, daß Rochelle schwanger sei. Immer wieder sagte ich, das gehe sie nichts an, es spiele keine Rolle – ich würde mich um alles kümmern, egal unter welchen Umständen.

ROCHELLE Jack machte mein Bleiben mit allem Nachdruck zu einer Frage der Moral. »Wenn Rochelle schwanger ist«, sagte er, »dann haben wir erst recht Grund, sie hierzubehalten und ihr Schutz zu bieten. Genau das braucht sie doch: Schutz und einen Menschen, der sich um sie kümmert.«

Das war das Schönste, was man mir zu diesem Zeitpunkt sagen konnte. Aber ich wußte beim besten Willen nicht, was ich davon halten sollte, und im Grunde glaubte ich auch nicht daran. Ich dachte: »Irgend etwas stimmt mit dem Jungen nicht.« Seit über einem Jahr hatte ich nichts anderes gehört als »jüdische Hure« hier und »jüdische Schlampe« dort. Und da versprach Jack, der mich kaum kannte, sich um mich zu kümmern.

Jack war ein sehr fähiger Anführer. Er verstand es, die Wogen zu glätten und die Moral zu stärken. Er sagte, für den schlimmsten Fall, daß im Bunker tatsächlich ein Kind geboren würde, kenne er einen weißrussischen Bauern, der es zu sich nehmen und aufziehen werde.

JACK Ich dachte an die Familie Kurluta, die mir schon früher geholfen hatte. Nach meinen Erfahrungen mit ihr wußte ich, daß ich ihr vertrauen konnte.

Ich muß dazusagen, daß mich sowohl der Bauer als auch seine Frau sehr gern hatten. Sie betrachteten mich als den Sohn, den sie nie gehabt hatten. Es hätte für sie nichts Schöneres gegeben, als wenn ich eine ihrer drei Töchter geheiratet hätte, die alle um die zwanzig waren. Ich hatte zu den dreien ein sehr gutes Verhältnis, und ab und zu verbrachte ich mit ihnen eine Nacht in der Scheune.

ROCHELLE   Die Familie liebte Jack. Die Eltern hatten nichts dagegen, daß er mit ihren Töchtern schlief, und es geschah auch nicht nur in der Scheune. Das Haus war klein, und alle schliefen in einem einzigen Raum, die Eltern in einem Bett, die drei Töchter in einem anderen. Jack war mit den Töchtern vor den Augen der Eltern zusammen, aber es kümmerte sie nicht. Das hing zum Teil mit der allgemeinen Stimmung zusammen, die durch den Krieg entstanden war. Viele Menschen hatten ihre Einstellung zur Sexualität geändert, weil das Leben selbst so unsicher geworden war.

Damals wußte ich natürlich noch nichts von Jacks kleinen Affären. Er redete nicht darüber, und wenn er es getan hätte, hätte es mir nichts ausgemacht. Es hätte mich nicht berührt, ich wäre nicht eifersüchtig gewesen.

Auch die Familie Kurluta schien nicht besonders eifersüchtig zu sein, denn eines Nachts – wir verließen den Bunker nur nachts – sagte Jack plötzlich zu mir: »Komm mit, ich möchte dich dieser Familie vorstellen. Ich habe schon Bescheid gegeben, daß du kommst.« Ich war einverstanden.

Es ist mir bis heute ein Rätsel, wie Jack sich in den dunklen Wäldern zurechtfand. Er schlängelte sich zwischen Bäumen und Büschen hindurch wie ein Kaninchen, und ich folgte ihm, so gut ich konnte. Endlich gelangten wir zu dem Haus. Es war mitten in der Nacht, doch auf sein Klopfen ließen sie uns ein.

Sie hatten ein Festmahl für uns vorbereitet. Es gab Blinis – gebratenes Pökelfleisch mit Zwiebeln –, und wir bekamen sogar noch ein kleines Glas Honig mit auf den Weg. Und noch etwas muß ich erzählen: Jack stellte mich als seine Frau vor!

Doch alles, was ich denken konnte, war nur: »Ich weiß nicht, was mit mir ist.« Ich war noch immer völlig empfindungslos. Mein Körper reagierte nicht, mein Kopf reagierte nicht. Nichts schien mich wirklich zu betreffen, nichts ergab einen Sinn. Vor Tagesanbruch kehrten wir durch die Wälder zum Bunker zurück. Ich war wie gelähmt.

An eine Szene am Ende unseres Ausfluges erinnere ich mich noch gut. Auf der Erde lag frischer, leuchtendweißer Schnee, und wir hatten das kleine Honigglas bei uns, das die Familie uns gegeben hatte – ein ungeheuer kostbares Geschenk. Als wir zum Bunker zurückkamen, wollten wir probieren, wie es schmeckte, wenn man ein wenig Honig auf den Schnee träufelte. Jack ging hinein und holte eine kleine Schale, und dann saßen wir draußen und kosteten. Herrlich! Das Köstlichste, was ich in all den Kriegsjahren gegessen habe. Da saßen wir und aßen und konnten nicht genug davon bekommen – ich glaube, wir aßen das ganze Glas leer, mit Schnee vermischt.

Vielleicht zwanzig Jahre später, als wir längst in Amerika lebten, erinnerte ich mich wieder an diese Nacht und daran, wie lecker der Honig mit dem Schnee geschmeckt hatte. Es war ein Winterabend, und ich ging hinaus und füllte eine Schale mit frisch gefallenem Schnee, in den ich etwas Honig tropfen ließ. Es schmeckte furchtbar! Ein klebriges gefrorenes Zeug, das rasch zu Wasser schmolz. Nichts von dem himmlischen Vergnügen, an das ich mich erinnerte. Doch damals müssen wir uns verzweifelt nach etwas Süßem, kühl Erfrischendem gesehnt haben. Alles, was einen kräftigen Geschmack im Mund hervorrief – süß oder salzig –, war etwas Wunderbares.

In unserer Gruppe wurde ich als Jacks Frau betrachtet, obwohl sich zwischen uns nichts Romantisches abspielte. Keiner der anderen Männer hätte es gewagt, sich mir zu nähern. Aber ich sah, wie sich zwischen den anderen Männern und Frauen Beziehungen entwickelten, einfach daraus, daß man zusammen war, sich über vergangene Zeiten unterhielt und manchmal, um die Stimmung zu heben, leise jiddische Lieder sang.

In der Regel gab es in den Partisanengruppen weniger Frauen als Männer, und die Männer hielten ständig nach Frauen Ausschau. Hin und wieder ergaben sich Affären, bei denen aber ganz selten ernsthafte Gefühle im Spiel waren. »Stirb morgen, lebe heute, und mach das Beste daraus, solange du kannst« – so läßt sich die Stimmung beschreiben.

Jack war in diesen ersten Wochen sehr lieb zu mir. Er gab mir eine Hose ohne Löcher und Risse und ein anständiges Paar Stiefel als Ersatz für meine beiden linken Armeestiefel. Ich erinnere mich, daß er mir außerdem das Oberteil seines Schlafanzugs gab, den er in einem kleinen Bündel bei der Flucht aus dem Ghetto von Mir mitgenommen hatte. Das war mein erstes sauberes Hemd nach all den Monaten – das Schönste, was ich in den ersten Tagen im Bunker anzuziehen hatte. Mit dem Schlafanzugoberteil und den Stiefeln, die mir sogar paßten, war ich plötzlich richtig schick … bereit für die Hochzeit!

Er bedrängte mich nicht, aber es war offenkundig, daß er in mich verliebt war. Nach etwa einem Monat wollte er zärtlicher werden, mich küssen und umarmen. Und ich dachte: »Aha, so ist das also. Die ganze Freundlichkeit und Fürsorge war nur Vorspiel zum Sex! Die Männer wollen einen nur benutzen.« Aber ich irrte mich.

JACK Die Beziehungen zwischen Männern und Frauen im Bunker folgten keinem festen Schema. Es gab Männer und Frauen ohne Partner, und es gab Ehepaare, die vor dem Krieg geheiratet hatten und zusammen in die Wälder geflohen waren.

Sex hatte unter den Umständen, in denen wir lebten, eine andere Bedeutung. Es war eine Möglichkeit, so etwas wie Lust zu empfinden und das Elend für eine Weile zu vergessen. Doch das, was man Romantik nennen würde, war dabei gewöhnlich nicht im Spiel. In den Geschichten von jüdischen Partisanengruppen ist oft von Paaren die Rede, die dort zusammenfanden, doch für viele von ihnen war das Überleben in den Kriegsjahren der einzige Beweggrund. Praktische Fragen zählten mehr als Gefühle.

Mit Rochelle war es anders. Sex war damals kein Thema für uns. Darum ging es mir nicht, und ich habe sie in dieser Hinsicht nie bedrängt. Ein paarmal versuchte ich mich ihr zu nähern, doch als ich sah, wie sie darauf reagierte, unterließ ich es sofort wieder. Aber tief in mir spürte ich, daß sie die Frau war, die für mich bestimmt war, und von diesem Gefühl ließ ich mich in unseren ersten gemeinsamen Wochen leiten.

Ich wollte etwas Besonderes für sie tun, ihr anstelle des Schlafanzugoberteils etwas Besseres besorgen, ihr das Gefühl geben, daß das Leben im Bunker erträglich sein konnte.

In unserer Gruppe gab es einen Juden namens Liss. Er war in der Gegend aufgewachsen und kannte die Bauernfamilien sehr gut. Er hatte uns einmal von einem kleinen Dorf namens Piesochna erzählt, in dem es mehrere reiche Bauern gab, deren Söhne teilweise bei der polnischen Polizei waren. Die polnische Polizei war die rechte Hand der Deutschen, und nach dem, was mit unseren Familien geschehen war, erschien es uns sehr verlockend, einen Schlag gegen ihre Häuser zu führen. Wir hatten in dem Gebiet schon eine Reihe von Überfällen verübt, mindestens zwei pro Woche.

Ich hoffte, auf einem dieser reichen Höfe bessere Kleider für Rochelle zu finden und dazu noch etwas Gutes zu essen, um ihre Ankunft zu feiern. So machten wir uns auf den Weg, Liss und ich und noch zwei andere. Wir hatten Pistolen und Gewehre bei uns, und ich hatte einen Feldstecher mitgenommen, den ich bei einem früheren Überfall erbeutet hatte.

Aber die Sache ging übel aus. Wir waren noch ein paar hundert Meter von dem Bauernhof, auf den wir es abgesehen hatten, entfernt, als die Polizei das Feuer auf uns eröffnete. Wir befanden uns zu diesem Zeitpunkt in einem weitgehend offenen Gelände mit Feldern und kleinen Baumgruppen; der dichte Wald, in dem unser Bunker lag, war ungefähr eineinhalb Kilometer entfernt. Unsere Lage war verzweifelt. Daß die Polizei von unserem Plan erfahren hatte, war ausgeschlossen, doch wie schon gesagt, waren wir häufig ungebetene Gäste auf den Bauernhöfen, und wahrscheinlich hatte man sich gedacht, es lohne sich, ein paar Nächte hintereinander auf der Lauer zu liegen – irgendwann würden wir schon auftauchen.

Liss, der einen halben Meter von mir entfernt stand, wurde sofort getötet. Die beiden anderen und ich traten den Rückzug an. Wir rannten und rannten, und von Zeit zu Zeit warfen wir uns zu Boden und schossen zurück, damit unsere Verfolger uns nicht zu nahe kamen. Endlich, nach langer Zeit, gelang es uns, sie abzuschütteln und in den Wald zurückzulaufen. Die Angst verging… hier fühlten wir uns zu Hause. Wir wußten, daß die Polizisten es nicht wagen würden, uns bis in den Wald zu folgen, solange wir bewaffnet waren. Wir hätten hinter jedem Busch hervor auf sie schießen können.

Aber wir waren erschöpft und immer noch besorgt – unser Adrenalinspiegel sank. Wir ruhten uns etwa zwanzig Minuten aus und gingen dann zum Bunker zurück, ohne Liss, aber froh, selbst am Leben geblieben zu sein.

Im Bunker angekommen, setzte ich mich auf mein Lager. Ich wollte und konnte noch nicht schlafen. Ich zündete einen Holzspan an, um besser zu sehen, und da entdeckte ich es: In meinem Mantel waren zwei Einschußlöcher! Es war ein langer Schaffellmantel, und die Löcher befanden sich in Knöchelhöhe. Hätten die Geschosse meine Beine getroffen, wäre ich gestürzt, gefangengenommen, höchstwahrscheinlich gefoltert und mit Sicherheit getötet worden. Und dann sah ich, was mit dem Feldstecher passiert war, den ich an einem Band um den Hals getragen hatte. Der Metallrahmen war in der Mitte zwischen den Gläsern gespalten. Mein Feldstecher hatte ein Geschoß abgefangen, das mich anderenfalls getötet hätte.

Keines der drei Geschosse hatte mich getroffen, obwohl sie mir denkbar nahe gekommen waren. War das nicht ein Wunder? In den darauffolgenden Tagen dachte ich immer wieder an den Traum, der mir Rochelles Kommen angekündigt hatte, und an die Geschosse, die mich verfehlt hatten. Das weckte in mir eine Art Vertrauen, daß jemand über mich wachte und mich in die richtige Richtung führte, und dieses Gefühl ist mir bis heute geblieben.

Als Rochelle die Einschußlöcher sah, bat sie mich, vorsichtiger zu sein und nicht mehr so hohe Risiken einzugehen.

ROCHELLE Er trieb es zu weit. Es war schon fast ein Spiel für ihn.

JACK Es machte mich glücklich, daß Rochelle wenigstens so viel an mir lag, daß sie sich Sorgen um mich machte. Aber sonst war sie noch immer sehr auf Distanz bedacht. Der Traum war für sie nach wie vor nicht mehr als eine unglaubhafte Phantasie.

Ich dachte über ihre Worte nach, und ein paar Wochen lang unternahmen wir keine größeren Überfälle.

Doch dann hörten wir von einem sehr großen Bauernhof ungefähr eineinhalb Kilometer außerhalb von Mir. Es war ein ausgedehnter Grundbesitz, ein regelrechtes Landgut. Die Familie hatte drei Söhne und zwei Töchter. Alle drei Söhne waren bei der polnischen Polizei und unterstützten die Deutschen aktiv bei der Identifizierung und Ermordung von Juden. Ein Überfall auf ein solches Gut – mit drei kollaborierenden Söhnen bei der Polizei – würde ein befriedigender Racheakt sein. Wir sagten uns auch, daß wir dort genug Nahrung würden erbeuten können, um eine Zeitlang auf unsere kleineren Überfälle – zwei oder drei pro Woche – verzichten zu können. Wir würden in der Lage sein, einen Vorrat anzulegen, der mindestens einen Monat reichen würde.

Wir diskutierten den Plan. Unser Vorteil war, daß wir inzwischen gut mit Pistolen, Gewehren, Handgranaten und sogar einigen automatischen Waffen ausgerüstet waren. Aber uns war klar, daß wir für eine solche Aktion mehr Leute brauchen würden als unser übliches kleines Kontingent von fünf oder sechs Männern. Nicht weit von unserem Bunker lebten noch einige andere jüdische Gruppen. Mit zweien von ihnen besprachen wir unser Vorhaben und vereinbarten schließlich, daß jede Gruppe vier Leute stellen sollte. Wir wollten so viel an Lebensmitteln, Kleidern und anderen Vorräten mitnehmen, wie wir transportieren konnten, und die Sachen dann gerecht unter den drei Gruppen aufteilen. Sollten wir nicht genug Platz für alles haben, wollten wir bestimmte hilfsbereite Bauern bitten, einen Teil der Beute für uns zu lagern. Es war Ende November oder Anfang Dezember, und wir spürten, daß der Winter mit Macht herannahte. Mehr Nahrung und Kleidung würden wir gut gebrauchen können.

An einem Tag, an dem es heftig schneite und stürmte, brachen wir gegen Abend auf. Wir hatten möglichst schlechtes Wetter abgewartet, um unsere Bewegungen, so gut es ging, zu tarnen. Für den Weg brauchten wir drei Stunden. Als wir uns dem Gut näherten, schickten wir drei Leute als Kundschafter voraus. Sie waren noch etwa dreißig Meter von dem Haus entfernt, da schlugen die Hunde an. Mit ein paar Happen wurden sie, wie vorgesehen, beruhigt, dann stürmten auch wir anderen vor, umstellten das Haus und drangen gewaltsam ein.

Im Innern befanden sich ungefähr sieben Personen, die Eltern, einige der Töchter und vielleicht auch ein paar Knechte und Mägde. Sofort fingen sie an zu schreien und zu betteln. Wir richteten unsere Gewehre auf sie und sagten, wir wüßten, daß die Söhne bei der Polizei seien. Dann fragten wir sie, ob sie uns sagen könnten, wie viele Juden die Söhne umgebracht hätten.

Einige von uns durchsuchten das Haus und fanden jüdische Zeremonialteller, Leuchter und Thoraschmuck, alles versilbert oder vergoldet. Ich entsinne mich, daß auch eine rituelle Silberschale für das Passahmahl dabei war. Das machte uns rasend.

Wir öffneten die Falltür zum Keller und fanden eine Reihe großer Fässer, wohlgefüllt mit Nahrungsmitteln – Pökelfleisch, Schinken, Würste, Honig, Brot und anderes mehr. Wir brachten alles nach oben, trieben dann die Hausbewohner in den Keller und forderten sie auf, sich ruhig zu verhalten, sonst würden wir sie umbringen und das Haus niederbrennen. Auch die Wachhunde stießen wir hinunter, um sicherzugehen, daß in dieser Nacht kein Gebell mehr zu hören sein würde. Dann rückten wir ein paar schwere Möbelstücke über die Falltür, damit die Eingeschlossenen sich nicht so rasch befreien und um Hilfe rufen konnten.

Inzwischen hatten drei von unseren Leuten, die aus Metzgersfamilien stammten, ein paar Schafe und Kälber gefunden. Sie hatten die Tiere rasch zusammengetrieben und mit geübten Griffen an den Füßen gefesselt, damit wir sie leichter transportieren konnten.

Dann mußten wir uns überlegen, wie wir die Vorräte abtransportieren sollten. Die Lösung des Problems waren zwei Pferdeschlitten, die wir neben der Scheune fanden. Wir spannten vor jeden zwei Pferde und beluden sie mit dem Vieh und den Fässern. Das Weihnachtsgebäck, das wir entdeckt hatten – Plätzchen und Kuchen –, packten wir mit dazu, ebenso Mengen von warmen Kleidern, Küchengerät und Werkzeug, alles, was wir an brauchbaren Dingen hatten finden können. Mehr konnten wir nicht mitnehmen, auch nicht mit den vier Pferden und den beiden Schlitten.

Bevor wir abzogen, beratschlagten wir, ob wir das Haus niederbrennen sollten, entschieden uns aber schließlich dagegen, weil die deutschen und polnischen Polizeieinheiten in Mir das Feuer und den Rauch hätten sehen können. Einer von uns fand jedoch ein paar große Kerosinkanister, deren Inhalt er im ganzen Haus über Teppiche, Möbel und Holzteile verteilte. Sobald die Bewohner es geschafft hatten, die Falltür zu öffnen, würden sie in der tiefen Dunkelheit, in der wir sie zurückgelassen hatten, versuchen, ihre Lampen anzuzünden, und dabei, so hofften wir, ihr Haus selbst in Brand stecken.

Wir kamen mit den schwerbeladenen Schlitten bis kurz vor den Bunker. Für das letzte Stück mußten wir auf sie verzichten, weil man unsere Spuren zu leicht hätte verfolgen können. Die Pferde ließen wir einfach laufen – wir wußten, daß sie aus unserer Wildnis zu ihren Besitzern zurückkehren würden. Wir hatten zunächst daran gedacht, sie einigen hilfsbereiten Bauern zu geben, doch dann war uns die Gefahr, daß man sie aufspüren könnte, zu groß erschienen, denn ihre Brandzeichen verrieten deutlich ihre Herkunft von dem Gut. Keiner der Bauern, die uns unterstützten, wäre ein solches Risiko eingegangen.

Was die Bauern anbelangte, so wußte man nie, welche von ihnen uns wirklich wohlgesinnt waren. Die Schafe und Kälber brachten wir zu Petrowitsch, der Tanja bei sich aufgenommen hatte. Wie schon gesagt, hielten die russischen Partisanen ihn für einen Spion, töteten später ihn, Tanja und seine Söhne und brannten sein Haus nieder. Ich weiß nicht, ob sie recht hatten. Die Gefahr, daß man es mit einem Spion zu tun hatte, bestand immer, wenn man sich entschloß, einem Zivilisten zu vertrauen. Petrowitsch kümmerte sich um die Tiere, und wir alle profitierten davon. Später holten wir uns das Fleisch, und auch Petrowitsch selbst aß davon – wir hatten ihn ausdrücklich dazu aufgefordert.

Ein paar Tage später erfuhren wir von anderen Bauern, die in Mir gewesen waren, daß unter den Deutschen helle Empörung herrschte. Sie schäumten vor Wut darüber, daß eine Gruppe jüdischer Partisanen so nahe bei ihrem Hauptquartier einen Überfall verübt hatte. Hätten sie mich zu diesem Zeitpunkt gefaßt, sie hätten mich in der Luft zerrissen.

Es war von einer großangelegten Suchaktion die Rede, und eine Zeitlang fürchteten wir, die Deutschen würden die Wälder durchkämmen, was für unsere und auch einige andere Gruppen das Ende bedeutet hätte. Doch diesmal war das Glück auf unserer Seite. Es stürmte auch am Tag nach unserem Überfall so heftig, daß alle Fuß- und Schlittenspuren zugeweht sein mußten. Jedenfalls ließ man uns in den folgenden Wochen in Ruhe.

Ich weiß noch, daß ich Rochelle von unserem Beutezug eine schöne blaue Bluse und viele andere Kleidungsstücke mitbrachte. Ich hatte alles mitgenommen, wovon ich dachte, daß es ihr gefallen könnte. Sie nahm die Sachen an, und ich glaube, sie war erleichtert, daß mir nichts passiert war. Doch meine Gefühle für sie bereiteten ihr nach wie vor Unbehagen. Sie sah keinen Sinn darin. Sie war noch immer innerlich erstarrt von allem, was ihr zugestoßen war – was es war, konnte ich nur vermuten, denn sie weigerte sich strikt, Einzelheiten preiszugeben.

Ich wußte, daß die Situation für sie schwierig war und daß sie Zeit brauchen würde. Aber was dann geschah, hatte ich nicht erwartet.

Eines Tages – es war im Dezember – ging Rochelle hinaus, um, wie sie sagte, einen Spaziergang zu machen. Sie kam nicht zurück. Es wurde dunkel, und wir dachten, sie hätte sich verirrt. Einer von uns ging zu einer anderen Gruppe in der Nähe, um zu fragen, ob man sie dort gesehen habe. Von ihm erfuhr ich, daß Rochelle sich entschlossen hatte, unseren Bunker zu verlassen und sich der anderen Gruppe anzuschließen. Sie hatte mir nichts davon gesagt, weil sie annahm, daß ich versuchen würde, sie zurückzuhalten. Sie war ganz harmlos davongeschlendert und hatte nur die Kleider mitgenommen, die sie auf dem Leib trug.

Die andere Gruppe war keine gut organisierte Kampf- und Angriffsgruppe wie unsere, in der es damals auch einen Arzt und einen Apotheker gab. Sie bestand aus einer Anzahl halbwüchsiger Jungen, einer Frau von Mitte Vierzig und deren erst zehnjährigem Sohn. Als ich am nächsten Tag hinüberging, um mit Rochelle zu reden und sie zu fragen, warum sie uns verlassen hatte, sagte sie, sie fühle sich in dieser Gruppe wohler. Es gefalle ihr dort, und sie wolle bleiben.

Ich kehrte in unseren Bunker zurück. Ich war enttäuscht, und nicht nur das: Ich war empört und wütend.

Das Schlimmste war in meinen Augen, daß sie gegangen war, ohne mir etwas davon zu sagen, ohne sich auch nur zu verabschieden. Die Männer in meiner Gruppe heizten mir in den nächsten Tagen ordentlich ein. »Das hast du nun davon!« höhnten sie. »Du hast die Frau wie eine Königin behandelt. Und jetzt pfeift sie auf dich und verschwindet.«

In diesen ersten Tagen dachte ich nur: »Wenn Rochelle es so haben will, bitte sehr!« Aber die anderen ließen mir keine Ruhe. Dauernd machten sie Witze und zogen mich damit auf, daß es Rochelle bei einer Horde kleiner Jungen besser zu gefallen scheine als bei mir.

ROCHELLE   Ich entschloß mich zur Flucht, weil ich überzeugt war, daß ich, obwohl Jack mich sanft und rücksichtsvoll behandelte, letzten Endes doch mit ihm würde schlafen müssen, um zu überleben. Sex wollte ich unter gar keinen Umständen, und daß Jack mir seine Liebe erklärte, änderte nichts daran. Ich wollte auch keine Liebe.

Ich fand heraus, daß in einem Bunker nicht weit von uns eine ältere Frau namens Gittel mit ihrem kleinen Sohn und einer Gruppe von zwölf- bis dreizehnjährigen Jungen lebte. Daß sie so jung waren, war in meinen Augen ein Vorteil. Vor den Avancen grüner Jungen hatte ich keine Angst. Eine Kopfnuß von mir, und jede Liebesaffäre, die ihnen vorschweben mochte, war beendet.

Ein weiterer Pluspunkt war, daß Gittel in dem Bunker lebte und für die ganze Gruppe die Rolle einer Mutter spielte. Der Bunker war wie ein kleines Waisenhaus in den Wäldern, und Gittel hatte Mühe, all den Anforderungen, die an sie gestellt wurden, gerecht zu werden. Ich hatte mich ein paarmal mit einigen der Jungen unterhalten, und sie hatten mir versichert, daß ich in ihrer Gruppe sehr willkommen wäre, da Gittel das Kochen und all die anderen Arbeiten kaum bewältigen könne. Ich stellte mir vor, wie ideal es wäre, mit Gittel zusammenzuarbeiten und ihr beim Kartoffelschälen und allem übrigen zu helfen, fern von all den Ideen von Liebe und Zuwendung, die Jack im Kopf hatte.

Ich vereinbarte mit den Jungen einen bestimmten Tag, an dem ich in ihren Bunker kommen wollte. Sie hatten die Sache mit Gittel besprochen, und Gittel fand den Plan sehr gut. Als es soweit war, ging ich einfach davon, ohne Jack oder jemand anderem in der Gruppe Bescheid zu sagen. Ich bedankte mich nicht und gab auch keine Erklärung ab. Ich stand einfach auf und ging zu dem anderen Bunker hinüber.

Gittel war sehr lieb zu mir, wirklich wie eine Mutter. Ich half ihr beim Kochen. Eines unserer Standardgerichte – wir nannten es *palnitzes* – war eine Art Mehl-Wasser-Kuchen, den wir über dem Feuer buken. Ich hatte meine Ruhe... niemand machte Annäherungsversuche. Ich hatte meine Arbeit, und alles war gut.

Eines ist mir aus diesen Tagen besonders in Erinnerung geblieben. Als ich Jacks Bunker verließ und zu der anderen Gruppe ging, trug ich eine Bluse und ein Paar Stiefel, die Jack mir von dem Überfall auf das große Gut in der Nähe von Mir mitgebracht hatte. Es waren sehr gute Sachen. Ein paar Tage später – Jack war bereits bei mir gewesen – kam Maryan, ein Mann aus seiner Gruppe, zu mir und sagte: »Izik will seine Stiefel und seine Bluse wiederhaben.«

JACK   Das war gelogen. Das habe ich nie gesagt. Wahrscheinlich wollte er die Sachen für sich selber haben.

ROCHELLE Aber damals glaubte ich Maryan. Es paßte genau in mein Männerbild. Wenn man nicht mit ihnen schläft, nehmen sie einem Stiefel, Kleider und alles andere wieder weg! Ich war so wütend, daß ich zu Maryan sagte: »Pech gehabt! Ich behalte die Sachen!«

Maryan berichtete mir, daß Jack nach seinem Besuch bei mir schwer krank geworden sei und hohes Fieber habe. Er sei sehr deprimiert und wolle sich erschießen.

JACK Ja, das stimmt. Ich war so enttäuscht. Die Vision meines Traumes – Rochelle zu helfen und sie zu lieben – hatte meinem Leben in den Wäldern einen Sinn gegeben. Ohne diese Vision erschien es mir zwecklos, weiterzumachen.

ROCHELLE Noch schlimmer wurde das Ganze dadurch, daß es ihm so peinlich war, auf den Arm genommen und wie ein Schlemihl behandelt zu werden. Er hatte alles für mich getan. Er hatte darauf bestanden, daß die anderen freundlich zu mir waren. Und nun war ich einfach weggelaufen und hatte ihn mit seinen verletzten Gefühlen zurückgelassen, in einer Gruppe, die sich ständig über ihn lustig machte.

Es ging mir nahe, als ich erfuhr, daß Jack krank geworden war und sich das Leben nehmen wollte. Ich wußte nicht, wie ich mich dazu verhalten sollte. Aber ich ging nicht zu ihm. Ich versuchte es zu verdrängen. Der Gedanke an sein Unglück machte mir zu schaffen, und ich wollte ihn in diesem Zustand nicht sehen. Ich war entschlossen, nicht zurückzukehren.

Etwa drei Wochen vergingen. Ich gewöhnte mich an den Lebensrhythmus in meiner neuen Gruppe. Wir kochten nur nachts – den Grund hat Jack schon erklärt: Am Tag hätte der Rauch die Deutschen geradewegs zu uns geführt. Das Wasser stank genauso wie in Jacks Bunker; die beiden Bunker lagen im selben Sumpfgebiet, kaum mehr als einen Kilometer voneinander entfernt.

JACK Nach ein paar Tagen verflüchtigten sich meine Selbstmordgedanken wieder, und ich faßte einen Entschluß: Ich wollte versuchen, Rochelle in unseren Bunker zurückzuholen. Wieder hatte ich das Gefühl, daß es uns vielleicht, ganz vielleicht, bestimmt sei zusammenzubleiben. Schließlich hatte sie aller Wahrscheinlichkeit zum Trotz den Weg zu mir gefunden. Sollten wir da nicht auch die Trennung überwinden können?

Ich ging zu ihrem Bunker, um noch einmal mit ihr zu reden. Es gab dort, ebenso wie bei uns, eine kleine Kaminöffnung, und da ich erfahren hatte, daß sie an diesem Abend kochen würde, wollte ich währenddessen durch diese Öffnung mit ihr sprechen.

ROCHELLE Es war Jack peinlich, den Bunker zu betreten, weniger meinetwegen als wegen der Jungen, die sich mit Sicherheit über ihn lustig machen würden. Diese Jungen stammten aus einfachen Verhältnissen. Sie kannten die Schleiffs und wußten, wie reich die Familie vor dem Krieg gewesen war. Für sie war es ein guter Fang, eine Trophäe, Rochelle Schleiff bei sich zu haben. Und daß ich Izik Sutin verlassen hatte, auf den ein Kopfgeld ausgesetzt war, steigerte ihr Prestige und ihren Triumph noch. Die Jungen waren nett zu mir, aber sie hätten nicht gezögert, Jack ihre Schadenfreude spüren zu lassen.

Eines Abends also, als ich gerade unsere Mehl-Wasser-

Suppe kochte, hörte ich durch die Kaminöffnung plötzlich eine leise Stimme. Ich erschrak zu Tode, weil ich dachte, die Deutschen hätten uns entdeckt. Doch dann merkte ich, daß es Jack war. Er tat so, als wäre er nur kurz vorbeigekommen, um zu sehen, was ich machte. Doch daß er überhaupt gekommen war, zeigte, daß er mich gern hatte, daß er mich vermißte und nicht mehr böse auf mich war. Er gab sich Mühe, keinerlei Druck auf mich auszuüben.

JACK Rochelle sollte wissen, daß ich nicht das Interesse an ihr verloren hatte. Ich fürchtete, wenn ich nicht zu ihr ging, könnte sie glauben, ich sei noch immer wütend und deprimiert und wolle nichts mehr mit ihr zu tun haben.

ROCHELLE Er kam mehrere Male. Ich fing an, seine Besuche zu genießen, während ich im Bunker saß und Kartoffeln schälte. Es war nicht mehr als ein nettes, zwangloses Geplauder, aber es band mich enger an ihn. Nach und nach merkte ich, daß Jack ein liebenswerter Mensch war. Es war mehr als Sex. Er mochte mich wirklich.

Unsere Gespräche wurden immer vertrauter und gefühlvoller. Einmal dachten unsere beiden Gruppen, ein paar feindlich gesinnte Bauern hätten unsere Bunker entdeckt. Wie liefen fort, noch tiefer in den Wald. Jack stieß zu mir, und wir trennten uns von den anderen. Und auch während wir uns versteckt hielten und um unser Leben bangten, redeten wir immer weiter!

Das war der eigentliche Anfang unserer Beziehung. Jacks Besuche und unsere Gespräche durch die Kaminöffnung zogen sich über etwa drei Wochen hin. Wir kamen uns immer näher, und ein paarmal kam Jack sogar in den Bunker und saß beim Kochen neben mir. Es störte ihn nicht mehr so sehr, auf den Arm genommen zu werden.

Gittel merkte, was sich zwischen uns abspielte, und sie mochte Jack. Eines Tages sagte sie zu mir: »Hör zu, versteh mich nicht falsch: Ich freue mich natürlich, daß du hier bist, das macht für mich vieles leichter. Du bist ein nettes Mädchen und stammst, wie ich höre, aus guter Familie. Ich will dir etwas sagen: Du mußt verrückt gewesen sein, Izik zu verlassen und jetzt mit mir und den Jungen hier zu leben. Izik ist ein anständiger junger Mann, und die Jungen hier sind *proste* [gewöhnlich]… nicht euer Kaliber. Jeder weiß, daß er die ganze Zeit auf dich gewartet hat, und er wird dich mit Sicherheit gut behandeln. Ich an deiner Stelle würde zu ihm zurückkehren. Hier hast du keine Zukunft. Wenn ihr zusammen seid, könnt ihr euch gegenseitig helfen.«

Gittel hat mir an diesem Abend unermüdlich zugeredet, aber ich war wie ein verängstigtes Tier, noch immer auf der Flucht. Ich wußte nichts zu erwidern.

So lagen die Dinge kurz vor Neujahr 1943.

JACK Ich war inzwischen fest entschlossen, Rochelle zurückzuholen. Selbst die Mitglieder meiner Gruppe sahen ein, wie unsinnig es war, daß wir getrennt waren, so gern sie mich auch damit aufzogen.

So faßte ich drei Tage vor Neujahr einen Plan und teilte den anderen mit, wie wir ihn ausführen würden. Er verlangte ihre volle Mitarbeit – wenn sie sich weigerten, wollten mein Vater Julius und ich in eine andere Gruppe überwechseln. Und da sie wußten, wie wichtig meine Fähigkeiten bei der Planung und Durchführung unserer Beutezüge für ihr Überleben waren, willigten sie ein.

Und so sah mein Plan aus: Da wir von unserem Überfall auf das polnische Gut noch reichlich Nahrungsvorräte hatten, wollten wir Rochelles Gruppe zu einer kleinen Silvesterfeier in unseren Bunker einladen. Um nicht von polnischen Bauern bemerkt zu werden, die an Silvester noch spät in der Nacht draußen sein konnten, wollten wir erst einige Zeit nach Mitternacht anfangen. Trotzdem sollte es eine richtige Silvesterfeier werden. Wir bereiteten alles vor und legten genau fest, wo die Mitglieder der anderen Gruppe sitzen sollten – Rochelle natürlich neben mir, an ihrem alten Platz. Und gegen Morgen, wenn unsere Gäste sich verabschiedeten, wollten wir ihnen sagen, daß Rochelle nicht mitkommen würde. Wir würden sie nicht weglassen.

Sie kamen alle pünktlich, das heißt, nur die Jungen und Rochelle; Gittel war aus irgendeinem Grund nicht dabei. Und so feierten wir eine richtige Party.

ROCHELLE Ob man es glaubt oder nicht: Da saßen wir in einer Höhle unter der Erde und feierten ein Fest. Wir waren jung... wir sangen Lieder. Das klingt so verrückt, daß ich es gar nicht glauben könnte, wenn ich nicht selbst dabeigewesen wäre. Wir hatten ein weiteres Jahr überstanden.

JACK Nach dem Essen nahm ich Rochelle beiseite und weihte sie in unseren Plan ein. »Du bleibst hier bei mir«, sagte ich, und ich meinte es ernst. Aber so wie sich meine Besuche bei ihr entwickelt hatten, hatte ich schon gespürt, daß Rochelle es auch selbst wollte. Wäre ich mir nicht sicher gewesen, hätte ich den Plan niemals durchgeführt. Ein Nein von ihr, und ich hätte sie ziehen lassen.

Was sie selbst dabei empfand, verriet Rochelle anfangs

mit keinem Wort. Sie sagte nur: »Die Jungen werden nicht sehr glücklich darüber sein. Sie brauchen mich. Ich habe dort meine Pflichten.« Ich antwortete: »Als du von hier weggegangen bist, waren wir auch nicht sehr glücklich darüber. Diesmal sind eben sie die Unglücklichen.«

Es wurde spät, Zeit für die Jungen, in ihren Bunker zurückzukehren. Als sie sich verabschiedeten, merkten sie, daß Rochelle sich nicht von der Stelle bewegte. Wir drängten Rochelle in eine Ecke und bildeten einen Kreis um sie. Die Jungen begriffen. Sie wurden wütend und verlangten, daß Rochelle mitkomme. Ich weiß noch, wie einer von ihnen, Ephraim, nach seinem Gewehr griff und uns drohte, er werde schießen, wenn wir sie nicht gehen ließen. Doch darauf waren wir vorbereitet, und während Ephraim mit seiner Waffe allein vor uns stand, richteten alle Männer meiner Gruppe ihre Gewehre auf die Jungen.

ROCHELLE Ich war eine Kriegsgefangene!

JACK Ich sagte, wenn sie Schwierigkeiten machten, würden wir sie alle erschießen. Ephraim erstarrte, und die anderen bekamen es mit der Angst zu tun. Da meldete Rochelle sich zu Wort. Sie sagte den Jungen, sie wolle bleiben, und schließlich gingen sie friedlich davon.

ROCHELLE Ich erinnere mich, daß die Jungen mich fragten: »Kommst du?« und daß ich keine Antwort gab. Ich saß nur da und schaute zu – nicht aus Gleichgültigkeit, sondern weil ich völlig durcheinander war und wie erstarrt vor Angst. Ephraim drohte mit dem Gewehr, mich in den anderen Bunker mitzunehmen, wo ich hingehörte.

Um Blutvergießen zu vermeiden, muß ich irgend etwas gesagt haben. Zum Glück fing niemand an zu schießen. Und ich blieb da, bei Jack.

Wollte ich bleiben? Ja, ich wollte es, aber es war kein großer romantischer Augenblick. Es fiel mir nicht leicht. Als Jack mich in dieser Nacht in seinen Plan eingeweiht hatte, hatte ich an Gittels Worte gedacht und mir gesagt: »Gut, ich bleibe. Vielleicht hat sie recht.« Nicht, daß ich in Jack verliebt gewesen wäre. Aber er wollte mir wirklich helfen, und er würde mich gut behandeln. Mehr konnte ich nicht erwarten.

Doch in den folgenden Wochen kamen die Dinge allmählich in Gang. Sex war noch nicht im Spiel, aber wir redeten sehr viel miteinander, und dabei wuchsen auch das Vertrauen zwischen uns und unser Gefühl füreinander. Vielleicht war der Grundstein dazu schon einen Monat zuvor gelegt worden, bevor ich in Gittels Bunker geflüchtet war. Als Jack mit den Einschußlöchern in seinem Mantel und dem gespaltenen Fernglas zurückgekommen war, hatte ich deutlich gespürt, wie traurig ich gewesen wäre, wenn er ums Leben gekommen wäre. Ich hatte einen Freund gefunden, und ich hätte ihn in dieser Nacht wieder verlieren können.

In diesem Winter 1943, nach unserem Silvester-Abenteuer, begann ich mehr als nur Dankbarkeit und Freundschaft für Jack zu empfinden – es wurde Liebe.

Das äußerte sich unter anderem darin, daß ich ständig Angst hatte, er könnte bei einem Überfall getötet werden. Jack konnte sehr leichtsinnig sein. Das Ganze war noch immer wie ein Spiel für ihn. Es war ein Ventil für seine Wut, für seine Angst und seinen Kummer. Er verzichtete auch dann nicht auf Überfälle, wenn noch genug Vorräte dawaren. Ich drängte ihn, nur noch dann loszuziehen, wenn es unbedingt nötig war, und keine Bauernhöfe mehr

zu überfallen, die zu nahe bei einer Stadt oder einer Polizeistation lagen. Mit einem Wort: Ich fing an, ihn zurückzuhalten.

Da sah er, daß mir wirklich etwas an ihm lag. Und von
da an wurde es eine richtige Liebesgeschichte.

JACK Vor dieser Silvesternacht war ich ständig am
Grübeln gewesen... Was war, wenn Rochelle in Gittels
Gruppe bleiben wollte? Oder was wäre gewesen, wenn ich
mich stur gestellt hätte, nachdem sie fortgelaufen war,
wenn ich nicht versucht hätte, sie zurückzuholen? Manchmal frage ich mich das heute noch... was wäre aus uns
geworden?

Unser Leben wäre natürlich ganz anders verlaufen. Wer
weiß, ob wir ohneeinander überhaupt am Leben geblieben
wären. Und wenn ja, dann hätten wir andere Partner geheiratet und andere Kinder bekommen. Ich glaube nicht,
daß Rochelle überlebt hätte, wenn sie in Gittels Gruppe
geblieben wäre.

ROCHELLE Das glaube ich auch nicht. Ich wäre
auf die eine oder andere Art umgekommen.

JACK Die Chancen, das Partisanendasein durchzu-
stehen, waren in Gittels Gruppe nicht sehr groß. Zumindest wäre Rochelle an irgendeinen Mann geraten, an dem
ihr nichts lag, mit dem sie nur aus Schutz- und Überlebensgründen zusammenblieb. Und ich wäre furchtbar enttäuscht und deprimiert gewesen. Ich wäre noch größere
Risiken eingegangen und irgendwann getötet worden.

ROCHELLE Als Frau allein konnte man in diesen Zeiten auf Dauer nicht überleben. Ohne Jack wäre ich nach Stolpce zurückgegangen und von den Deutschen umgebracht worden, oder ich hätte mich mit irgendeinem Mann zusammengetan... wahrscheinlich nicht einmal mit einem Juden. Es gab nicht viele Frauen in den Wäldern, und früher oder später brauchte man einen Beschützer. Man war als Frau entweder für jeden Mann zu haben, oder es gab einen einzelnen Mann, der einen vor den anderen beschützte. Das war die traurige Wahrheit. Ein wenig änderte sich das, als sich im Laufe des Krieges in unserem Gebiet zwei große jüdische Partisanen-*atrads* [Kampfgruppen] bildeten, von denen eine von Simcha Zorin angeführt wurde, die andere von den Bielski-Brüdern. Es gab in diesen Gruppen eine Gemeinschaftsstruktur, die es Frauen ermöglichte, ohne einen männlichen Gefährten und Beschützer zu überleben. Zuvor aber, solange es nur kleine Gruppen gab, wurde einem als Mädchen ständig das Leben schwergemacht.

Viele prophezeiten mir in diesen Jahren in den Wäldern: »Wenn das alles vorbei ist, seid ihr nicht mehr zusammen. Das dauert nur so lange, wie der Krieg dauert.« Auf die meisten Paare, die damals zusammenfanden, traf das zu. Kaum war der Krieg vorbei, gingen vielleicht achtzig Prozent von ihnen wieder auseinander, egal ob der Mann Jude war oder nicht. Überlebens- und Nützlichkeitsaspekte waren in Friedenszeiten nicht mehr tragfähig. Und die Bedingungen des Krieges machten normale Bindungen unmöglich.

Schwangerschaft war der Todeskuß. Niemand wollte eine schwangere Frau in seiner Gruppe haben, und für Mutter und Kind waren die Chancen, die Geburt zu überleben, gleich null. Man mußte vorsichtig sein. Die gängigste Verhütungsmethode war der Coitus interruptus, neben anderen Formen, die ganz ohne Penetration auskamen. Dennoch bekamen einige Paare – ausnahmslos ungewollt – während des Krieges Kinder. In einem Bunker in unserer Nähe brachte ein Mädchen in diesem Winter ein Kind zur Welt. Unmittelbar nach der Geburt legte sie es auf einem Tuch in den Schnee hinaus, damit es schnell starb und nicht leiden mußte. In diesem Fall war die Entbindung zum Glück normal verlaufen. Aber was war, wenn es Komplikationen gab? Das bedeutete den sicheren Tod für Mutter und Kind.

Es gab viel Zynismus und viel Schmerz. Die meisten Paare benutzten einander nur, Gefühle waren dabei nicht im Spiel.

Jack und ich aber unterstützten uns gegenseitig, so gut wir konnten. Wir brauchten eine Weile, um uns kennenzulernen – zwei Fremde, die der Krieg in einer Höhle zusammengeführt hatte. Wir durchlebten gemeinsam so viele schreckliche, gefährliche Momente, daß wir uns wie zwei Soldaten an der Front vorkamen. Ein verrücktes Szenarium für eine Liebe. Doch jedesmal, wenn man zusammen durch die Hölle geht, kommt man sich näher. Man teilt diese Momente mit dem anderen und mit niemandem sonst. Man wußte nie, was morgen sein würde.

Wir rechneten nicht damit, am Leben zu bleiben. Aber wir hofften es und stellten uns vor, wie schön es wäre. Nachdem wir uns ineinander verliebt hatten, verschmolzen wir miteinander, als wären wir ein einziges Wesen. Wir hatten große Angst, einer von uns würde sterben. Es wäre furchtbar gewesen – wie der Tod eines Ehepartners, nicht nur der eines Menschen, mit dem man während des Krieges geschlafen hat. Bis auf den heutigen Tag feiern wir, obwohl wir erst nach dem Krieg offiziell geheiratet haben, den 31. Dezember als unseren Hochzeitstag – seit jenem 31. Dezember 1943.

Lazar Schleiff   Cila Schleiff

Die Geschwister Schleiff und ihre Freunde. Rochelle und Sofka in
dunklen Kleidern; vor ihnen Miriam.

Julius und Sarah Sutin mit ihrem Sohn Jack.

Jack als Schuljunge.

Jack in Partisanen-
uniform kurz nach
der Befreiung 1944.

Jacks Photo, aufgenommen von den sowjetischen Behörden
ca. 1944.

Jack an seinem Schreibtisch in Neu-Freimann.

Rochelle in der Küche in Neu-Freimann.

Jack und Rochelle in
Neu-Freimann.

Jack und Rochelle mit
Tochter Cecilia.

Kreidezeichnung von Julius Sutin. Diese und die folgenden Zeichnungen entstanden in den Jahren 1947 bis 1949. Sie sind nicht betitelt.

Dieses Photo der Familie Sutin wurde veröffentlicht in der Zeitung
St. Paul Dispatch am 22.9.1949.

Familie Sutin um 1960; vorne Julius und Jack; dahinter Larry,
Rochelle und Cecilia.

VII

Vom Bunker zum *atrad*

JACK Es war eine Freude zu sehen, wie Rochelle im Laufe der Wochen allmählich gelöster und fröhlicher wurde. Früher, wenn wir abends Lieder gesungen hatten, hatte sie nur dabeigesessen und zugehört. Jetzt sang sie selbst, polnische, russische und auch jiddische Lieder wie »Oifun Pripichok« und »Papirosun«.

Ihr zuliebe wurde ich bei den Überfällen vorsichtiger. Je mehr wir uns ineinander verliebten, desto mehr dachte ich ans Überleben.

ROCHELLE Es war eine richtige Liebesbeziehung, in jeder Hinsicht. Man wird sich natürlich fragen, wie das konkret aussieht, wenn die beiden mit zehn anderen zusammen wie wilde Tiere in einer Erdhöhle leben.

Ein normaler Mensch – ein Mensch, der immer sicher und bequem in einem zivilisierten Staat gelebt hat – kann sich das nicht vorstellen. Ich weiß selbst nicht, wie ich es erklären soll. Im Bunker waren wir eng zusammengepfercht. Wenn einer sich nach links oder rechts bewegte, mußten sich auch alle anderen nach links oder rechts bewegen. Es gab keine Privatsphäre, keine Intimität, nichts. Ich weiß nicht, was sich um uns herum abspielte. Nachts wurde es stockdunkel. Man hörte, wie die anderen sich regten, aber es wurde nicht geredet. Es war wie im Stummfilm. Für uns bedeuteten diese Verhältnisse, daß wir uns im Bunker zwar umarmten, streichelten und küßten, mehr aber nicht. Es war nicht wie in einer normalen sexuellen Beziehung, in der man miteinander schlafen kann, wann man will.

Ich erinnere mich noch an einen weiteren Besuch bei der Familie Kurluta, der Jack mich ungefähr zwei Monate zuvor als seine Frau vorgestellt hatte. Damals hatte mich das richtig schockiert. Jetzt aber benahmen wir uns wie ein frischverheiratetes Paar, und die Familie verwöhnte uns nach Kräften. Unterwegs hatten wir im Wald haltgemacht und uns geliebt.

Solche privaten Augenblicke gab es allerdings nur selten und in großen Abständen.

Eines kostete uns und die anderen in der Gruppe in jenem Winter viel Zeit: der Kampf gegen das Ungeziefer. An sonnigen Tagen schlüpften wir einer nach dem anderen aus der Bunkeröffnung ins Freie, zogen uns aus und zerquetschten die Läuse, von denen wir alle übersät waren. Eine bestimmte Art, die sich in die Haut grub und sich mit unserem Blut mästete, nannten wir *mandawoschkes*. Die Läuse saßen auch im Schamhaar, in den Achselhöhlen, rings um die Augen. Nur nackt und bei Tageslicht sah man, was sich auf dem eigenen Körper abspielte. Als ich eines Morgens aufwachte, fühlten sich meine Lider eigenartig schwer an. Ich betastete sie und merkte, daß überall an meinen Wimpern kleine Hubbel klebten. Ich nahm eine Stecknadel und einen winzigen Spiegel, den wir alle gemeinsam benutzten, und ging ins Freie. Eine nach der anderen pulte ich die Läuse ab, aber ich konnte kaum die Hand ruhig halten, so ekelte ich mich davor, an meinem eigenen verdreckten Körper herumzuhantieren. Meine Finger, meine Hände – alles juckte.

Einmal strengte ich mich besonders an, meine Kleider von Ungeziefer zu befreien. Meine Standardaufmachung bestand aus Jacks Schlafanzugoberteil, einer Männerhose und Stiefeln. Einen Büstenhalter oder andere Unterwäsche hatte ich nicht. Die gängigste Methode, die Läuse aus den Kleidern zu vertreiben, bestand darin, daß man die Sachen nahe ans Feuer hielt, bis es den Tierchen zu heiß wurde und sie absprangen. Aber diesmal wollte ich noch mehr tun. Ich nahm das Hemd und die Hose, brachte einen Eimer geschmolzenen Schnee zum Kochen und warf die Sachen hinein. Dann hängte ich sie draußen über einen Ast. Im Nu waren sie steifgefroren wie Eiszapfen. Ich holte sie wieder herein und dachte, sie wären jetzt frei von Ungeziefer, wenigstens eine Zeitlang. Aber ich traute meinen Augen nicht: Als sie am Feuer auftauten, krabbelten noch immer Kolonnen winziger weißer Läuse über den Stoff!

Wir alle bekämpften in diesem Winter Läuse, Würmer und was wir sonst noch alles an uns vorfanden. Am Rücken und anderen schwer erreichbaren Stellen halfen die Paare sich gegenseitig.

Ich selbst half nicht nur Jack, sondern auch Julius; ich behandelte ihn, als wäre er mein eigener Vater. Ich wusch ihn und schabte die Läuse von ihm ab. Julius war ein sehr ruhiger, geduldiger Mann. Er besaß die Fähigkeit, die Umstände, in denen er zu leben gezwungen war, fast vollständig auszublenden. Das war erstaunlich, wenn man bedachte, wie diese Umstände aussahen, und daß er bereits Ende Fünfzig war. Ich erinnere mich, daß er oft eine Schirmmütze trug und die Läuse sich auf dem Schirm tummelten wie Autos auf einem Highway. Und was für Exemplare! Ich sah mir das eine Weile an und fragte ihn schließlich: »Stört dich das nicht?« Er zuckte nur die Schultern und erwiderte: »*Beist mir nit*« [Sie beißen mich nicht]. Aber mich brachten sie zur Verzweiflung. Ich nahm ihm die Mütze vom Kopf und schüttelte sie, um ihm zu zeigen, wie viele Läuse schon beim ersten Ruck abfielen. Da nahm er endlich ein Stück Holz und schabte auch noch den Rest ab. So war er. Er unternahm nichts gegen das Ungeziefer – er spürte das Jucken nicht so stark wie wir anderen. Ich half ihm auch deshalb, die Läuse zu bekämpfen, weil ich glaubte, sie würden sonst von ihm auf uns überspringen, nachdem wir uns bereits entlaust hatten.

Aber nicht jeder bewahrte seinen Familiensinn. Die meisten taten es, doch es gab grausame Ausnahmen. In einem Fall erfuhren Jack und ich nähere Einzelheiten. Es handelte sich um eine Mutter und ihre Tochter, die gleichzeitig mit Jack aus dem Ghetto von Mir geflohen waren. Ihr Schicksal zeigt, daß Familienbande unter dem Druck von Not und Elend auf furchtbare Weise zerreißen konnten. Die Tochter war ungefähr siebzehn Jahre alt, die Mutter in den Vierzigern – ein hohes Alter in den Augen der jungen Juden, die sich in den Wäldern versteckt hielten. Die Tochter fand eine junge Gruppe, die bereit war, sie aufzunehmen, aber nur ohne die Mutter. Ich muß noch erwähnen, daß die Tochter auch einen Freund hatte – ein übler Bursche von ebenso schlechtem Charakter wie sie. Schlecht nenne ich sie deshalb, weil sie in dieser Situation zu ihrer Mutter sagte, sie, die Tochter, habe eine Überlebenschance, während die Mutter ihr nur eine Last sei. Ein Mitglied der Gruppe besaß ein Fläschchen mit Gift, und als Ausweg aus dem Dilemma überredete die Tochter ihre Mutter, das Gift zu nehmen! Die Mutter wollte nicht, aber die Tochter zwang sie mehr oder weniger dazu – es sei der einzige Ausweg. Das Gift war nicht stark genug und wirkte nicht gleich. Die Mutter litt einen ganzen Tag lang Qualen, ehe sie starb – stöhnend, sich aufbäumend, erstikkend. Die anderen schauten zu und warteten den ganzen Tag auf ihren Tod.

Unter den Lebensbedingungen der kleinen Gruppen, denen wir anfangs angehörten, war es schwer, traditionelle Familienbande aufrechtzuerhalten. Alle waren verzweifelt, voll Angst, entdeckt zu werden, eingeschlossen, gefoltert, getötet zu werden. Wir hörten von Müttern, die mit ihren Kindern – ganz kleinen oder etwas älteren – in einem Bunker Unterschlupf gefunden hatten. Die Kinder machten Lärm oder weinten ständig, und die anderen Mitglieder der Gruppe forderten drastische Maßnahmen. Weigerte sich eine Mutter, ihr eigenes Kind zu erstikken, packten die anderen es und töteten es!

Julius war für mich ebenso ein Vater wie für Jack, und er half uns, wo er nur konnte. Wegen seines Alters übertrug man ihm in den Partisanengruppen meist die Aufgabe, nachts das Feuer in Gang zu halten. Manchmal nahm er ein paar Kartoffeln aus unserem Vorrat und legte sie unter die heiße Asche. Das durfte er nicht... es kam einem Diebstahl gleich. Dennoch tat er es, um Jack und mich – seine *kinderlach* [Kinder] – mitten in der Nacht wecken und uns eine kleine Extramahlzeit anbieten zu können. Julius war mir gegenüber immer sehr lieb und fürsorglich, weil er gesehen hatte, wie unglücklich sein *zunele* [zärtlicher Ausdruck für Sohn] gewesen war, nachdem ich fortgelaufen war.

So lebten Jack und ich in den ersten Monaten zusammen. Viel Zeit, uns an einen Lebensrhythmus im Bunker zu gewöhnen, blieb uns jedoch nicht. Im März 1943 wurde unser Lager – ebenso wie das der beiden anderen jüdischen Gruppen im Gebiet von Miranke – von den Deutschen entdeckt. Wie es dazu gekommen war, wußten wir nicht. Vielleicht hatte ein Bauer den Rauch unseres Feuers gesehen.

JACK Auf die Deutschen war Druck ausgeübt worden, etwas gegen die jüdische Partisanentätigkeit zu unternehmen. Ich will nicht sagen, daß das Vorgehen gegen diese Gruppen für sie oberste Priorität besaß, aber es war ihnen doch wichtig, denn sie wollten das Vertrauen der polnischen Bevölkerung gewinnen und die Menschen von der Stabilität ihres Regimes überzeugen.

Man darf nicht vergessen, daß wir mehr oder weniger von den polnischen Bauern lebten. Entweder wir überfielen ihre Häuser, oder wir gruben auf ihren Äckern Rüben, Kartoffeln und andere Feldfrüchte aus. Viele Bauernfamilien hatten – ebenso wie andere Teile der Bevölkerung – Väter oder Söhne bei der polnischen Polizei. Keine dieser Familien wollte, daß jüdische Zeugen vielleicht eines Tages bestätigen würden, daß sie mit den Deutschen zusammengearbeitet hatten. Zwar verlief der Krieg zu diesem Zeitpunkt für die Deutschen günstig, aber es war nicht auszuschließen, daß die Russen eines Tages zurückkehren und Polen von neuem regieren würden – wie es 1944 tatsächlich geschah. Wieder unter sowjetischer Herrschaft, würden die Kollaborateure teuer bezahlen müssen.

Alle diese Familien hielten deshalb nach jüdischen Partisanen Ausschau. Andere Bauern, denen die Juden mehr oder weniger gleichgültig waren, wurden von den Deutschen eingeschüchtert. Sie mußten fürchten, daß die Deutschen und ihre polnischen Gefolgsleute ihre Höfe niederbrennen und sie töten würden, wenn sie uns unterstützten oder auch nur den Eindruck erweckten, Informationen über unsere Standorte zurückzuhalten. So waren wir von allen Seiten in Gefahr, verraten und entdeckt zu werden. Wenn wir das Geräusch einer Säge hörten, erstarrten wir vor Schreck, denn das konnte bedeuten, daß ein Pole, der in der Nähe einen Brennholzvorrat sammelte, uns gesehen hatte.

ROCHELLE Eines Tages wurden wir angegriffen. Von allen Seiten hörten wir Schüsse. Eine Gruppe in unserer Nähe wurde völlig überrumpelt: Die Deutschen warfen eine Granate in die Bunkeröffnung, und alle Insassen waren auf der Stelle tot. Genau das war unsere schlimmste Befürchtung, doch zum Glück blieb uns dieser Alptraum erspart. Aber die Deutschen rückten handgranatenwerfend und mit ununterbrochenem Maschinengewehrfeuer gegen unseren und Gittels Bunker vor.

Unsere ganze Gruppe ergriff die Flucht. Gegen einen Überraschungsangriff waren wir machtlos. Außer unseren Waffen und den Kleidern, die wir auf dem Leib trugen, nahmen wir nichts mit. Wir flohen immer tiefer in die Wildnis des Nalibocka-Waldes, der seinem Namen zum Trotz in weiten Teilen reines Sumpfland war. Bis hierher drangen unsere Verfolger nicht vor. Aus Angst vor deutschen Suchaktionen wagten wir weder zu unserer Höhle noch in irgendeinen anderen trockenen Teil der Miranke-Wälder zurückzukehren, und so blieben wir in den Sümpfen.

Es war März und noch Winter, und bis zum Mai schliefen wir im Freien. Es war bitterkalt! Nur unsere Betten – Baumstämme und Zweige als Schutzschicht gegen Schnee und Matsch – trennten uns von dem sumpfigen Untergrund. Ein schier unlösbares Problem war die Nahrungsbeschaffung. Die deutsche und die polnische Polizei hatten nach unserer Vertreibung aus den Miranke-Wäldern vorsorglich alles Vieh – Pferde, Kühe, Hasen – in der Umgebung getötet, um zu verhindern, daß wir es stahlen und uns davon ernährten. Es war eine Art Politik der verbrannten Erde. Aber sie hatten nicht mit unserem Hunger und unserer Verzweiflung gerechnet. Nachts machten wir uns auf und suchten in den Wäldern oder am Rand der Sümpfe nach den Kadavern der Tiere. Die meisten hatten bereits tagelang dort gelegen, manche sogar eine Woche und länger. Wir schnitten große Stücke aus dem faulenden Fleisch und stopften uns damit die Taschen voll. Dann kehrten wir zu unserem Lager in den Sümpfen zurück und zwangen uns, soviel von dem Fleisch hinunterzubekommen wie nur irgend möglich.

JACK   Es war uns wohl wirklich bestimmt, am Leben zu bleiben.

ROCHELLE   In den ersten Tagen, bevor wir uns aus Baumstämmen und Ästen Pritschen bauten, standen wir oft lange Zeit im Wasser. Blutegel saugten sich in Klumpen an unseren Beinen fest, die vom Wasser ohnehin angeschwollen waren.

Von der feuchten Kälte bekam ich in einem Bein furchtbare Schmerzen. Vielleicht hatte sich ein Nerv entzündet. Ich konnte mich nur noch auf dem anderen Bein hüpfend fortbewegen. Im Mai, als von deutschen Patrouillen nichts mehr zu hören war, verließen wir das eigentliche Sumpfgebiet und kehrten auf den festeren Grund der Wälder zurück. Aber wir lebten nach wie vor im Freien, in Kälte und Elend. Wer hätte gedacht, daß ich den Bunker je vermissen würde?

JACK   Noch schwieriger wurde unsere Lage dadurch, daß wir keine Möglichkeit hatten, uns über den Fortgang des Krieges zu informieren. So wußten wir beispielsweise kaum etwas über den Verlauf der deutschen Offensive in Rußland. Später, als uns über polnische Bauern die Nachricht von der Niederlage der deutschen Armee bei Stalingrad erreichte (Ende 1942), schöpften wir ein wenig Hoffnung, daß vielleicht, ganz vielleicht...

In diesem Winter 1943 mußten wir in unserem Sumpfversteck jedoch davon ausgehen, daß die Deutschen im Triumph auf Moskau marschieren und auch Rußland ohne jeden ernsthaften Widerstand unter ihre Kontrolle bringen würden. Andere Möglichkeiten als den Tod in deutschen Händen konnten wir uns auf lange Sicht kaum vorstellen. Selbst wenn wir es schafften, wieder in trockenes Gebiet zu gelangen – wie lange konnten wir damit rechnen, uns durch Nahrungsdiebstähle bei überwiegend feindlich gesinnten Bauern am Leben zu halten?

Auf der anderen Seite wäre es uns noch schlechter gegangen, wenn uns bestimmte grauenvolle Vorgänge bekannt gewesen wären. So wußten wir damals noch nichts von den Konzentrationslagern, deren Existenz die Deutschen vor den Juden sorgsam geheimhielten, um bei den noch übrigen Ghettobewohnern nach Möglichkeit die Hoffnung wachzuhalten und damit die Wahrscheinlichkeit verzweifelter Gegenwehr zu verringern. Wir glaubten damals, alle Juden würden auf die gleiche Weise umgebracht wie unsere Familien... Stadt für Stadt, durch Erschießen am Rande ihrer Massengräber. Wir hatten auch keine Vorstellung davon, wie viele Juden noch lebten. Nach unserer Kenntnis waren die Gruppen im Nalibocka-Wald die einzigen Überlebenden. Möglicherweise hatten wir unwahrscheinliches Glück gehabt, denn nur in wenigen Gegenden Polens gab es Wildnisgebiete von solcher Ausdehnung. Aber wir waren Juden, die noch am Leben waren, und das war immerhin etwas. Genug zumindest, um uns von einem Tag zum nächsten vorwärtszutreiben.

Im Mai 1943, nach einem Frühling ohne größere deutsche Aktivitäten in unserer Region, entschlossen wir uns, das Risiko einzugehen und aus unserem Sumpf in ein höhergelegenes Waldstück überzusiedeln. Unsere Gruppe hatte zu diesem Zeitpunkt nur noch neun Mitglieder. Von unserem alten Bunker hielten wir uns weit entfernt. Dieses Mal gruben wir keine Höhle, sondern bauten aus Ästen und Zweigen kleine Hütten, die nur als zeitweilige Unterkunft gedacht waren. Wir hatten vor, ständig den Standort zu wechseln, um auf diese Weise die Gefahr, verraten und überfallen zu werden, möglichst gering zu halten – eine reine Schön-Wetter-Taktik. Im Winter würden wir der Kälte wegen einen neuen Bunker bauen müssen. Rückblickend ist mir klar, daß das kein besonders guter Plan war. Der Teil der Miranke-Wälder, in dem wir uns befanden, war relativ begrenzt, so daß man uns leicht hätte einkreisen können. Selbst wenn wir einen Bunker gebaut hätten, hätten wir den Winter wohl kaum überlebt.

Auf unseren Wanderungen stießen wir hin und wieder auf andere kleine jüdische Gruppen und fühlten uns dadurch etwas ermutigt. Wir hörten von ihnen aber auch erschreckende Berichte über die anhaltenden Liquidierungen polnischer Ghettos.

ROCHELLE Unsere Beziehungen zu den anderen jüdischen Gruppen verliefen nicht immer reibungslos. Die Menschen waren verzweifelt, und das bewirkte, daß manche von ihnen schlimme Dinge taten.

Jack hatte in den Wäldern die ganze Zeit über eine schmale Diamantkette bei sich gehabt, die seiner Mutter gehört hatte. Er hing sehr an dem Schmuckstück, das uns im äußersten Notfall außerdem die Möglichkeit bot, uns Nahrung und Munition zu beschaffen. Im Frühling wurde uns klar, daß es zu riskant war, die Kette ständig bei uns zu tragen. Wir legten sie deshalb in eine Schachtel und vergruben sie unter einem Baum, den wir mit einem Zeichen markierten, das nur Jack, Julius und ich wiedererkennen würden.

Aber ein Jude aus einer anderen Gruppe, ein älterer Mann namens Mosche, hatte uns beobachtet. Er kam später zurück und grub die Kette wieder aus. Als wir dahinterkamen, stellten wir ihn zur Rede, doch er weigerte sich, die Kette herauszugeben. Zu seiner Verteidigung erklärte er, er habe mehrere kleine Neffen zu unterstützen und brauche sie daher nötiger als wir. Er vergrub sie an einer anderen Stelle, und wir sahen sie nie wieder. Mosche hatte keine Angst vor uns, denn er wußte, was für ein Mensch Jack war und daß er ihn einer Kette wegen niemals kaltblütig töten würde.

JACK Im Laufe des Sommers wurde immer deutlicher, daß wir eine bessere Strategie entwickeln mußten, um den Winter und die Zeit danach zu überstehen. Unsere Gruppe war klein, wir hatten keine feste Ausgangsbasis und außer unseren verzweifelten nächtlichen Beutezügen keine Möglichkeit zu militärischen Aktionen.

Probleme bereiteten uns nicht nur die deutschen Truppen und die polnische Polizei. Auch die russischen Partisanen, die im selben Waldgebiet lebten, ließen uns keine Ruhe. In den sehr großen russischen Partisaneneinheiten versuchten die führenden Offiziere zwar, die offizielle sowjetische Nichtdiskriminierungspolitik gegenüber den Juden aufrechtzuerhalten, doch es gab immer einzelne Russen, die die überlebenden Juden in den Wäldern haßten. Waren die Jungen aus unserem Bunker bei der Rückkehr von einem Nahrungsstreifzug nachts einer Gruppe russischer Partisanen in die Arme gelaufen, hatte man ihnen ihre Beute abgenommen und sie umgebracht. Gleichzeitig beklagten sich die Russen, daß die jüdischen Partisanen nur Nahrungsmittel stahlen und nicht gegen die Deutschen kämpften. Aber wir waren keine militärischen Gruppen, sondern kleine Gemeinschaften von Männern und Frauen, Älteren und Jüngeren und sogar Söhnen und Töchtern, die für ihre Eltern sorgten, so wie ich für Julius. Wir konnten uns kaum am Leben halten, und die Russen waren ebenso unsere Feinde wie die Deutschen und die Polen. Wo waren unsere Verbündeten? Viele unserer Freunde waren nicht von den Deutschen oder den Polen getötet worden, sondern von unseren angeblichen Verbündeten, den Russen. An einem einzigen Tag hatten sie vierzehn Jungen aus meiner Heimatstadt Mir umgebracht.

Eines Tages begegneten wir in den Wäldern einem jungen russischen Juden, von dem wir interessante Neuigkeiten hörten. Er erzählte uns von einem großen jüdischen Partisanen-*atrad*, dem zu etwa achtzig Prozent Juden aus Minsk [einer großen westrussischen Stadt nahe der polnischen Grenze] angehörten und zu zwanzig Prozent Juden, die aus den Ghettos verschiedener polnischer Städte geflohen waren. Ihr Versteck lag tief im Nalibocka-Wald, und in der Umgebung gab es weder Bauernhöfe noch Ortschaften, so daß niemand ihre Bewegungen beobachten konnte.

Der Nalibocka-Wald bildete eine große Ausnahme in dem offenen Agrarland, das den größten Teil Ostpolens beherrschte. Seine fast undurchdringliche Wildnis ermöglichte es, umfangreichere Partisanenorganisationen aufzubauen. Wir erfuhren, daß dort nicht nur zwei jüdische, sondern auch etwa ein Dutzend russischer *atrad*s aktiv waren, insgesamt etwa fünfzehn- bis zwanzigtausend Partisanen. Einer der jüdischen *atrad*s wurde von den aus Ostpolen stammenden Bielski-Brüdern geleitet. An der Spitze des anderen, von dem uns der russische Jude erzählte, stand Simcha Zorin, ein kräftiger Mann mittleren Alters mit einem buschigen rötlichen Schnurrbart. Die dreihundert Mitglieder dieses *atrad*s bildeten eine regelrechte jüdische Kampfgruppe. Das waren aufregende Neuigkeiten, sowohl was ihre Bedeutung für unser eigenes potentielles Überleben anbelangte als auch für das Überleben wenigstens einer kleinen jüdischen Restbevölkerung in der Region.

Zorin hatte als jüdischer Offizier in der sowjetischen Armee gedient und dort eine reguläre militärische Ausbildung in Organisation und Taktik erhalten. Sein Führungsstab bestand aus einem Stabschef und anderen quasi-militärischen Führern, die über eine beträchtliche Macht verfügten. Ordneten sie einen Beutezug an, machte man sich auf den Weg, egal, was man davon hielt. Das Leben war im Vergleich zu den begrenzten Gruppenstrukturen, an die wir gewöhnt waren, stark reglementiert. Andererseits konnte man auf diese Weise wirklich schlagkräftige Aktionen durchführen, mit genügend Leuten, so daß man, wenn man auf Deutsche oder Polen traf, im Kampf eine reale Chance hatte. Eine größere Gruppe verminderte auch das Risiko, Mann für Mann von den Russen umgebracht zu werden.

Der junge Mann, dem wir begegnet waren, gehörte Zorins *atrad* selbst an und forderte etwa acht von uns auf, mit ihm zu kommen und sich dort umzusehen. Wenn wir wollten, konnten wir uns dem *atrad* anschließen, wenn nicht, würden wir für uns bleiben. Wir gingen viele Kilometer weit in den dichtesten Teil des Nalibocka-Waldes, bis wir nach zwei Tagen endlich das Lager erreichten. Wir konnten uns nicht vorstellen, daß sich Deutsche und Polen je so weit vorwagen würden; zu leicht hätte man sie aus dem Hinterhalt angreifen können.

Hätte unsere eigene kleine Gruppe so weit von den Bauernhöfen entfernt leben müssen, wären wir mit der Logistik unserer Nahrungsstreifzüge gescheitert. Ein großer *atrad* aber konnte, wie uns unser Führer erklärte, vielfältigere und zahlreichere Überfälle durchführen. Die Beteiligten konnten sich abwechseln, so daß nicht jedesmal dieselben ihr Leben aufs Spiel setzten, und es war zugleich möglich, ein sicheres, stabiles Lager zu unterhalten. Und noch einen Unterschied erklärte uns der junge Mann. Im Winter brauchte man sich im *atrad* nicht ganz unter die Erde zu verkriechen. Es wurden Unterstände aus Zweigen und sogar Brettern gebaut, die nur zur Hälfte in die Erde eingelassen waren. In jedem dieser Unterstände lebten fünfundzwanzig bis dreißig Menschen.

ROCHELLE Es war eine große Veränderung – man lebte wieder mehr wie ein Mensch und weniger wie ein Tier.

JACK Wir beschlossen, uns dem *atrad* anzuschließen. Es half uns, daß ihm auch sechs oder sieben Überlebende aus dem Ghetto von Stolpce angehörten, die wir noch aus der Zeit vor dem Krieg kannten. In einer großen Gruppe fühlten wir uns sicherer, und ich persönlich war erleichtert, nicht mehr soviel Verantwortung tragen zu müssen wie in den kleineren Gruppen. Jetzt, da Rochelle und ich zusammen waren, hatte ich etwas, wofür ich leben konnte. Wir waren zwar alles andere als optimistisch, begannen aber doch unwillkürlich auf ein gemeinsames Leben nach dem Krieg zu hoffen. Der *atrad* ließ diese Hoffnung realistischer erscheinen.

Die Mitglieder des *atrad* bildeten eine sehr gemischte Gruppe – Jüngere und Ältere und sogar einige Kinder. Es war wie eine große Familie. Und bei dreihundert Leuten war dafür, daß wir mitten in der Wildnis lebten, eine enorm breite Skala an Fertigkeiten vertreten. Sogar eine Ärztin war da, eine junge Frau aus Rußland. Sie hatte zwar selten das nötige medizinische Material zur Verfügung, aber ihre Anwesenheit, ihre Diagnosen und Ratschläge wirkten doch beruhigend. Es gab Schneider, die unsere Kleider ausbesserten, Schuhmacher, die unsere Stiefel reparierten. Brachten wir von einem Beutezug eine Kuh mit, wurde sie von den Metzgern geschlachtet und zu Wurst verarbeitet. Es gab eine große Lagerküche, in der ständig jemand die Arbeitsgruppe beaufsichtigte, die täglich für dreihundert Personen zu kochen hatte. Dort arbeitete auch mein Vater Julius. Die jüngeren Männer bildeten die Kampf- und Beutegruppen. Männer, Frauen und Kinder jeden Alters hatten ihre Aufgaben und Pflichten. Jeder trug zum Überleben der gesamten Gruppe bei.

Es gab einen strengen Sicherheitsdienst. Sechs Posten standen an verschiedenen Punkten bis zu drei Kilometern vom Lager entfernt rund um die Uhr Wache. Es wurden Parolen ausgegeben, die jeder, der das Lager verließ oder betrat, kennen mußte. Die Posten riefen »Halt!«, und wenn die Parole nicht kam, wurde geschossen. Das war notwendig, um Polizeispione fernzuhalten. Die anderen Männer und ich hatten alle zwei Tage Wachdienst, in Schichten von vier bis sechs Stunden, vormittags, nachmittags oder nachts. Bei der Ablösung mußten wir die Parole nennen.

ROCHELLE Ich habe in den Wäldern nie davon gehört, daß Juden einander verraten hätten. Kein Jude wäre nach all den Massakern allein in einen von Deutschen besetzten Ort zurückgegangen und hätte Partisanenverstecke preisgegeben. Niemand machte sich mehr

Illusionen über Abmachungen mit den Deutschen. Als Jack, Julius und ich in den *atrad* kamen, genügte es, daß unser Führer uns den anderen vorstellte, um sie zu überzeugen, daß wir Juden waren, denen man vertrauen konnte. Probleme mit Spionen gab es nur in den gemischten polnisch-russisch-jüdischen Partisanengruppen, und auch dort waren die Informanten keine Juden. Dennoch kursierten ständig Gerüchte über Juden, die von den Deutschen in die Wälder geschickt worden seien, um sich russischen Partisanengruppen anzuschließen und Informationen über deren Standorte zu liefern oder gar ihre Nahrung zu vergiften. Es ging sogar das Gerücht – Tanja und ich hatten es bei den russischen Partisanen ja selbst zu spüren bekommen –, daß die Deutschen geschlechtskranke jüdische Mädchen ausgeschickt hätten, die mit den Russen schlafen sollten. Solcherart war das Gift, das sich unter den russischen Partisanen verbreitete, auch wenn ihre Führer eine weniger antisemitische Politik aufrechtzuerhalten versuchten.

JACK Ein weiterer Unterschied zu den kleinen Gruppen bestand darin, daß wir dort ausschließlich aus Überlebensgründen gekämpft und Überfälle durchgeführt hatten. Im *atrad* dienten unsere Aktionen nicht nur der Nahrungsbeschaffung, sondern wir brachten beispielsweise auch Minen an den Bahngeleisen an, auf denen die Deutschen ihren Nachschub an die russische Front transportierten. Zorin und seine untergeordneten »Offiziere« – denn das waren sie, auch wenn nicht alle wie Zorin ein Offizierspatent besaßen – achteten streng auf Disziplin. Wer den Gehorsam verweigerte, wurde getötet, auch wenn es Leute aus den eigenen Reihen waren. Im Austausch gegen mehr Sicherheit hatten wir unser Leben in die Hände Zorins und seiner Offiziere gelegt.

ROCHELLE Zorin selbst war zwar loyaler Kommunist, aber es gelang ihm, die Unabhängigkeit des jüdischen *atrad* zu wahren, auch wenn die russischen Partisanengruppen ihn lieber ihrem direkten Befehl unterstellt hätten, was auch der offiziellen, von Stalin selbst proklamierten Politik entsprochen hätte. Die Sowjets schickten besondere Offiziere in den Nalibocka-Wald, die sich den russischen Partisaneneinheiten anschließen und alle Partisanenaktivitäten unter einer einheitlichen, disziplinierten Führung zusammenfassen sollten. Doch Zorins Gruppe war keineswegs nach strengen militärischen Maßstäben organisiert. Kinder und alte Leute wurden in keiner der russischen Partisaneneinheiten geduldet, Frauen nur in wenigen. Zorins Gruppe dagegen bestand zu einem Teil aus eben diesem Personenkreis. Doch Zorin war entschlossen, Leben zu retten. Er war ein aufrichtiger Kommunist und ein Mensch von starker charismatischer Wirkung und konnte sich dadurch dem russischen Führungsanspruch entziehen. Er stellte zwar die Kampfkraft des *atrad* in den Dienst zahlreicher gemeinsamer Aktionen mit den Russen, verhinderte aber zugleich, daß der *atrad* unter unmittelbaren russischen Befehl gelangte. Die Folge wäre gewesen, daß der *atrad* durch konstante und höhere Verluste dezimiert worden wäre, weil die Russen lieber ein jüdisches als ihr eigenes Leben aufs Spiel setzten. Zorin war ein geschickter Politiker.

Zorin genoß seine Macht und seine Privilegien als Oberbefehlshaber des *atrad* ganz ungeniert. Er ritt ein schönes Pferd, einen Palomino, das bei einem Überfall erbeutet worden war. Und natürlich hatte er sich, obwohl bereits Ende Vierzig, ein junges Mädchen zur »Frau« genommen. Sie stammte aus Minsk und war höchstens zwanzig Jahre alt.

Es war erstaunlich, was für eine mächtige Rolle soziale

Unterschiede selbst in dieser Gemeinschaft abgerissener, versteckt lebender Juden spielten. Da gab es die Führer, die Kämpfer, Handwerker, Leute, die die Wäsche wuschen, und solche, die putzten. Zorins Frau aber war die Königin. Wurden bei einem Überfall schöne Kleider erbeutet, hatte man sie bei ihr abzuliefern. Mitten in einem Partisanenlager war sie stets nach der neuesten Mode gekleidet. Sie hatte ein eigenes Pferd, auf dem sie neben Zorin und seinem Palomino herritt. Die beiden waren das Königspaar. Wenn sie vorüberritten, winkten und lächelten wir ihnen zu. Wir wußten, daß unser Leben in ihrer Hand lag. Zorin war ein guter Führer, und er versuchte, so vielen Juden wie möglich das Leben zu retten. Aber was gemacht wurde, bestimmte er, und auch seine Frau besaß großen Einfluß. Wollten sie jemanden loswerden, betrauten sie ihn mit einer Mission, von der er nie wieder zurückkam.

Die ranghöchsten Offiziere im Lager waren ausnahmslos russische Juden. Zorins Stabschef hieß Pressman. Pressman hatte sich ebenfalls eine »Frau« genommen, und seine Machtposition war gesichert, weil Zorin ihn mochte. Aber er war nicht übermäßig intelligent und besaß bei weitem nicht die nötige Erfahrung, um die Entscheidungen zu treffen, die von ihm erwartet wurden.

Pressman verließ sich weitgehend auf das Urteil eines seiner Adjutanten, eines aus Westpolen stammenden Juden namens Wertheim. Wertheim war Mitte Dreißig. Beim Einmarsch der Deutschen 1939 war er mit einem Teil seiner Familie aus Stolpce geflohen. In den zwei Jahren der russischen Herrschaft war sein Bruder Manik mit einer Freundin von mir zusammengewesen, und so waren wir bereits gute Bekannte. Umgekehrt fand Wertheim auch Jack sympathisch, als er ihn im *atrad* kennenlernte.

Ich würde sagen, Jack verdankt es Wertheim, daß er

heute noch am Leben ist. Hin und wieder brachte ich in Erfahrung, daß die Offiziere Jack mit einer äußerst gefährlichen Mission betrauen wollten. Dann ging ich zu Wertheim und bat ihn... sagte ihm, Jack sei krank. Manchmal war er tatsächlich krank, manchmal auch nicht. Wertheim wußte, daß ich ihm oft etwas vormachte, erlaubte aber, daß Jack im Lager blieb.

JACK Das ist richtig, aber bei einer ganzen Reihe bewaffneter Aktionen und Nahrungsstreifzüge war ich auch dabei. Rochelle konnte mich nicht von allem fernhalten, und ich hätte auch nicht zugelassen, daß sie es versuchte. Ich wollte leben und mit ihr zusammensein, aber ich wollte auch dem *atrad* dienen und kämpfen.

Unsere militärischen Aktivitäten konzentrierten sich im wesentlichen auf Objekte, bei denen wir Nahrung und Kleidung für den *atrad* erbeuten konnten. Manche Überfälle dienten auch speziell der Beschaffung von Medikamenten. Unser Angriffstrupp bestand gewöhnlich aus zwanzig bis fünfundzwanzig Mann. Früher waren es weniger gewesen – vier oder fünf –, und einmal war etwas Furchtbares passiert: Einer dieser Trupps war auf dem Rückweg von russischen Partisanen umgebracht worden. Erst hatten sie die jungen Juden die ganze Arbeit machen lassen, dann hatten sie sie getötet und die Schlitten mit den Vorräten mitgenommen.

Als ich in den *atrad* kam, waren bereits Strategien für mögliche Zusammenstöße mit russischen Partisanen entwickelt worden. Sobald wir sie sahen, schwärmten wir sofort in kleinen Gruppen aus, brachten die erbeuteten Vorräte in Sicherheit und demonstrierten mit entsicherten Waffen, daß wir bereit waren, uns zur Wehr zu setzen. Damit war das Problem gelöst. Auf ein größeres Gefecht mit uns wollten die Russen sich nicht einlassen – das war ihnen die Sache nicht wert.

ROCHELLE Noch ein anderer Faktor spielte dabei eine Rolle. Es war im Sommer 1943, und die Lage war für die Deutschen an allen Fronten nicht gerade rosig. Es gab zumindest einen kleinen Hoffnungsschimmer, daß die Russen sie besiegen und nach Polen zurückkehren würden. Für die russischen Soldaten in den Partisanengruppen hieß das, daß sie sich allmählich Gedanken darüber machen mußten, was geschehen würde, wenn die russischen Behörden erfuhren, daß sie jüdische Partisanenkämpfer umgebracht hatten. Als Soldaten der Sowjetunion wären sie streng bestraft worden, und da sie das wußten, nahmen sie sich zusammen und fingen an, sich mehr wie Kriegskameraden zu verhalten und weniger wie Judenhasser.

JACK Und sie hatten allen Grund dazu, denn wir taten einiges für sie, wenn wir mit unseren Minen und Dynamitladungen Bahnlinien und größere Landstraßen in die Luft sprengten und damit den deutschen Vormarsch in ihre Heimat behinderten. Die Minen zerstörten nicht nur Nachschubzüge und -lastwagen, sondern forderten, soweit es sich um Truppentransporte handelte, auch Hunderte von Opfern unter den Deutschen. Unser guter Freund Simon Kagan, der gleichzeitig mit mir aus dem Ghetto von Mir geflohen war, hatte sich einer russischen Partisaneneinheit angeschlossen. Simon war Spezialist im Anbringen von Dynamitladungen, die er dann – von einem nahen Versteck aus – genau im richtigen Moment zündete. Er hat eine ganze Reihe von Zügen zerstört. Großes Geschick und starke Nerven waren dazu nötig.

Zorin und seine Kommandeure hatten ebenso wie die russischen Partisanen erkannt, daß es zu diesem Zeitpunkt erste Anzeichen für eine Wende im Kriegsgeschehen zum Nachteil der Nazis gab. Sie legten Wert darauf, in aller Deutlichkeit klarzustellen, daß sie die Russen im Kampf gegen die Deutschen unterstützt hatten. Nur zu sagen, daß sie Juden das Leben gerettet hatten, hätte nicht ausgereicht.

ROCHELLE In unserem ersten Sommer im *atrad* zog Jack sich eine schreckliche Hautinfektion zu, die fast seinen ganzen Körper erfaßte. Wir führten sie teils auf den Schmutz zurück, in dem wir lebten, teils auf Unterernährung; seit fast zwei Jahren hatten wir kaum etwas zu essen.

Überall bildeten sich Furunkel, von den Füßen bis zum Hals, im Gesicht und besonders an den Beinen und in der Schamgegend. Es waren große Beulen, rot und wund, und bei der leisesten Berührung rann gelber Eiter heraus, so dick wie Honig. Jacks ganzer Körper war nur noch ein Knochen- und Eiterbündel.

JACK Ich ging zu unserer Ärztin im *atrad*, aber sie sagte, sie könne nichts für mich tun. Für einen solchen Fall habe sie keine Medikamente. Sie meinte, es würde von selbst wieder vergehen. Ich konnte mir nicht vorstellen, wie – ich war über und über voller Furunkel! Gelangte die Infektion in die Blutbahn, würde das, wie die Ärztin nebenbei erwähnte, mein Ende bedeuten.

ROCHELLE Es wurde so schlimm, daß Jack es in Schuhen nicht mehr aushielt. Er wickelte sich Stoffetzen um die Füße, die aber an den Furunkeln klebenblieben und den Schorf abrissen, wenn man sie wieder abnahm, so daß die Schmerzen und die Entzündung nur noch schlimmer wurden. Und das Problem waren nicht nur die Füße. Alles, was Jack anzuziehen versuchte, klebte an ihm fest. Ich dachte, es würde vielleicht helfen, wenn wir seinen Körper der Luft aussetzten, so daß die Furunkel austrocknen konnten. Aber sobald er nackt war, begannen sich alle möglichen Würmer und Käfer an ihm gütlich zu tun.

So ging das über mehr als drei Monate. Jack war so krank – und so deprimiert! Er ekelte sich vor sich selbst. Einmal sagte er zu mir, ich solle fortgehen, mich nicht mehr um ihn kümmern, nicht mehr versuchen, ihn gesundzupflegen. Er wisse, daß er mir nur das Leben schwermache, mir und den anderen im *atrad*. Er könne nicht mehr... er wolle sich umbringen. So mußte ich nicht nur versuchen, die Infektion einzudämmen, sondern auch aufpassen, daß er sich nicht das Leben nahm.

Jack war nicht der einzige im Lager, der in dieser Zeit krank wurde, aber niemandem ging es über so lange Zeit so schlecht. Ich ging zum Stabschef – nicht zu Wertheim, sondern zu Pressman selbst – und fragte ihn, ob Jack besseres Essen bekommen könne. Jack konnte nicht einmal mehr laufen. Er lag in unserem Unterstand, nur mit einer dünnen Decke zugedeckt, damit so wenig Stoff wie möglich an ihm klebenblieb. Um ihn wieder zu Kräften zu bringen, gab ich ihm von meinen eigenen Fleisch- und Gemüserationen, aber er wurde immer deprimierter. Ich glaube, das war der tiefste Tiefpunkt, den Jack je erreicht hat.

Fast alle hatten Mitleid mit ihm. Einige aber waren boshaft und gemein, auch sogenannte Freunde von Jack. »Was mühst du dich mit ihm ab?« sagten sie zu mir. »Ihr seid doch nicht verheiratet, also bist du nicht für ihn verantwortlich. Warum verläßt du ihn nicht einfach?«

Was für eine Frage! Nicht etwa, daß das ein Problem gewesen wäre: Ich hätte nur mein zweites Paar Hosen nehmen und im Unterstand zwei Plätze weiterrücken müssen.

Aber ich hätte ihn *niemals* verlassen. Ich liebte ihn so sehr! Ich betete jeden Abend, daß er am Leben bleiben möge.

JACK   Ich dachte sehr viel an Selbstmord. Am liebsten hätte ich mich an einer gefährlichen Mission beteiligt und mich im Kampf erschießen lassen, nachdem ich zuvor ein paar Deutsche getötet hatte. Aber ich konnte mich kaum von der Stelle bewegen, und an einen längeren Marsch war gar nicht zu denken. Ich hätte mir schon selbst das Leben nehmen müssen, und ein paarmal war ich auch fast soweit.

Was mich daran hinderte, war nicht Rochelle – ich war überzeugt, sie wäre ohne mich besser zurechtgekommen. Aber ich machte mir Sorgen um meinen Vater Julius. Ich konnte nicht erwarten, daß Rochelle nach meinem Tod bei ihm blieb, und ohne ihre Fürsorge hätte er möglicherweise furchtbar gelitten. Aber auch so kamen die Selbstmordgedanken immer wieder.

Rochelle war ungeheuer lieb und fürsorglich. Sie pflegte in dieser Zeit nicht nur mich, sondern noch einen anderen Mann im *atrad*. Er lebte mit seiner Frau zusammen; ich weiß noch, daß sie mit Familiennamen Farfel hießen. Er hatte die gleiche Krankheit wie ich, nicht ganz so schlimm, aber schrecklich genug. Die Furunkel, in deren Zentrum schwarze Punkte saßen, mußten ausgedrückt und gereinigt werden, und es gab nichts, was diese Arbeit hätte erleichtern können, keine Handschuhe, kein antiseptisches Material. Man mußte es mit bloßer Hand tun und Stoffetzen zu Hilfe nehmen. So machte Rochelle es auch bei mir.

ROCHELLE Farfels Frau – sie lebte mit ihm in eheähnlicher Gemeinschaft, wie man es nennen würde, so wie ich mit Jack – brachte es nicht über sich, die Furunkel zu reinigen, und da er starke Schmerzen hatte, ging ich zu ihm und half ihm. Ich erinnere mich, daß er auf dem Bauch lag… ein ziemlich häßlicher Bursche. Ich drückte die Furunkel aus, und nach und nach ging es ihm wieder besser. Sein Vater lebte ebenfalls im *atrad* und arbeitete wie Julius in der Küche. Er schaute mir zu, und einmal sagte er: »Warum hat mein Sohn nicht auch so eine Frau?«

Ich dankte ihm für seine Worte, aber ich wollte diese Frau nicht in ein schlechtes Licht rücken. Es war leichter für mich, ihrem Mann zu helfen, als ihn mit seinen Schmerzen daliegen zu sehen.

JACK Endlich – durch Versuch und Irrtum – entdeckten wir die richtige Medizin. Wir hatten es mit allem versucht, was uns in den Wäldern zur Verfügung stand, aber die Lösung war ganz einfach: Teer.

ROCHELLE Wir schälten Birkenrinde ab, verschwelten sie zu Kohle und kochten sie dann. Dabei entstand eine dicke schwarze Flüssigkeit, die wir auf die offenen Furunkel auftrugen. Wie die Flüssigkeit wirkte, kann ich nicht erklären; jedenfalls schien sie die Infektion zu stoppen.

JACK Der Birkenteer war so dick, daß ich ihn, als die Infektion abzuklingen begann, kaum wieder abbekam. Noch jahrelang hatte ich kreisrunde rote Flecken an den Beinen. Am linken Bein sind noch heute ein paar zu sehen... wie alte Kriegsverletzungen, die nie ganz verheilt sind.

Rückblickend weiß ich, daß diese schlimme Zeit zugleich ein guter Test für unsere Beziehung war. Ein anderes Mädchen hätte mich verlassen. Rochelle aber blieb bei mir, und das zeigte, wie stark unsere Liebe war. Ich schwor mir, sie bis an mein Ende zu beschützen und für sie zu sorgen, falls wir überleben sollten.

VIII
Sturm auf den Nalibocka-Wald

ROCHELLE Im August 1943 fand ein massiver Angriff auf den Nalibocka-Wald statt. Es war eine groß-angelegte Operation... Panzer... Flugzeuge... Soldaten – von allen Seiten wurde geschossen. Der ganze *atrad* war auf der Flucht. Wir hatten nur keine Ahnung, wohin wir fliehen sollten.

Später erfuhren wir, daß an der Aktion zwei deutsche Divisionen, also fast zwanzigtausend Mann beteiligt waren, die noch von polnischer Polizei unterstützt wurden. Der ganze Nalibocka-Wald wurde umstellt.

Die Deutschen hatten beschlossen, den Aktivitäten der Partisanen ein Ende zu setzen. Die Tatsache, daß immer wieder Züge und Lastwagen in die Luft gesprengt wurden, schadete ihnen auch politisch, denn die Einheimischen, deren Bauernhöfe so oft überfallen wurden, wußten genau, daß die Deutschen den Nalibocka-Wald nicht unter Kontrolle hatten. Die Menschen fragten sich, wie lange sich diese überhaupt noch in Polen würden halten können.

Mit dem großen August-Angriff sollten sämtliche Partisanengruppen in dem Gebiet eingekesselt und ein für allemal unschädlich gemacht werden. Durch Informationen polnischer Bauern, die unsere Bewegungen im Laufe der Zeit ausspioniert hatten, wußten die Deutschen endlich über die Standorte der großen *atrad*s Bescheid.

JACK Für einen *atrad* wie unseren mit so vielen alten Leuten und Frauen mit Kindern war es schwierig, rasch und als geschlossene Gruppe vorwärtszukommen.

Ein Umstand aber kam uns – und auch den anderen *atrad*s – zu Hilfe. Als die Deutschen in den Nalibocka-Wald einfielen, müssen sie große Angst gehabt haben, von einer oder mehreren Partisaneneinheiten aus dem Hinterhalt angegriffen zu werden. Und ihre Angst war begründet, denn das geschah anfangs tatsächlich. Sie schwärmten deshalb nicht aus, sondern hielten ihre Reihen dicht geschlossen. So sahen – und hörten – wir sie aus der Entfernung näherkommen und wußten daher zumindest, in welche Richtung wir flüchten mußten.

Als sie ihren Vormarsch beschleunigten, wurde allen *atrad*-Befehlshabern klar, daß Rückzug die einzig realistische Alternative war – Rückzug in die innersten Sümpfe der Nalibocka-Wildnis. In offener Schlacht mit ausgebildeten deutschen Divisionen hätten die Partisanen keine Chance gehabt. Und eine gemeinsame Gegenwehr aller *atrad*s kam nicht in Betracht, da die Verbindungen zwischen den verschiedenen Lagern nicht gut genug waren.

Also ergriffen wir die Flucht. Außer unseren Waffen und etwas Essen, das wir uns in die Taschen stopften, ließen wir alles im Lager zurück.

ROCHELLE Anfangs liefen wir alle in die gleiche Richtung. Dabei traten wir das hohe, harte Gras nieder, das in den Sümpfen wuchs, und es entstand ein deutlich sichtbarer Pfad, den die Deutschen nicht hätten verfehlen können.

Ich weiß noch, daß wir zu fünft waren, als die Rückzugslinie sich auflöste: Julius, Jack und ich und noch ein anderes Paar. Plötzlich wurde ich mir der Gefahr bewußt.

Mitten im Laufen hielt ich inne und sagte zu den anderen – als hätte jemand mir die Worte eingegeben: »So hat das keinen Zweck! Die Deutschen brauchen nur dem plattgetretenen Gras zu folgen, und schon haben sie uns. Bestimmt wollen sie so viele wie möglich fassen – da werden sie sich wegen ein paar Leuten nicht weiter aufhalten. Laufen wir lieber allein weiter, weg von dem Pfad!«

Die anderen waren einverstanden. Wir bogen nach rechts ab, geradewegs in ein besonders sumpfiges Gelände. Nach kürzester Zeit reichte uns das Wasser bis ans Kinn. Da standen wir, versuchten uns möglichst wenig zu bewegen und mußten uns in einer Art Menschenkette aneinander festhalten, um nicht abzurutschen und zu versinken.

Kurz darauf hörten wir Maschinengewehrfeuer und laute deutsche Rufe. Wir waren nur etwa fünfzig Meter von der Hauptvormarschlinie der Deutschen entfernt. Wir durften keinerlei Geräusch machen und uns nicht rühren, damit die Grashalme sich nicht bewegten. Einen Tag und eine Nacht standen wir so, denn noch immer hörten wir Lärm und Schießen. Blutegel hatten sich an unserem Kinn festgesaugt, und unter der Wasseroberfläche saßen sie an Händen, Beinen und Füßen. In der Nacht hielten wir uns gegenseitig wach, um nicht einzuschlafen und zu ertrinken.

Am nächsten Morgen hörten wir nichts mehr. Wir sagten uns, die Deutschen müßten inzwischen so weit vor uns sein, daß wir den Sumpf verlassen und trockenes Gelände aufsuchen konnten. Unsere Füße sahen aus wie Elefantenfüße, und unsere Kleider stanken faulig. Wir ekelten uns vor uns selbst.

Wir zogen uns aus, um unsere Kleider trocknen und auslüften zu lassen. Wir waren nackt, hatten nichts mehr zu essen und nur das Sumpfwasser zu trinken. Tagelang lebten wir so. Unsere Hauptnahrungsquelle war ein totes Pferd, das wir gefunden hatten. Wir schabten die Maden ab und aßen das rohe, angefaulte Fleisch. Ich weiß noch, wie Julius sich ein Stück davon in die Tasche steckte, um es für später aufzuheben.

Schließlich erreichten wir ein höhergelegenes Gelände, wo alles ruhig zu sein schien. Es gab dort sogar sauberes Wasser, und wir konnten Blaubeeren und Pilze sammeln. Wir machten Feuer, und ich kochte aus Wasser und Pilzen eine dünne Suppe. Als Kochtopf benutzte ich den Helm eines gefallenen deutschen Soldaten. Es war unsere erste warme Mahlzeit seit mindestens einer Woche. Wir hatten keine Ahnung, ob die Pilze giftig waren oder nicht. Wir waren überzeugt, wir würden verhungern, wenn wir sie nicht aßen, also versuchten wir es. Keiner von uns starb.

Unsere beste Mahlzeit gab es, als wir ein paar Kaninchen sichteten, das Risiko eingingen, uns durch die Schüsse zu verraten, und sie erlegten. Wir brieten sie auf der Stelle – ein Festschmaus. Außerdem fanden wir ein totes Huhn. Entsprechend ihrer üblichen Strategie bei der Jagd auf Partisanen hatten die Deutschen alles Vieh im Umkreis getötet. Manchmal brannten sie auch Bauernhöfe und sogar ganze Dörfer nieder. Das Huhn war eines ihrer Opfer, aber uns kam es sehr gelegen. Ich machte Hühnersuppe daraus und gab noch ein paar Rüben und Kartoffeln hinein, die wir auf einem Acker am Waldrand gefunden hatten. Die Suppe war dicker als die Pilzsuppe, nur hatten wir kein Salz, und der Geschmack erinnerte mich an Rizinusöl... aber sie schmeckte herrlich!

So überlebten wir. Und so überlebten auch die meisten anderen Partisanen im Nalibocka-Wald. Alles in allem war die Aktion für die Deutschen ein Fehlschlag gewesen. Sie waren zwar in der Übermacht gewesen, aber im Gegensatz zu uns mit dieser Wildnis, in der es so viele Verstecke gab, nicht vertraut. Grauenvolle, sumpfige Verstecke, die jedoch ihren Zweck erfüllten. In gewisser Weise war die ganze Aktion ein gigantisches Katz-und-Maus-Spiel gewesen. Wir hatten die Soldaten in eine Richtung vorrücken hören und waren in die andere gelaufen.

Das heißt nicht, daß nicht viele Partisanen, Juden ebenso wie Russen, ums Leben gekommen wären. Aber die große Mehrheit hatte überlebt, sogar in unserem *atrad* mit seinen Frauen, Kindern und alten Leuten. Die Verluste der Deutschen waren etwa zwanzigmal so hoch wie die der Partisanengruppen.

JACK   Der Angriff dauerte in seiner vollen Wucht etwa zwei Wochen. Als alles vorbei war, hatten sich die Partisanen über die ganze Wildnis zerstreut. Dann machten sie sich auf den Weg zurück in ihre Lager, um sich neu zu gruppieren. Unterwegs begegneten wir Partisanen aus zahlreichen anderen Gruppen, und von ihnen erfuhren wir, daß der Generalangriff für die Deutschen schlecht ausgegangen war.

Es wurden sogar drei oder vier deutsche Flugzeuge abgeschossen, tieffliegende Aufklärer mit Ein-Mann-Besatzung. Mit einem normalen Gewehr konnte man, wenn man auf den richtigen Punkt zielte, den Piloten treffen und die Maschine herunterholen.

Wir hörten auch von einzelnen Partisanengruppen, die deutsche Soldaten gefangengenommen und an den Füßen aufgehängt hatten.

Das erstaunlichste war, daß wir Zorins Lager unversehrt vorfanden, als wir endlich wieder dort anlangten. Alles war unberührt. Hätten die Deutschen es entdeckt, hätten sie es mit Sicherheit niedergebrannt und alles zerstört. Wären wir also einfach dageblieben, hätten wir sie überhaupt nicht zu Gesicht bekommen. Aber wer konnte das wissen?

Auch Zorin und sein Führungsstab kehrten zurück und organisierten den *atrad* für den Winter. Einen weiteren so massiven Angriff hielten wir für unwahrscheinlich, weil die Deutschen in diesem Spätjahr 1943 an der russischen Front in ernsten Schwierigkeiten steckten.

ROCHELLE   Jetzt kommt eine Geschichte, die ich außer Jack noch *niemandem* erzählt habe.

Der Frühling 1944 rückte näher, und wir wußten, daß die Befreiung kurz bevorstand. Da erhielten wir eine Nachricht, über die ich mich zunächst sehr freute. Einige der Partisanen in Zorins *atrad*, die in Stolpce aufgewachsen waren und meine Familie kannten, erzählten mir, sie hätten meinen Onkel Oscar getroffen. Er lebte als Pole getarnt auf einem polnischen Bauernhof mit einer Polin, ihrer Schwester – sie war das, was man eine alte Jungfer nennt –, ihrem Bruder und dessen Frau zusammen.

Ich wußte, daß Oscar noch vor den letzten Liquidierungen aus dem Ghetto von Stolpce geflohen war. Ich habe ja schon erzählt, daß er in den holzverarbeitenden Betrieben unserer Familie der Partner meines Vaters gewesen war, derjenige, der in die Wälder ging und mit den polnischen Bauern Geschäfte machte. Dadurch kannte er die Wälder und die Menschen, die in der Region lebten, sehr gut. Im Grunde war er eine Art Playboy gewesen, der mit vielen Bauerntöchtern Affären hatte. Er hätte gewußt, wo wir uns hätten verstecken können, als die Deutschen kamen, aber er weihte die Familie nicht in seine Pläne ein: Er brachte sich selbst in Sicherheit, ohne den anderen ein Wort davon zu sagen.

Trotzdem war ich sehr aufgeregt, als ich erfuhr, daß ein

Mitglied meiner Familie am Leben war! Der Hof, auf dem er lebte, lag etliche Kilometer von Zorins Lager entfernt. Es war eine ganze Tagesreise. Trotzdem entschloß ich mich, Onkel Oscar zu besuchen.

Es war ein gefährliches Unternehmen. Die Deutschen befanden sich zwar auf dem Rückzug von der russischen Front, aber sie hatten das Gebiet noch immer unter Kontrolle, und noch immer wurden Juden auf der Stelle erschossen. Daß Jack mich begleitete, wollte ich nicht. Er kam zwar merklich zu Kräften, aber durch die Nachwirkungen seiner Krankheit hätte ihm der Weg doch Mühe gemacht, und wir wären nicht so schnell vorangekommen, wie wenn ich allein ging. Jack war zwar nicht sehr angetan von meinem Vorhaben, doch er verstand, wieviel mir daran lag, ein Mitglied meiner Familie wiederzusehen.

Ich hielt mich von den Straßen fern und wanderte, wo immer es ging, durch die dichtesten Wälder. Es war anstrengend, und ich wurde sehr müde, aber ich sagte mir immer wieder: »Mein Onkel lebt! Vielleicht wird er getötet, bevor die russischen Truppen kommen, vielleicht werde ich auch getötet. Ich muß ihn sehen, jetzt gleich, ehe es zu spät ist!«

Endlich erreichte ich seinen Hof. Onkel Oscar war hocherfreut, mich zu sehen! Er war inzwischen Ende Vierzig, wirkte aber noch gesund und vital. Auf dem Bauernhof hatte er die schwere Zeit gut überstanden, und ich freute mich darüber.

Er stellte mich der Frau vor, mit der er zusammenlebte... sie hieß Antonina. Sie und ihre Familie hatten Oscar versteckt und ihm damit das Leben gerettet. Sie hießen mich willkommen und boten mir zu essen und zu trinken an. Dann ließen sie uns allein, damit wir ungestört reden konnten.

Wir beschlossen, einen Spaziergang zu machen. Wir

waren beide ganz aufgewühlt von unserem Wiedersehen! Oscar stellte mir tausend Fragen. Er war relativ früh aus dem Ghetto geflohen und hatte nie nähere Einzelheiten über das Schicksal der übrigen Familie erfahren. Durch mich hörte er zum ersten Mal von diesen schrecklichen Dingen.

Wir gingen durch den Wald, der an den Hof angrenzte. Es war schön und bewegend, endlich wieder mit einem Verwandten zusammenzusein. Er weinte und umarmte mich und nannte mich sein Kind. Das erschien mir ganz natürlich, denn als wir uns das letzte Mal gesehen hatten, war ich ja wirklich noch ein kleines Mädchen gewesen.

Dann kam die große Überraschung. Als wir weiter vom Haus entfernt waren, fing er an, mir Avancen zu machen! Das war keine väterliche Liebe mehr. Er küßte und umarmte mich, und anfangs schrieb ich es noch seiner Wiedersehensfreude zu. Doch dann merkte ich, daß er mehr wollte.

»Was ist los mit dir?« fragte ich ihn. »Bist du verrückt geworden?«

Mein Desinteresse machte ihn wütend. Ich hatte ihm von Jack erzählt, und er sagte: »Was hast du denn? Du schläfst doch auch mit diesem jungen Mann! Bin ich vielleicht schlechter als er?« Mit anderen Worten: Gib Oscar eine Chance, vielleicht ist er sogar besser. Es war nicht zu fassen.

Das also war mein Onkel. Nach all meinen gefühlvollen Ergüssen, nachdem ich ihm erzählt hatte, was ich alles durchgemacht hatte, trocknete er seine Tränen und wollte mit mir schlafen!

Ich konnte ihn mir kaum vom Leibe halten. Er war zwar kein russischer Partisan und würde mich nicht schlagen oder vergewaltigen, aber er drängte sich mir auf, und ich wurde sehr böse. Ich sagte, er solle mich in Ruhe lassen, und gab ihm deutlich zu verstehen, daß ich mir so etwas nicht gefallen lassen würde.

Es war eine äußerst unangenehme Situation, denn es war schon Abend, und ich konnte nicht mehr in unser Lager zurück. Ich mußte die Nacht bei Oscar und seiner polnischen Familie in dem Bauernhaus verbringen. Wir hatten die ganze Zeit aufgepaßt, daß wir nicht zu laut wurden, denn wir wollten uns beiden die Peinlichkeit ersparen, von den anderen gehört oder gesehen zu werden. Und jetzt, nach einer solchen Szene, mußte ich mit meinem Onkel ins Haus zurück und so tun, als wäre nichts gewesen.

Aber irgendwie schafften wir es. Mein Onkel ließ sich nicht das geringste anmerken. Er ging mit seiner Antonina schlafen, und ich teilte das Bett mit ihrer Schwester. Im ersten Morgengrauen stand ich auf und verabschiedete mich. Ich wollte so schnell wie möglich fort. Onkel Oscar wollte mir unbedingt noch dieses und jenes mitgeben, aber ich wies alles zurück. Ich hatte jegliche Achtung vor ihm verloren. Es war ein Alptraum gewesen.

Als ich zurückkam, wollte ich mein Erlebnis für mich behalten, um Jack nicht zu beunruhigen. Aber ich muß wohl so angeschlagen gewirkt haben, daß er mich fragte, was los sei. So mußte ich ihm alles erzählen.

JACK Ich grübelte wochenlang darüber nach. Dann sagte ich Rochelle, daß ich ihrem Onkel einen Besuch abstatten wolle. Den größten Teil des Weges legte ich zusammen mit zwei anderen Männern aus dem *atrad* zurück, die in derselben Gegend eine Mission durchzuführen hatten. Nach deren Beendigung wollten wir uns auf dem Hof treffen und dann aus Sicherheitsgründen wieder gemeinsam zurückkehren.

Unterwegs dachte ich daran, Oscar umzubringen.

Hätte ich es gekonnt? Ich kann es heute nicht mehr sagen. Vielleicht. Ich war so wütend, daß er Rochelle das angetan hatte. Wütend genug, um an Mord zu denken, soviel kann ich immerhin sagen.

Die beiden anderen klärte ich nicht im einzelnen über mein Vorhaben auf, ich bat sie nur, mir zu helfen, falls ich in Schwierigkeiten sein sollte, wenn sie mich abholen kamen. Ich hatte keine Ahnung, wie Onkel Oscar mich empfangen würde. Vielleicht würde er gewalttätig werden. Bei allem Zorn war ich offen gestanden auch sehr neugierig, was für eine Art Mensch ich vorfinden würde.

Ich hatte Oscar mein Kommen nicht angekündigt, aber er war von Anfang an ausgesprochen freundlich und zugänglich und tat so, als wäre nie etwas gewesen. Er zeigte keinerlei Verlegenheit und schien sich der ganzen Sache überhaupt nicht bewußt zu sein. Entweder er machte mir etwas vor, oder es kümmerte ihn tatsächlich nicht. Jemanden, der sich so verhielt, zur Rede zu stellen und zu töten, war natürlich schwierig. Ich bin mir nicht sicher, aber wahrscheinlich glaubte er, ich wisse nicht, was er Rochelle angetan hatte. Er dachte wohl, sie habe sich geschämt, mir davon zu erzählen. Wir unterhielten uns über Rochelle und darüber, wie der Rest der Familie umgekommen war.

Schließlich kamen die beiden Männer aus dem *atrad*, um mich abzuholen, und ich ging mit ihnen fort. Ich habe Oscar nicht zur Rede gestellt. Ich wollte nicht mehr an die Dinge rühren. Auf dem Weg zurück ins Lager war ich frustriert und innerlich noch immer voll Zorn. Aber ich sagte mir, daß es Rochelle nichts genützt hätte, wenn ich ihren letzten Angehörigen in ganz Europa umgebracht hätte. Es war schon genug gemordet und gestorben worden.

Trotz aller guten Nachrichten von der russischen Front war der Krieg für uns noch nicht zu Ende. Wir unternah-

men weiterhin Beutezüge und zerstörten deutsche Nachschublinien.

Ich hatte nach wie vor regelmäßig Wachdienst an der
Vorpostenlinie des *atrad*. Für den Fall, daß wir während
dieser Wachen deutsche Soldaten sichteten, hatten wir Or-
der, auf sie zu schießen und möglichst viele zu töten. Sie
waren in der Defensive, und wir sollten ihren Rückzug behindern, wo immer wir konnten.

Doch zum ersten Mal, seit die Deutschen in Ostpolen
einmarschiert waren, begannen wir ernsthaft Hoffnung zu
schöpfen, daß man sie aus dem Land vertreiben würde und
daß wir es selbst miterleben würden.

ROCHELLE   Ich verfolgte alle Berichte und Gerüchte mit ungeheurem Interesse. Wir erhielten unsere
Informationen hauptsächlich von anderen Partisanengruppen, und ab und zu hatte ich Gelegenheit, in unserem
atrad Radio zu hören. Einige der Bauern, die wir aufsuch-
ten, gaben jede Neuigkeit, die sie hörten, an unsere Beute-
trupps weiter.

Ich wußte, daß die russische Front immer näherrückte.
Unsere Leute hatten regelmäßig Gefechte mit deutschen
Truppen, die in ungeordnetem Rückzug unser Gebiet
durchquerten. Zorin entsandte regelrechte Kommandos,
die Landstraßen und Kreuzungen überwachten und Befehl
hatten, möglichst viele zurückweichende deutsche Soldaten aus dem Hinterhalt anzugreifen und zu töten.

Das alles waren zwar erfreuliche Nachrichten, was den
allgemeinen Verlauf des Krieges anbelangte, doch unsere
Aktivitäten in dem Gebiet wurden dadurch nur um so gefährlicher.

Jack und ich hatten soviel durchgemacht, und jetzt fing
er gerade an, sich von dieser schrecklichen Hautkrankheit

zu erholen, die ihn monatelang gequält hatte. Da sagte ich mir: »Endlich habe ich ihn wieder soweit, und jetzt wird er womöglich bei einem Überfall getötet!« Jetzt, da das Ende in Sicht war. Nicht, daß es das reine Paradies sein würde, wenn die Russen zurückkamen, aber es würde doch wesentlich besser sein als unter den Deutschen. Wir würden endlich eine Chance bekommen, ein normales gemeinsames Leben zu führen, ohne die ständige Gefahr, auf der Stelle erschossen zu werden.

So beschloß ich, alles zu tun, damit Jack am Leben blieb. Ich sagte ihm, er solle sich weiterhin krank stellen, obwohl es ihm allmählich besser ging. Er sah noch schrecklich aus, über und über voll roter Flecken, Beulen und schwarzem Teer.

Immer wieder ging ich zu unserem Freund Wertheim, der in Zorins Führungskreis nach wie vor großen Einfluß besaß. Ich bat ihn, sich klarzumachen, daß Jack noch immer krank sei und daß man ihn nicht zu gefährlichen Aktionen drängen solle, bei denen er nicht Schritt halten konnte und keine Chance hatte, mit dem Leben davonzukommen. Einmal aber war Jack definitiv für einen Angriff eingeplant. Ich bat und flehte so lange, bis Wertheim mir versprach, Jack freizustellen. Und er hielt Wort.

Einmal ging ich sogar zu Zorin selbst und fing an zu weinen. Es waren echte Tränen. Ich hatte Angst, daß Jack getötet werden könnte. Ich wünschte mir so sehr, daß er am Leben blieb.

JACK   Auch hier muß ich sagen: Es ist richtig, daß Rochelle mich hin und wieder von einem Überfall oder einer anderen Aktion abgehalten hat. Aber meistens war ich, sobald meine Furunkel abgeheilt waren, mit den anderen *atrad*-Kämpfern draußen und setzte mein Leben aufs

Spiel. Ich wollte es so. Das heißt nicht, daß ich nicht manchmal in Konflikt geraten wäre – natürlich wollte ich am Leben bleiben! Andererseits brannte ich noch immer darauf zu kämpfen. Es war nicht sehr angenehm zuzuschauen, wie die anderen Kämpfer ohne mich loszogen.

Dann kam der März 1944. Eines Tages hörten wir in unserem Lagerradio, daß die vorrückende Front der Roten Armee nur noch knapp hundert Kilometer entfernt sei. Ein paar Tage später folgten noch aufregendere Neuigkeiten: Die Rote Armee hatte unsere Heimatstädte Mir und Stolpce und das nahegelegene Nieswierz befreit, und die Front war nur noch etwa fünfzig Kilometer entfernt.

Es ist unmöglich, unsere Freude zu beschreiben, als wir nach nahezu drei Jahren in den Wäldern davon hörten.

An diesem Abend saßen Rochelle, Julius und ich mit Freunden zusammen am Feuer. Wir freuten uns nach wie vor, aber die erste Euphorie war verflogen, und irgendwie hatten wir alle das Bedürfnis, Bilanz zu ziehen. Wir tauschten Erinnerungen an Partisanenfreunde aus, die bei Zusammenstößen mit dem Feind getötet worden waren oder bei Sprengstoffanschlägen auf die wichtigsten deutschen Straßen und Bahnstrecken ihr Leben aufs Spiel gesetzt und manchmal auch eingebüßt hatten. Und wir unterhielten uns über die Familien, die wir verloren hatten.

Für die älteren Männer und Frauen im Lager und auch für einige der elternlosen Kinder war die Nachricht von unserer möglichen Befreiung eine unbeschreibliche Freude – im ersten Moment. Alle strahlten, umarmten sich und waren glücklich, endlich nach Hause zu können. Am nächsten Tag aber, als ich an ihren Unterständen vorbeikam und mit einigen von ihnen sprach, merkte ich, daß sie inzwischen nachgedacht und sich klargemacht hatten, daß es keine Familie mehr gab, zu der sie zurückkehren konnten, daß kein Heim auf sie wartete, daß ihre polnischen

Nachbarn nicht sehr erfreut sein würden, sie wiederzusehen. Sie dachten an die Toten, die Eltern und die Kinder, die sie geliebt hatten.

Wo sollten sie hin? Was sollten sie tun?

Ein paar Tage nach der Nachricht von der Befreiung von Mir und Stolpce hörten wir heftiges Gewehrfeuer, das immer näherkam. Unser Führer Zorin rief alle Partisanenkämpfer im Lager zusammen und sagte: »Die deutsche Armee befindet sich auf dem Rückzug. Sehr viele deutsche Soldaten werden versuchen, die Hauptstraßen zu umgehen, um nicht von der sowjetischen Luftwaffe bombardiert zu werden. Also werden sie hier in den Wäldern auftauchen.«

Zorin entwickelte einen Plan. Er sah vor, daß wir die zurückweichenden Deutschen von allen Seiten aus dem Hinterhalt angreifen und zugleich unser Lager schützen sollten. Wir bildeten sechs Kampfgruppen und bezogen mehrere Stellungen im Umkreis von eineinhalb Kilometern. Wir waren zu diesem Zeitpunkt reichlich mit Waffen ausgerüstet – Maschinengewehren, automatischen Waffen und Handgranaten.

Nach einigen Stunden sahen wir mehrere kleine Trupps deutscher Soldaten langsam auf uns zukommen. Sie wußten, daß es im Nalibocka-Wald Partisanen gab, kannten jedoch unsere Standorte nicht.

Als sie nahe genug herangekommen waren, gab Zorin Befehl, von allen Seiten das Feuer zu eröffnen. Viele der Soldaten fielen, andere konnten entkommen. Wir zählten einundzwanzig Tote, darunter auch mehrere SS-Offiziere. Wir nahmen ihnen Waffen und Munition ab, formierten uns neu und wechselten unsere Position. Dann warteten wir.

Es dauerte nicht lange, da wurde auf uns geschossen. Auch die Deutschen hatten sich neu formiert. Was blieb ihnen anderes übrig? Die Rote Armee war ihnen auf den Fersen, und sie mußten weiter, in unsere Richtung.

Zorin befahl, das Feuer nicht zu erwidern. Auf diese Weise hofften wir sie in dem Glauben zu wiegen, wir hätten uns zurückgezogen, und konnten unsere Position bis zum letzten Moment geheimhalten. Nach etwa zehn Minuten sahen wir die Deutschen – andere hatten sich ihnen angeschlossen, so daß es mehr als vorher waren – langsam näherkommen.

Dann eröffneten wir das Feuer. Es war eine regelrechte Schlacht. Mehrere von unseren Männern wurden verwundet, und Pressman, Zorins stellvertretender Kommandeur, kam ums Leben. Diese Verluste spornten uns noch mehr an. Einige unserer Kämpfer – außerordentlich tapfere Männer – robbten mit Handgranaten bewaffnet vorwärts, und es gelang ihnen, mehrere deutsche Maschinengewehrstellungen zu zerstören, die uns schwer zu schaffen gemacht hatten. Das erlaubte uns, immer von neuem den Standort zu wechseln, um bei den Deutschen den Eindruck zu erwecken, sie hätten es mit einer größeren Zahl von Gegnern zu tun.

Als wir schließlich deutlich im Vorteil waren, rief Zorin – in gebrochenem Deutsch, aber er konnte sich verständlich machen – den Deutschen zu, sie sollten sich ergeben; sie hätten es dieses Mal nicht mit wehrlosen Juden zu tun, sondern mit bewaffneten jüdischen Partisanen. Daraufhin verstärkten sie ihre Gegenwehr. Vermutlich waren sie sich darüber im klaren, daß sie von jüdischen Partisanen keine Gnade zu erwarten hatten.

Die Deutschen besaßen genügend Munition und belegten uns mit ununterbrochenem Maschinengewehrfeuer. Unsere Verluste nahmen zu. Zorin selbst wurde am Bein schwer verwundet, blieb aber auf seinem Posten und erteilte Befehle.

Endlich gelang es etwa einem Dutzend unserer Kämpfer, sich aus einer anderen Richtung an die Deutschen heranzupirschen und das Feuer auf sie zu eröffnen. Die Deutschen glaubten sich umstellt und gerieten in Panik. Sie begannen, nach allen Himmelsrichtungen um ihr Leben zu laufen, und ließen ihr gesamtes schweres Kriegsgerät zurück. Einige wenige entkamen, und wir verfolgten sie nicht weiter.

Wir brachten unsere Verwundeten ins Lager zurück, wo unsere Ärztin – Katja aus Minsk – sich um sie kümmerte. Sie hatte an diesem Tag alle Hände voll zu tun. Später überraschten einige unserer Männer zwei deutsche Soldaten, die sich in der Nähe hinter einem Busch versteckt hatten und eine Landkarte studierten. Sie ergaben sich widerstandslos und wurden zum Verhör ins Lager geführt.

Zorin konnte das Verhör nicht selbst leiten. Er hatte furchtbare Schmerzen. Katja hatte getan, was sie konnte, aber sie besaß nicht die nötigen Medikamente und Hilfsmittel, um eine so stark infizierte Wunde zu behandeln. War nicht rechtzeitig ein fähiger Stabsarzt der Roten Armee zur Stelle, würde man Zorins Bein möglicherweise amputieren müssen, um sein Leben zu retten.

So wurden die beiden gefangenen Soldaten von einigen der Kampfgruppenführer verhört, unter anderem auch von mir. Wir erfuhren, daß sie sich mit einer Gruppe von etwa 200 Mann auf dem Rückzug befunden hatten. Sie hatten gehofft, Zusammenstößen mit Partisanen aus dem Weg gehen zu können, und behaupteten, sie hätten nur deshalb auf uns geschossen, weil sie keine andere Wahl gehabt hätten; sie hätten nur ihren Befehlen gehorcht.

Sie hatten große Angst vor uns und zeigten uns Fotos von ihren Frauen und Kindern, um an unser Mitgefühl zu appellieren. Nach einiger Zeit merkten wir, daß sie uns für Russen hielten, und klärten sie über ihren Irrtum auf. Wir sagten ihnen, was die Deutschen unseren Familien angetan hatten, und sie wurden blaß und fingen an zu zittern.

Sie begannen zu bitten und zu flehen und beteuerten, daß sie nichts mit den Greueln zu tun gehabt hätten. Sie hätten jüdische Freunde, und einer von ihnen liebe eine jüdische Frau, die er heiraten wolle, was aber nicht möglich sei, da er bereits verheiratet sei. Nach einer Weile wurde ihnen jedoch klar, daß sie von uns kein Mitleid zu erwarten hatten.

Zorin ließ uns ausrichten, wir sollten sie in sein Zelt führen. Er hatte sich soweit erholt, daß er – mit Unterstützung einiger Mitglieder seines Stabes – das Verhör selbst fortführen konnte.

In der Zwischenzeit suchten wir die Umgebung nach weiteren feindlichen Nachzüglern ab und stießen auf einen kleinen Trupp von drei deutschen Soldaten und zwei polnischen Polizisten. Sie kamen langsam auf uns zu, unbewaffnet, die Hände im Nacken verschränkt. Wir durchsuchten sie, fanden jedoch keinerlei Dokumente. Wir fesselten sie mit Handschellen aneinander, und einige von uns brachten sie ins Lager. Wir anderen suchten weiter das Gelände ab, so lange, bis wir sicher waren, daß die noch übrigen Deutschen die Flucht ergriffen hatten.

Auf dem Rückweg hörten wir vom Lager her ungewohnte Geräusche, die immer lauter wurden, je näher wir kamen.

Als wir eintrafen, erzählte mir ein Freund, was geschehen war. Einige Mitglieder des *atrad*, die während der Kämpfe im Lager zurückgeblieben waren – ältere Männer, Frauen und Kinder –, hatten erfahren, daß Zorin und sein Stab zwei deutsche Soldaten verhörten. Sie hatten sich im Kreis um Zorins Zelt aufgestellt und verlangt, daß die Deutschen herausgebracht würden, um schwer bestraft zu werden.

Zorin ließ Bescheid geben, daß er das Verhör noch fortsetzen müsse, um Informationen zu erhalten, die für die Verteidigung des *atrad* lebenswichtig sein konnten. Doch die Leute weigerten sich zu gehen und begannen nach Rache zu rufen.

In diesem Moment trafen die fünf neuen Gefangenen im Lager ein. Sofort kreisten die wütenden *atrad*-Mitglieder sie ein und schrien noch lauter, bis ihr Schreien alles andere übertönte. Das war der Lärm, den wir von fern gehört hatten.

ROCHELLE   Auch ich war unter den schreienden Leuten.

Wir waren so erbittert, so voll Zorn. In all den Jahren bei den Partisanen hatten wir nie Gelegenheit gehabt, unserer Wut freien Lauf zu lassen. Auch die Beutezüge und sonstigen Aktionen des *atrad* waren ja eine Art Kampf auf Distanz: Man schoß auf die Deutschen und die polnische Polizei, und es wurde zurückgeschossen. Man bekam sie nicht persönlich zu fassen, konnte ihnen nicht unmittelbar gegenübertreten. Und ich als Frau hatte an diesen Kämpfen ohnehin nicht teilgenommen.

Ich hatte noch die letzten Worte meiner Mutter in Erinnerung, Worte, die sie gesprochen hatte, während sie darauf wartete, zu ihrem Grab gebracht zu werden: »Sag Rochelle, sie soll *nekome* – Rache – nehmen. Rache!« Ich habe während des Krieges viel darüber nachgedacht, und ich denke noch heute darüber nach. Und ich hatte immer das Gefühl, nicht genug getan zu haben, nicht wirklich mein Leben dafür eingesetzt zu haben. Der Überlebensinstinkt war zu stark.

JACK   Bei allen Überfällen und sonstigen Aktionen, an denen ich während des Krieges beteiligt war, habe ich immer auch an Rochelle gedacht.

ROCHELLE   Im Grunde waren die Worte meiner Mutter ein Befehl, den ich nicht ausführen konnte. Rache zu nehmen für den Tod meiner Eltern, meiner Schwestern – das war unmöglich. Doch ich sagte mir immer wieder, daß ich ja bei den Partisanen war, daß ich den *atrad* unterhalten half, daß ich tat, was ich konnte. Ich argumentierte mir selbst gegenüber – und ich tue es noch heute –, daß es dumm gewesen wäre, mich bei einem verzweifelten Selbstmordkommando töten zu lassen. Zu überleben und eine neue Familie zu gründen, wie Jack und ich es getan haben, war die bessere Rache – die beste überhaupt.

Doch dann wurden die fünf Gefangenen in unser Lager gebracht. Zum ersten Mal seit Kriegsausbruch hatten wir, die wir dort standen und ihnen entgegensahen, die Möglichkeit, uns persönlich zu rächen.

Wir waren weder bereit noch materiell darauf eingestellt, Kriegsgefangene zu machen. Und jeder von uns war voll ohnmächtiger Wut auf die Nazis und ihre polnischen Kollaborateure.

Alles stürzte sich auf die Gefangenen und traktierte sie mit Gewehrkolben, Fäusten und Stiefeln. Wir schlugen sie zu Brei. Ich weiß noch, wie sie kaum noch atmend auf der Erde lagen. Und ich... Ich glaube nicht, daß ich es jemals wieder tun könnte... Ich ging zu einem der deutschen Offiziere, der mit gespreizten Beinen dalag, und trat ihn in den Unterleib, wieder und wieder. Ich trat und schrie: »Für meine Mama! Für meinen *tate* [Papa]! Für meine Schwestern!« Ich schrie sämtliche Namen, an die ich mich erinnern konnte, die Namen aller meiner ermordeten Angehörigen und Freunde. Es war eine Erlösung! Es war, als hätte ich den Auftrag meiner Mutter endlich erfüllt.

Und ich war nicht die einzige. Die Mehrheit der anwesenden *atrad*-Mitglieder machte mit. Am meisten bekamen wohl die polnischen Polizisten ab. Wir alle wußten, daß die polnischen Kollaborateure oft noch grausamer gewesen waren als die Deutschen selbst. Es war für uns wie eine *mizwa* [eine gute Tat], hinzugehen und den Gefangenen Schläge zu versetzen. Und endlich die Wut loszuwerden.

Rückblickend bereue ich nicht, was ich getan habe. Ich glaube nicht, daß ich es wieder tun könnte, aber damals waren wir alle so voll Wut, voll Angst und Bitterkeit. Es genügte, den Feind unmittelbar vor uns zu haben, um alles aus uns herausbrechen zu lassen. Man hatte uns gezwungen, wie Tiere zu leben, und in diesem Moment wurden wir wirklich zu Tieren.

Ich muß dazusagen, daß diese Gefühle nicht anhielten. Etwa zwei Wochen später, nachdem die Russen uns befreit hatten, gingen Jack, Julius und ich auf der Suche nach einem Platz, wo wir die Nacht verbringen konnten, durch eine polnische Stadt. Wir kamen an einem Haus vorbei, vor dem eine Gruppe unbewaffneter deutscher Soldaten saß, die so schwer verwundet waren, daß sie sich kaum bewegen, geschweige denn flüchten konnten. Sie standen unter sehr lockerer sowjetischer Bewachung und erwarteten ihr Schicksal.

Sie saßen nur da und schauten uns an. Und ich schaute sie an. Jack und ich hatten noch die Pistolen bei uns, die man uns in Zorins Lager gegeben hatte. Wir hatten alle Vorteile auf unserer Seite. Doch nachdem wir die Wälder verlassen hatten, war meine Menschlichkeit sehr bald zurückgekehrt. Schon jetzt hätte ich diesen Soldaten nicht mehr antun können, was ich dem deutschen Gefangenen im *atrad* angetan hatte. Es war gewissermaßen in der Hitze des Gefechts geschehen. Jetzt sah ich in diesen Deutschen nur noch Menschen, gebrochen, verwundet, hungrig und elend. »Es sind doch nur Soldaten«, dachte ich, »Söhne und Väter, die man an die Front geschickt hat.« Ich hätte sie nicht mehr mit Füßen treten können, ich hätte nicht einmal mehr ein böses Wort zu ihnen sagen können.

Ich brachte es zwar nicht fertig, ihnen etwas zu essen oder zu trinken zu geben – soweit war ich noch nicht –, aber ich konnte sie ignorieren und an ihnen vorbeigehen, ohne ihnen etwas anzutun. Und das war ein großer Schritt vorwärts!

JACK   Zorin hatte versucht, die Menge von den fünf Gefangenen fernzuhalten, aber es war ihm nicht gelungen.

Die beiden anderen Deutschen wurden nach Beendigung des Verhörs ebenfalls der Menge übergeben. Wir hatten keine Möglichkeit, sie als Kriegsgefangene zu halten, und Zorin mußte der Stimmung im *atrad* Rechnung tragen.

Das Schicksal der Gefangenen trat in den Hintergrund, als wir eine Bilanz unserer eigenen Verluste zogen. Sechs von unseren Kämpfern waren getötet und elf verwundet worden. Wir begruben die Toten, voll Trauer darüber, daß sie so kurz vor der Befreiung noch hatten sterben müssen.

Um Zorins Bein stand es schlimm. Die Rote Armee rückte zwar immer näher – Rundfunkmeldungen zufolge war sie nur noch wenige Kilometer entfernt –, aber es würde dennoch zu spät sein. Die Infektion breitete sich rasch aus, und eine Amputation wurde unumgänglich. Es hatte damit zwar Zeit, bis die Ärzte der Roten Armee ka-

men, aber auch sie würden das Bein nicht mehr retten können.

Nachdem Zorin gehört hatte, wie es um ihn stand, bat
er darum, vor sein Zelt gebracht zu werden, um vor dem
versammelten *atrad* sprechen zu können.

Nach dem Krieg habe ich für eine jiddische Zeitung (die
Landsberger Zeitung) von seiner Rede berichtet und
möchte aus diesem Artikel zitieren:

»Meine Freunde!

Wir waren lange Zeit zusammen, und ich war immer
stolz auf euer Heldentum und euren Opfermut. Zusammen haben wir gelitten und gekämpft, geweint und
auch frohe Stunden erlebt.«

Er wischte sich die Tränen ab, schwieg eine Weile
und fuhr dann fort:

»In wenigen Stunden werden wir endlich frei sein.
Wir werden uns in alle Himmelsrichtungen zerstreuen,
wir werden einander vergessen und uns wahrscheinlich
nie wiedersehen.

Ich selbst werde wohl für den Rest meines Lebens
Invalide bleiben. Bitte vergeßt mich nicht. Bitte bleibt
mit mir in Verbindung. Ihr seid meine Familie.«

Er konnte nicht weitersprechen. Tränen liefen ihm
über die Wangen, und auch wir anderen weinten.

Wir wußten, daß er recht hatte. Unsere Zukunft war
ungewiß. Keiner von uns wußte, wie es mit ihm weitergehen würde, wo er sich wieder ein Zuhause würde
schaffen können.

Ich freue mich, daß ich Simcha Zorins Rede in diesem
Buch wiedergeben und ihn damit ehren kann. Es kam so,
wie er gesagt hatte: Ich habe ihn nach der Befreiung nie
wiedergesehen. Aber ich werde ihn immer in Erinnerung
behalten, als selbstlosen Retter so vieler Juden.

ROCHELLE Wir alle, die wir Zorins Rede hörten, glaubten, die Befreiung sei nur noch eine Frage von Stunden. Aber wir irrten uns. Bis die Rote Armee eintraf, wurde noch mehrere Tage gekämpft. Es gab – bis ganz zuletzt – ständig Gefechte mit den Deutschen, und einige von unseren Leuten kamen dabei noch ums Leben.

Ich sagte mir: »So geht das nicht.« Ich konnte nicht zulassen, daß Jack jetzt, da unser Überleben so nahe gerückt war, noch getötet wurde.

Ich faßte deshalb einen Plan und flehte Jack an zu tun, was ich mir ausgedacht hatte. Ich zog ihm ein Kopftuch, eine Bluse und einen bodenlangen Rock an und forderte ihn auf, mit gebeugtem Kopf und krummem Rücken herumzuhumpeln wie eine alte Frau. Ich wollte nicht, daß die anderen Frauen Anstoß daran nahmen, wenn Jack bei mir blieb, während ihre Männer kämpften.

Und Jack sah wirklich aus wie eine alte Frau. Er ging bucklig und vor sich hinbrabbelnd umher, und keine von den anderen Frauen erkannte ihn.

Das hat ihm das Leben gerettet. Ich *weiß* es.

Es gab in Zorins *atrad* einen Mann, der in Stolpce ein Nachbar von mir gewesen war. Er war zusammen mit seinem Sohn in die Wälder geflohen. Beide wurden noch in einem der letzten Gefechte mit den Deutschen getötet. Sie hatten so viel durchgemacht... Einen Tag später wurden wir von den Russen befreit.

JACK Warum ich dieser Maskerade zugestimmt habe? Um das zu verstehen, muß man eines wissen: Rochelle und ich waren unsterblich ineinander verliebt. Wir hatten es bis hierher geschafft, durch all die Jahre des Elends, und wir hatten angefangen, an eine gemeinsame Zukunft zu glauben. Wir sprachen davon, daß wir eines

Tages in einem Haus zusammenleben und Kinder haben würden... gewaltige Pläne und Träume.

Trotzdem hätte ich, wenn es allein um mich gegangen wäre, weitergekämpft. Aber Rochelle und auch Julius baten mich unter Tränen, es nicht zu tun. Meine Frau und mein Vater wollten, daß ich am Leben blieb. Mein Tod an der Schwelle der Freiheit hätte beiden unendlichen Schmerz zugefügt, und das war ein Gedanke, den ich nicht ertragen konnte.

Das ist die Wahrheit. Eine andere Erklärung habe ich nicht.

In diesen letzten beiden Tagen spielten sich furchtbare Tragödien ab. Die Deutschen liefen in den Wäldern buchstäblich um ihr Leben und versuchten, auf allen nur möglichen Wegen in Richtung Westen zu gelangen, zurück in ihre Heimat. Die wichtigsten Straßen lagen unter ständigem Beschuß durch russische Flugzeuge und russische Artillerie, und die deutschen Truppen befanden sich in verzweifelter Auflösung, waren aber nach wie vor bestens ausgebildet und schwer bewaffnet. Wir schwebten ständig in Gefahr, und es kam ständig zu Gefechten.

Noch in den letzten Kriegstagen nahmen sowohl russische als auch jüdische Partisanengruppen im Nalibocka-Wald deutsche Soldaten gefangen, aber ich glaube nicht, daß sie sie am Leben ließen. Alle Gruppen, besonders aber die jüdischen, hatten größtes Interesse daran, Gestapo- und SS-Leute zu fassen, jene besonders geschulten Mörder, die die Massenmorde in den Ghettos geplant und durchgeführt hatten. Viele von ihnen waren leicht zu identifizieren, weil auf ihren Armen Blitze und andere Symbole eintätowiert waren – aus Stolz auf das, was sie waren und was sie taten. Niemand hatte Mitleid mit ihnen, und meist wurden sie schwer geschlagen und dann getötet.

Und schließlich kam der Tag, an dem einer unserer

Männer mit der Nachricht ins Lager gestürmt kam, die Panzer der Roten Armee seien da. Wir alle liefen, so schnell wir konnten, zu der etwa drei Kilometer entfernten Landstraße. Ein stetiger Strom von russischen Panzern und Truppenlastern ergoß sich in Richtung Westen und trieb die Deutschen an ihre Grenzen zurück.

Wir versuchten uns bewußt zu machen, daß wir frei waren. Und während die Panzer an uns vorüberrollten, begriffen wir es allmählich. Ganz allmählich.

Wir wußten kaum etwas zu sagen. Wir fielen uns in die Arme und lachten und weinten zugleich.

IX
Erneut unter sowjetischem Joch

JACK Sobald die russische Armee die Region unter Kontrolle hatte, konnten wir unsere Wildnis verlassen.

Daß der *atrad* zusammenblieb, war unmöglich. Die meisten seiner jüdischen Mitglieder stammten aus Minsk oder anderen russischen Orten nahe der Grenze, und die zahlreichen polnischen Juden kamen ebenfalls aus verschiedenen Städten. Sobald keine Notwendigkeit mehr bestand, sich vor den Deutschen versteckt zu halten, wollte fast jeder in seine Heimat zurück und herausfinden, was mit seiner Familie geschehen war. Einige der Männer wollten auch in die Rote Armee eintreten, um weiter gegen die Deutschen kämpfen zu können.

Rochelle, Julius und ich wußten, was mit unseren Familien geschehen war. Wir waren ratlos, wohin wir gehen sollten. Plötzlich wurde uns klar, daß wir tatsächlich überlebt hatten! Aber es dauerte eine ganze Weile, bis wir wirklich erfaßten, daß wir wieder frei waren, daß es keine Deutschen mehr gab, die uns jederzeit erschießen konnten.

Schließlich beschlossen wir, in unsere Heimatstädte Mir und Stolpce zurückzukehren, um zu sehen, was von ihnen noch übrig war. Es wäre jedoch ein sehr langer Fußmarsch gewesen, und wir wollten uns deshalb nach einem Transportmittel umsehen, das uns aus unserer Wildnis herausbringen konnte.

Eines Tages sahen wir einige leere sowjetische Armeelastwagen in Richtung Osten fahren. Die Fahrer sollten in

Minsk Verpflegung und sonstigen Nachschub laden und dann an die Westfront zurückkehren, die auf dem Marsch nach Deutschland durch Polen vorrückte. Sie ließen uns und einige andere Juden bis Minsk mitfahren. Freunde von uns besaßen dort ein Haus und hatten uns eingeladen, bei ihnen zu wohnen, bis wir uns über unsere nächsten Schritte im klaren waren.

Links und rechts der Straße lagen ganze Stapel von Leichen deutscher Soldaten. Die Russen hatten die zurückweichenden deutschen Truppen von Kampfflugzeugen aus bombardiert und die Leichen dann am Straßenrand aufgeschichtet, um den Weg für ihre eigenen Truppen freizumachen. Durch die Hitze waren die Leichen aufgedunsen; manche sahen aus wie aufgeblasene Ballons. Der Gestank war so entsetzlich, daß wir uns die Nase zuhalten mußten.

Mir war das nur recht. Je mehr Leichen, desto besser.

ROCHELLE Es waren keine Stapel, es waren Berge von Leichen, zwei oder drei Stockwerke hoch. Der Gestank, die Fliegen… Es war furchtbar.

Kurz nachdem wir in Minsk angekommen waren, hörten wir, daß alle Männer, die in Partisaneneinheiten gedient hatten, sich bei einer eigens eingerichteten sowjetischen Dienststelle zu melden hätten, um sich registrieren zu lassen. Wir beschlossen, noch etwas zu warten, um zu sehen, was es damit auf sich hatte. Damit waren wir gut beraten, denn einige Tage später erfuhren wir, daß die registrierten Partisanen vom Fleck weg zur sowjetischen Armee eingezogen wurden. Sie bekamen gleich an Ort und Stelle Uniformen und wurden geradewegs an die Westfront geschickt.

Als wir sahen, was man mit uns vorhatte, hielten wir es

für besser, nicht länger in Minsk oder überhaupt in der Sowjetunion zu bleiben, und machten uns wieder auf den Weg. Wir fanden eine Mitfahrgelegenheit auf einem der sowjetischen Nachschublaster, die in Richtung Westen fuhren. Mehrmals mußten wir noch auf andere Lastwagen umsteigen, um dorthin zu gelangen, wo wir hinwollten – an irgendeinen Ort jenseits der polnischen Grenze. Schließlich landeten wir in einer kleinen Stadt namens Iweniec.

Wir fanden ein verlassenes Haus, in dem wir vorerst bleiben konnten. Und im Haus gegenüber – ein seltsamer, unerklärlicher Zufall – wohnte, wie sich herausstellte, mein Onkel Oscar mit seiner polnischen Frau Antonina und deren Familie. Da Oscar sich nicht mehr als Pole auszugeben brauchte, lebte Antonina jetzt unter seinem richtigen Namen und als seine rechtmäßige Frau mit ihm zusammen.

ROCHELLE Nun war Onkel Oscar also plötzlich mein Nachbar.

Es gelang uns, einen oberflächlich-freundlichen Kontakt herzustellen, der über ein »Hallo, wie geht's – schönen Tag noch« nicht hinausging. Ganz aus dem Weg gehen konnten wir uns nicht, sonst hätte seine Frau Verdacht geschöpft, und ich wollte nicht, daß es Ärger gab.

Oscar versuchte, nett zu mir zu sein, und brachte uns Kartoffeln, Mehl und Brot. Ich selbst ging nie zu ihm hinüber. Seine Frau war sehr eifersüchtig. Sie schien etwas zu ahnen, was genau, weiß ich nicht, aber sie hatte mich nicht gern in ihrer Nähe. Mir war das nur recht. Ich vermied es strikt, mit Onkel Oscar allein zu sein. Ich wußte, daß ich diesem Mann nie wieder nahe sein oder ihn auch nur achten konnte.

Später erfuhr ich, daß Iweniec für Onkel Oscar und seine Frau nur Durchgangsstation gewesen war. Der Krieg war kaum vorbei, als Oscar bereits wieder auf dem besten Weg war, ein reicher Mann zu werden. Als die Deutschen den Russen das Feld überließen, gab es im Norden Polens, im früheren Preußen, zahlreiche verlassene Bauernhöfe, deren polnische oder weißrussische Besitzer umgekommen oder – teils von den Nazis, teils auch von den Sowjets – als unerwünschte Personen zur Zwangsarbeit verschleppt worden waren. Einige der Höfe waren unter der Naziherrschaft von reichen Deutschen bewirtschaftet worden.

Die brachliegenden Flächen wurden zu einer Art Selbstbedienungsladen. Wer sich dort niederließ, machte sich praktisch zu ihrem Besitzer. Mit dem noch übrigen Vieh war es ähnlich. Oscar war ein gewitzter Mann. Er suchte sich einen großen, früher von Deutschen bewirtschafteten Hof in der Nähe der Stadt Osterode aus und begann Viehbestände anzulegen.

Seine Strategie waren Tauschgeschäfte mit den russischen Soldaten, die an den Nachschublinien eingesetzt waren. Als die russische Front durch Westpolen in Richtung Berlin vorrückte, wurde – der offiziellen sowjetischen Politik entsprechend – fast der gesamte Nutztierbestand in den eroberten Gebieten beschlagnahmt und nach Rußland geschickt, wo eine schwere Hungersnot herrschte. Es war dabei jedoch viel Korruption im Spiel, und Onkel Oscar wußte mit den russischen Soldaten umzugehen. Er belieferte sie großzügig mit Wodka und bekam dafür alle Arten von Vieh. Auch russische Goldmünzen tauschte er gegen seinen Wodka ein. Er hat davon wahrscheinlich ganze Säcke voll auf seinem Hof vergraben.

In den wenigen Wochen, die wir in Iweniec verbrachten, schlief ich zum ersten Mal seit fast zwei Jahren wieder in einem richtigen Haus. Ich konnte mich nur schwer daran gewöhnen. In der ersten Woche glaubte ich nachts ersticken zu müssen. Ich konnte in dem Haus nicht schlafen. Ich kam mir vor wie ein Tier im Käfig und mußte mitten in der Nacht ins Freie, um Atem zu schöpfen. Wenn ich allein gewesen wäre, hätte ich nicht im Schlafzimmer, sondern draußen auf der Erde geschlafen.

Da mein Onkel im Haus gegenüber wohnte, war es für uns in Iweniec nicht sehr angenehm. Außerdem fanden Jack und ich, daß es an der Zeit sei, nach Stolpce oder Mir zurückzugehen, um zu sehen, wie die Dinge dort lagen. Als erstes wollten wir nach Stolpce, weil wir alle drei dort gewohnt hatten. Da das Reisen jedoch schwierig war und wir nicht wußten, ob alles reibungslos verlaufen würde, beschlossen wir, Julius vorerst in Iweniec zurückzulassen. Wir mieteten ihm ein kleines Zimmer, ließen ihm einen Lebensmittelvorrat da und sagten, wir würden ihn nachholen, sobald wir uns irgendwo niedergelassen hätten.

Und dann brachen Jack und ich auf. Diesmal hielten wir uns an die großen Landstraßen, denn obwohl die Russen wieder da waren, fühlten wir uns in offenem Gelände noch nicht völlig sicher. Es gab noch immer kleine Trupps deutscher Soldaten, die sich zu ihren Linien durchzuschlagen versuchten, und eine Begegnung mit ihnen hätte für uns böse enden können. Wir brauchten einen ganzen Tag für unseren Marsch. Unterwegs bekam Jack Schmerzen an den Beinen. Die Haut war noch empfindlich und hatte sich durch Schweiß und die Anstrengung entzündet. Wir hielten bei mehreren Bauern an und baten sie um eine Handvoll Mehl, das wir auf die wunden Stellen streuten. Es war sehr schlimm für Jack.

Kurz vor Stolpce machten wir bei zwei polnischen Bauern halt, die ich vor dem Krieg gekannt hatte. Beide hatten mit meinem Vater Geschäfte gemacht, und er hatte zu beiden ein gutes Verhältnis gehabt; er hatte sie als Freunde betrachtet und ihnen vertraut. Als die Deutschen unseren Besitz zu beschlagnahmen begannen, hatte mein Vater ihnen große Teile unseres Mobiliars und seine besten Kleider in Verwahrung gegeben. Als Gegenleistung wollten sie unserer Familie helfen, wenn es nötig werden sollte.

Wir klopften also bei dem ersten Bauern an, zwei müde, hungrige Gestalten.

Der Bauer ließ uns nur für wenige Minuten ins Haus. So viele Möbel standen dort, an die ich mich aus meiner Kinderzeit erinnerte! Er war nicht sehr erfreut, mich zu sehen, und begann mir sofort vorzujammern, er habe selbst kaum genug, um seine Familie zu ernähren. Da stand er vor mir, mit seiner Frau und seinen Kindern, und es war deutlich, daß sie bestimmt nicht hungern mußten. Wir bekamen etwas Brot und wurden wieder fortgeschickt.

Auch der zweite Bauer war alles andere als erfreut, als er mich sah, und ich merkte, daß er diesen Augenblick gefürchtet hatte. Er machte ein Gesicht, als stünde ein Gespenst vor ihm. Auch in seinem Haus standen Möbel meiner Familie. Ich hatte das Gefühl, er hätte mich am liebsten umgebracht. Ich bat ihn, uns zu helfen. Wir seien unterwegs nach Stolpce, wir seien hungrig, ob er uns etwas Suppe geben könne, etwas Warmes, etwas Kaltes. Aber er sagte, er könne uns nichts geben. Er sei selbst hungrig, und seine Kinder ebenfalls. Die Deutschen und die Russen hätten ihm alles genommen. Dabei wirkte sein Haus alles andere als ärmlich, und er selbst hatte einen wohlgenährten Bauch. Auch er schickte uns fort – er könne nichts entbehren. Nichts.

Ich verspürte den Wunsch, ihn zu töten, aber ich wußte natürlich, daß diese Zeiten vorbei waren. Da stand er, mit seiner Frau und seinen Söhnen, und da waren wir, Jack und ich, und kein Hahn krähte danach, daß wir noch lebten. Der Bauer hätte uns umbringen können, und niemand hätte gewußt, daß wir tot waren, geschweige denn, wo man die Leichen suchen sollte. Die Sowjets hatten Polen noch nicht wieder vollständig unter Kontrolle. Es war eine Welt ohne Gesetze. Man war ganz auf sich selbst gestellt.

JACK Es war ein sehr unangenehmes Erlebnis.

Aber so war es damals allgemein. Die meisten Polen waren nicht sehr erfreut, als die wenigen überlebenden Juden in ihre Städte zurückkehrten. Viele Polen hatten mit den Deutschen zusammengearbeitet und fürchteten, die Juden könnten bei den neuen sowjetischen Herren gegen sie aussagen. Sie fühlten sich im Umgang mit uns unbehaglich, und viele hatten sogar Angst vor uns. Die meisten waren nett und freundlich, aber nur nach außen hin, und wer jüdischen Besitz in Verwahrung genommen hatte, war im allgemeinen nicht bereit, sich an die damals getroffenen Abmachungen zu halten. Die Überlebenden mußten sehen, wo sie blieben.

In dem Chaos, das damals herrschte, hatte Rochelle keine Möglichkeit, irgend etwas zu beweisen oder irgendwelche Ansprüche geltend zu machen.

Als wir endlich in Stolpce ankamen, sahen wir, daß nicht nur das Haus von Rochelles Familie, sondern praktisch die ganze Stadt abgebrannt war. Wir hätten nirgends unterkommen können, und so schliefen wir wieder im Freien, mit unseren Stiefeln als Kopfkissen. Gleich am nächsten Morgen begannen wir uns nach einer Transportmöglichkeit nach Mir umzusehen.

ROCHELLE Es war sehr eigenartig, nach Stolpce zurückzukommen. Bei meiner Flucht war Stolpce eine Stadt gewesen, jetzt aber sahen wir nur noch ein paar Häuser und den Fluß vor uns. Selbst die Straßen waren kaum noch zu erkennen. Ich hatte Mühe, mir die Gegend und das Haus, wo ich aufgewachsen war, überhaupt vorzustellen.

Man erinnert sich an eine Stadt, an das eigene Leben, an die Familie. Und nach Jahren kommt man zurück, und nichts ist mehr da!

Es war anders als bei einem Soldaten, der aus dem Krieg heimkehrt: Seine Angehörigen kommen ihm entgegen und sagen ihm, wie froh sie sind, ihn wiederzusehen. Über unsere Rückkehr freute sich niemand. Wir störten nur, wir waren lästig.

Leute, die ich wiedererkannte, gaben entweder vor, uns nicht zu sehen, oder sie schreckten vor uns zurück. Wir waren Zeugen der Tragödie, und sie wollten keine Zeugen. Der Russen wegen wagten sie jedoch nicht, sich offen bösartig oder feindselig zu zeigen, und so hielten sie sich von uns fern, ebenso wie wir von ihnen.

Ein Gefühl der Leere – das ist mir von meiner Rückkehr nach Stolpce in Erinnerung geblieben. In Zorins *atrad* hatten wir uns in gewisser Hinsicht wohler gefühlt. Dort hatte Kameradschaft geherrscht, und man hatte das Gefühl gehabt, Teil ein und derselben Gruppe, ein und desselben Volkes zu sein. In Stolpce aber waren wir weder Teil einer Familie noch der Stadt – oder dessen, was davon übrig war.

Wir gingen zu Fuß nach Mir, doch ehe wir aufbrachen, hatten wir noch einen anderen wichtigen Weg vor uns. Wie ich schon erzählt habe, war meine Familie, als die Deutschen nach Stolpce kamen, in das nahe Dorf Kruglice geflüchtet, wo mein Vater eine Fabrik besaß. Er hatte dort

Gläser mit russischen Goldmünzen aus der Zarenzeit vergraben und mir die Verstecke genau beschrieben, und so gingen Jack und ich zunächst nach Kruglice, um die beiden noch übrigen Gläser auszugraben. Der Besitz russischer Goldmünzen war zwar verboten, aber auf dem Schwarzmarkt waren sie die beste Währung, und für uns würden sie ein willkommener Notgroschen sein.

Es gelang uns, die Gläser auszugraben, aber wir hatten dabei die ganze Zeit Angst. Dorfbewohner hatten mich gesehen und als die Tochter des Juden Schleiff wiedererkannt. Sie konnten sich denken, daß ich nicht nach Kruglice gekommen war, um für meinen Vater zu beten, sondern um etwas zu holen. Ich war auch überzeugt, daß zumindest einige von ihnen nur zu gern jüdische Flüchtlinge ausgeraubt oder gar ermordet hätten. Kein Hahn hätte nach uns gekräht. Wir versuchten also, nach Möglichkeit nicht gesehen zu werden, und versteckten die Gläser in unserem Beutel.

Als wir Kruglice verließen, trat ein Holzfäller mit einer langstieligen Axt aus dem Wald und kam uns auf der Straße entgegen. Ich zitterte vor Angst, aber er starrte uns nur an und ging dann an uns vorbei.

JACK Als wir in Mir ankamen, stellten wir fest, daß bereits ein paar Dutzend jüdischer Überlebender vor uns dort eingetroffen waren. Alle paar Tage tauchte von irgendwoher jemand auf. Eine ganz kleine jüdische Gemeinde war entstanden, und das machte alles sehr viel leichter.

Wir kamen in einem großen Haus unter, das einer jüdischen Familie namens Malischansky gehörte. Rochelle und ich hatten dort ein eigenes Zimmer, und in einem anderen Raum wohnten noch weitere Überlebende. Die Familie war freundlich zu uns, und die Mahlzeiten nahmen wir alle gemeinsam ein. Im Nachbarhaus, das die Bombenangriffe ebenfalls unversehrt überstanden hatte, wohnte mein Freund Simon Kagan, der mit seinen Sprengstoffanschlägen auf deutsche Bahnstrecken unter den Partisanen zum Helden geworden war. Auch seine Schwester Sarah war bei ihm, eine sehr liebenswürdige Frau, mit der wir uns anfreundeten.

Ich kannte in Mir eine polnische Familie namens Talisch – Vater, Mutter und Sohn. Ich war glücklich, sie wiederzusehen, und auch sie freuten sich aufrichtig, daß mein Vater und ich noch am Leben waren. Ich habe dieser Familie sehr viel zu verdanken. Als die Deutschen 1941 das Ghetto von Mir einrichteten, waren wir in ein Haus eingewiesen worden, das dem kleinen Lehmhaus der Talischs direkt gegenüberlag. Mit ihrer Hilfe hatten wir unsere Lebensmittelrationen ein wenig aufbessern können, und einmal war es mir gelungen, mich zu ihnen hinüberzustehlen und ihnen einige Fotoalben meiner Familie in Verwahrung zu geben. Und jetzt, als ich nach drei Jahren wiederkam, konnte ich die Alben wieder abholen. Bilder von meiner Mutter waren darin...

Ich machte die Talischs mit Rochelle bekannt, und sie schlossen sie sofort ins Herz. Es waren großzügige Menschen, und in jenem Sommer 1944 luden sie uns oft zum Mittag- oder Abendessen ein, obwohl sie alles andere als reich waren. Wir saßen dann lange zusammen und unterhielten uns.

In Mir gab es ein katholisches Kloster. Meine Mutter Sarah hatte den Nonnen einige Pelze und andere Kleidung in Verwahrung gegeben. Als ich jetzt hinging und nach den Sachen fragte, erklärten die Nonnen, sie hätten das meiste während der Nazi-Okkupation gegen Lebensmittel eintauschen müssen, um sich selbst über Wasser zu halten.

Übrig waren nur noch ein Sealmantel und ein Fuchspelz, und sie händigten mir beides aus. Den Fuchspelz habe ich noch heute – und ich besitze auch eine Fotografie, auf der meine Mutter ihn trägt. Die Nonnen gaben sich Mühe, nett und freundlich zu sein, aber ich glaube, sie waren nicht sehr erfreut, mich zu sehen.

Nachdem wir uns in Mir eingerichtet hatten, trafen wir Vorbereitungen, um Julius nachzuholen, der in Iweniec auf Nachricht von uns wartete. Rochelles Onkel Oscar war uns dabei behilflich – vielleicht hatte ihn doch noch die Reue gepackt. Wir setzten uns mit ihm in Verbindung, und er fand einen Bauern, der Julius mit einem Lastwagen nach Mir brachte. Wir waren so dankbar, uns wiederzusehen.

Doch jetzt, da die Sowjets Polen allmählich wieder fest im Griff hatten, tauchte das alte Problem wieder auf: Alle ehemaligen Partisanenkämpfer wurden aufgefordert, sich zum sofortigen Fronteinsatz in der sowjetischen Armee zu melden. Fliehen wollten wir nicht schon wieder – wir hätten auch gar nicht gewußt, wohin, denn noch immer herrschte fast überall in Europa Krieg. Außerdem freuten wir uns, wieder einer jüdischen Gemeinde anzugehören, einer sehr kleinen zwar, die uns aber nach all dem Morden sehr viel bedeutete.

Ich mußte also Mittel und Wege finden, mich der Einberufung in die Sowjetarmee zu entziehen. Die Tatsache, daß mein Vater Julius bei uns lebte, brachte mich auf eine Idee. Personen, die eine besonders wichtige Zivilfunktion ausübten – und das galt auch für Zahnärzte –, wurden vom Militärdienst freigestellt. Nun gut, ich würde Zahnarzt werden. Warum nicht? In Kriegszeiten fragte niemand nach einem Diplom. Meine Mutter war Zahnärztin gewesen, mein Vater war ausgebildeter Zahntechniker, also war es mein Recht, mich Zahnarzt zu nennen. Außer meinen Angehörigen und meinen engsten Freunden lebte in Mir niemand mehr, der wußte, daß ich es nicht war. Und da es damals in ganz Mir keinen Zahnarzt gab, füllte ich eine Lücke.

So eröffneten mein Vater und ich in einem Zimmer unseres Hauses eine Zahnarztpraxis. Dank der Kenntnisse meines Vaters wußten wir wenigstens ungefähr, was wir zu tun hatten, um einen professionellen Eindruck zu erwecken. Da wir keinen Bohrer besaßen, konstruierten wir aus Holzteilen – den Bohrkopf ausgenommen – einen Notbehelf, den wir mit einer Fußpumpe betrieben. Andere Instrumente besaßen wir nicht, ebensowenig wie Novocain oder sonstige Betäubungsmittel. Dann gaben wir die Eröffnung der Praxis bekannt. Es kamen ein paar Bauern, und ich bohrte in ihren Zähnen, ohne die leiseste Ahnung zu haben, was ich da tat.

ROCHELLE Er bohrte Löcher in gesunde Zähne, er bohrte Löcher in kranke Zähne. Er spielte Komödie, um am Leben zu bleiben, und trotzdem waren die Patienten mit seiner Arbeit irgendwie zufrieden.

JACK Nach kurzer Zeit verlegten die Sowjets unsere Praxis in ein kleines Gebäude, das sie als Erste-Hilfe-Station und medizinisches Zentrum eingerichtet hatten. Ich stellte eine Liste der Dinge auf, die ein richtiger Zahnarzt benötigt, und übergab sie der Frau, die das Gebäude verwaltete. Sie forderte das Material in Minsk an, und wenige Wochen später traf das meiste davon ein. Jetzt konnte es losgehen! Doch ohne meinen Vater wäre ich verloren gewesen. Julius war sehr erfinderisch. Aus Messinggriffen, die er in den zerbombten Häusern fand, bastelte er falsche

Zähne. Mit Hilfe einer Maschine, die er ebenfalls gefunden hatte, walzte er die Messingteile platt und brachte sie in die gewünschte Form. Wie gut sie in die Münder unserer Patienten paßten, kann man sich vorstellen!

In den wenigen jüdischen Häusern in Mir begann es sich herumzusprechen, daß ich kein richtiger Zahnarzt war, und bald waren meine Patienten nur noch Polen. Von vielen dieser Polen wußte ich, daß sie sich über die Einrichtung des Ghettos und die Leiden der Juden diebisch gefreut hatten. Wenn sie jetzt zu mir kamen, sagte ich zu ihnen: »Hören Sie, wir sind hier nicht in Deutschland. Da Sie kein Sowjetfunktionär oder -soldat sind, bin ich nicht verpflichtet, Sie zu behandeln. Wenn ich Ihnen also helfen soll, dann bringen Sie mir etwas zu essen.« Und sie brachten Brot, Butter, Honig, Kartoffeln und hin und wieder auch ein Huhn. Zum ersten Mal seit Jahren hatten wir reichlich zu essen, genug, um es mit unseren Mitbewohnern zu teilen.

Das alles war mir nur möglich, weil ich voll böser, bitterer Erinnerungen war. Denn als Zahnarzt war ich ein ausgemachter Schwindler. Aber diese Erinnerungen waren nun einmal da, und wenn Leute, die mir als ehemalige Kollaborateure bekannt waren, schreiend und sich windend in meinem Stuhl saßen, dachte ich bei mir: »Wenn ich könnte, würde ich dir alle deine Zähne wegbohren!« Andere Patienten, an die ich mich von damals nicht erinnerte, versuchte ich möglichst schonend zu behandeln.

Aber dann kam im Herbst 1944 ein echter russischer Zahnarzt nach Mir, um beim Aufbau des geplanten Krankenhauses zu helfen. Wir bekamen große Angst. Ich war überzeugt, er würde sofort merken, daß ich ein Schwindler war, und mich den Behörden melden.

Er hieß Zenowey und war ein nett aussehender Mann mit dunklem, buschigem Haar und vollem Gesicht. Ein zweiter Zahnarztstuhl wurde aufgestellt, so nahe bei meinem, daß wir uns bei der Arbeit ständig im Blick hatten.

In den ersten ein oder zwei Tagen, während alles für Zenowey vorbereitet wurde, hatten wir Gelegenheit, uns näher kennenzulernen. Zenowey war ein unbefangener, kontaktfreudiger Mensch. Er wollte wissen, wie ich den Krieg überstanden hätte, und ich erzählte ihm davon. Er selbst berichtete von seiner Zeit als Soldat der Roten Armee. Nach einer Verwundung war er entlassen worden, und man hatte ihm erlaubt, wieder als Zahnarzt zu arbeiten.

Dann kamen die ersten Patienten in unsere erweiterte Praxis. Zenowey behandelte den einen, ich den anderen. Ich merkte, daß er während der Arbeit immer wieder zu mir herübersah, und dachte: »Jetzt ist alles aus.« Aber ich gab nicht auf. Ich bohrte und bohrte. Zenowey sagte nichts, aber ich merkte, daß er schnell arbeitete, um so viele Patienten wie möglich selbst behandeln zu können.

So ging es etwa eine Woche. Inzwischen waren Zenowey und ich Freunde geworden. Wir redeten gern miteinander und erzählten uns Geschichten aus dem Krieg. Und daß er so angestrengt arbeitete, zeigte mir, daß er ein gutes Herz hatte.

Eines Tages saßen wir zusammen und unterhielten uns. Plötzlich sah Zenowey mich an und brach in Lachen aus.

Ich fragte ihn, was los sei, und er versuchte wieder ernst zu werden.

Er sagte: »Ein toller Schauspieler bist du! Wenn du Zahnarzt bist, dann bin ich Zimmermann!«

Ich konnte ihn nicht anlügen – die Wahrheit war nur allzu offenkundig. So vertraute ich mich ihm an und erzählte ihm, daß meine Mutter Zahnärztin gewesen sei und Julius durch seine Ausbildung ebenfalls Fachkenntnisse besitze. Ich bekannte, daß meine Patienten mir nach all dem Morden in Mir nicht allzu leid täten, und vor allem erklärte ich ihm, daß ich nur die Wahl hätte, entweder in Zähnen zu bohren oder an die Front und in den Tod geschickt zu werden. Und daß ich Rochelle liebte, daß ich leben und eine normale Existenz mit ihr aufbauen wolle.

Zenowey hörte sich das alles an und sagte dann, er habe bereits in den ersten zehn Minuten unserer Zusammenarbeit gemerkt, daß ich ein Schwindler sei – genau, wie ich befürchtet hatte. »Aber keine Sorge«, fügte er hinzu, »das bleibt unter uns.«

Er brachte mir ein paar elementare zahnärztliche Handgriffe bei und sagte, wenn sie nicht ausreichten, solle ich so tun, als wäre ich anderweitig beschäftigt, und den Fall ihm überlassen. Er war wirklich ein Freund.

Aber ich wußte, daß ich nicht ewig den Zahnarzt spielen konnte, und sah mich deshalb nach einem sichereren Posten im medizinischen Zentrum von Mir um. Eines Tages kam ein russischer Funktionär und kündigte an, daß er eine Gruppe von Erste-Hilfe-Instruktoren für Schulen und Abendkurse aufbauen wolle. Das geschah damals in ganz Polen, denn da es so wenig ausgebildete Ärzte gab, mußten die Menschen lernen, sich selbst zu helfen.

Da ich in meiner Schulzeit in Erster Hilfe ausgebildet worden war, bot ich an, bei der Organisation der Kurse mitzuwirken. Endlich hatte ich eine Arbeit, die ich wirklich gut beherrschte, und brauchte nicht mehr Komödie zu spielen. Bald wurde ich Leiter der Erste-Hilfe-Programme in der gesamten Region und teilte die wenigen vorhandenen Ärzte und Krankenschwestern für die Kurse ein. Es gelang mir sogar, Freunde wie Simon Kagan als Ausbilder unterzubringen.

Im Spätjahr 1944 fanden an der nach Deutschland vorstoßenden Front erbitterte, blutige Schlachten statt, und alle ehemaligen Partisanenkämpfer, sogar nicht offiziell registrierte wie ich, wurden aufgespürt und an die Front geschickt. Ich begriff, daß meine Tage als Erste-Hilfe-Koordinator gezählt waren, wenn ich mir nicht etwas einfallen ließ.

Wieder brachte der Zufall die Lösung. Eines Tages wurde das medizinische Zentrum von Mir von einem russischen Sanitätsoffizier inspiziert, der eine ähnliche Einrichtung in Baranowicze leitete. Ich erkannte, daß der Mann uns gute Dienste leisten konnte, und sagte zu Rochelle, wir sollten versuchen, uns mit ihm anzufreunden. Wir luden ihn ein, bewirteten ihn mit Wodka und taten alles, um ihm den Abend so angenehm wie möglich zu machen.

Alles ging gut, und gegen Ende des Abends erwähnte ich, daß ich Schwierigkeiten hätte, normal zu atmen, und mich irgendwie krank fühlte. Schon während der Inspektion hatte ich einen trockenen Husten vorgetäuscht, und im Verlauf des Abends hatte ich noch mehr gehustet. Der Arzt schlug vor, ich solle zu ihm nach Baranowicze kommen und mich von ihm untersuchen lassen.

Mein Plan war, ihn davon zu überzeugen, daß ich Tuberkulose hätte, eine Krankheit, mit der man mich definitiv vom Militärdienst freistellen würde. Ein Umstand kam mir dabei zu Hilfe: Als die Russen uns aus den Wäldern befreiten, war ich noch so schwach und dünn gewesen, daß jede Rippe hervorgetreten war; und da ich seitdem kaum zugenommen hatte, sah ich tatsächlich aus wie ein potentieller Tuberkulosefall. Ich spürte auch, daß der Sanitätsoffizier ein schlauer Fuchs war, der sehr wohl ahnte, was ich im Sinn hatte.

ROCHELLE Er war bestechlich, und das war der Grund, warum er Jack nach Baranowicze eingeladen hatte. Wir gingen zusammen hin und nahmen nicht nur Wodka mit, sondern auch einige der russischen Goldmünzen, die wir in Kruglice ausgegraben hatten. Nun war der Wodka eine Sache, die Münzen aber eine ganz andere, eine sehr gefährliche, denn ihr Besitz war strengstens verboten. Sie stammten noch aus der Zarenzeit und hätten schon vor Jahren, nach der Revolution, an die Regierung abgeliefert werden müssen. Jetzt aber, keine dreißig Jahre später, waren sie auf dem Schwarzmarkt das Hauptzahlungsmittel.

Und noch ein zweites Risiko kam hinzu: Wir fürchteten, der Militärarzt könnte Wodka und Münzen nehmen und uns dann wegen versuchter Bestechung anzeigen. Wer würde uns eher glauben als ihm?

An dem Tag, der für Jacks Untersuchung vorgesehen war, ging ich in aller Frühe – das medizinische Zentrum war noch geschlossen – zur Wohnung des Arztes. Jack kam nicht mit. Sollte ich wegen Bestechung verhaftet werden, war er wenigstens nicht dabei und konnte dann immer noch sagen, er habe nichts von meinem Plan gewußt.

Der Arzt hatte keine Ahnung, daß ich kommen würde. Ich klopfte an die Tür. Er war gerade im Begriff, zur Arbeit zu gehen. Ich gab ihm einige Goldmünzen und sagte, das sei ein Geschenk für ihn, dafür, daß er in seinem Bericht schreibe, mein Mann habe Tuberkulose und könne keinen Militärdienst leisten. Ich war sehr nervös. Ich stellte mir vor, er würde mich entweder ohrfeigen und hinauswerfen, oder aber, alles würde gutgehen. Er nahm die Münzen. Und er gab mir zu verstehen, daß er außerdem neue Vorhänge und einen Bettüberwurf für seine Frau haben wolle. Ich versprach, die Dinge noch am selben Tag zu beschaffen, und ich hielt Wort. Dann machte er ohne weitere Floskeln die Tür hinter mir zu.

JACK   Später ging ich in seine Sprechstunde und ließ mich pro forma von ihm untersuchen. Er schrieb mir ein Attest und sagte, ich solle es beim Rekrutierungsbüro der Armee in Mir vorlegen. Das tat ich, und man gab mir ein Papier, das mir bescheinigte, daß ich für die sowjetische Armee untauglich sei.

Diese Sorge waren wir also los. Eine Zeitlang blieb ich noch Organisator der Erste-Hilfe-Gruppen, während Zenowey sich um die Zahnmedizin kümmerte.

ROCHELLE   Während Jack sich als Zahnarzt betätigte, war ich mit Kochen und Waschen beschäftigt. Die Juden im Haus erledigten solche Arbeiten gemeinsam. Alle benutzten dasselbe Klohäuschen im Garten, und ich erinnere mich, wie ich eines Morgens – es war ziemlich kalt – dort hinausging. Plötzlich bekam ich einen Stoß ins Hinterteil. Ich wog damals vielleicht noch neunzig Pfund und flog drei Meter weit! Es war eine Ziege. Sie war zum Grasen in den Garten spaziert und hatte sich von mir gestört gefühlt. Es tat noch wochenlang weh! Von da an hatte ich einen Nachttopf unter dem Bett.

Wenig später erfuhr ich, daß die Russen Pläne mit mir hatten. Die meisten jungen Paare in Mir waren damals bereits getrennt worden: Die Männer kamen an die Westfront, die Frauen wurden zur Zwangsarbeit verpflichtet. Eines Tages, gegen Ende des Winters 1944, kam ein Funktionär zu mir und sagte, da ich gesund sei und keine Kinder hätte, solle ich meinen Patriotismus für Mütterchen Rußland unter Beweis stellen und mich für zwei Jahre zur Arbeit in einem Kohlebergwerk im südrussischen Donbass melden. Es war ein »wohlgemeinter Rat«, doch wenn man nein sagte, wurde man für unpatriotisch erklärt und trotzdem nach Donbass geschickt.

Auf diesen »wohlgemeinten Rat« hin entschieden wir, daß es das beste sei, uns wieder auf den Weg zu machen.

JACK Dieser Vorfall machte uns bewußt, daß wir niemals selbst über unser Leben würden bestimmen können, solange wir unter sowjetischer Herrschaft lebten. Mit meiner Arbeit ging zwar alles gut, aber wir sahen ein, daß es in Mir keine Zukunft für uns gab.

Es war im Frühjahr 1945, und die Kapitulation Berlins stand kurz bevor. Wir sagten uns, daß unsere Perspektiven – so seltsam es auch scheinen mochte – am besten waren, wenn wir uns in Richtung Westpolen und Deutschland aufmachten, wo die Sowjets noch nicht wieder alles vollständig unter Kontrolle hatten. Wir hofften, uns in eine der westlichen Besatzungszonen durchschlagen zu können, und wollten dann nach Palästina auswandern. In unserer isolierten Lage hatten wir keine Ahnung, wie schwierig das war; von der restriktiven Einwanderungspolitik der britischen Mandatsverwaltung wußten wir nichts.

ROCHELLE Der Staat Israel existierte damals noch nicht. Wir hatten keinerlei Vorstellung von den dortigen Lebensbedingungen. Für uns war es ein Traum; wir wollten fort von den schlimmen Erinnerungen und unter Juden leben.

JACK »Go west, young man!« sagt man in Amerika. Und genau das wollten wir tun. Man konnte aber nicht einfach seine Sachen packen und aufbrechen. Je fester die Sowjets in Polen Fuß faßten, desto strenger wurden die Reisebeschränkungen. Bahnreisen waren der Zivilbevölkerung nicht mehr gestattet. Um einen Zug zu besteigen, mußte man anhand einer Arbeitserlaubnis nachweisen, daß man in besonderem sowjetischen Auftrag unterwegs war. Auf diese Weise sollte verhindert werden, daß die Bevölkerung das Land verließ – es waren die Anfänge des sogenannten Eisernen Vorhangs.

Wenn wir nach Westen wollten, mußten wir das heimlich tun. Wir begannen also, nach entsprechenden Möglichkeiten Ausschau zu halten, und legten unterdessen einen Vorrat an Kleidung, Küchengeräten und anderen wichtigen Dingen an, die wir fertig gepackt bereithielten, um jederzeit aufbrechen zu können.

Um diese Zeit hörte ich von einem freien Posten in Baranowicze. Gesucht wurde ein Mitarbeiter, der die Sowjets bei der Organisation der dortigen Erste-Hilfe-Gruppen unterstützte, und da ich mir mit meiner Arbeit einen guten Ruf erworben hatte, bewarb ich mich. Ich wurde zu einem Einstellungsgespräch gebeten, und alles ging gut: Ich bekam den Posten. Es war eine sehr umfangreiche Aufgabe. Baranowicze war die größte Stadt in der Region, und alle wichtigen sowjetischen Behörden unterhielten dort Dienststellen. Ich sollte ein Gehalt bekommen, und man wollte mir sogar ein Wohnhaus zur Verfügung stellen. Ich bat um eine schriftliche Bestätigung meiner Einstellung, damit ich meinen Vorgesetzten und meiner Familie in Mir etwas vorzuweisen hätte, und ich bekam das Schreiben. Ich hatte bereits Pläne, wie ich es für meine eigenen Zwecke nutzen wollte.

Zurück in Mir, konnte ich mir eine Woche freinehmen, um unseren Umzug vorzubereiten. Ich zeigte das Schreiben Zenowey, der meine Aufgaben bei der Organisation der Erste-Hilfe-Programme übernehmen sollte. Ich sagte, ich könne mir eine solche Gelegenheit nicht entgehen lassen und wir würden uns sicher wiedersehen. Doch Zenowey war ein kluger Mann – ich konnte ihn nicht täuschen! Er ahnte, daß ich meine Flucht nach Westen plante und daß die Sache mit der Stelle in Baranowicze nur Tarnung war. Er sagte: »Ich glaube nicht, daß wir uns wiedersehen werden. Du wirst mir fehlen. Leb wohl, und alles Gute!«

Dank des Schreibens konnten Julius, Rochelle und ich Mir verlassen, ohne Verdacht zu erregen. Wir heuerten einen Bauern mit einem Einspänner an, luden unsere Sachen auf und fuhren zunächst in eine kleine Stadt namens Horodej, in der es eine Bahnstation gab. Dort nahmen wir den Zug nach Baranowicze. Ich meldete mich in meiner neuen Dienststelle und erbat mir noch etwas Zeit für die Wohnungssuche. Das gab mir Gelegenheit, Transportmöglichkeiten in Richtung Westen auszukundschaften. Baranowicze war ein Eisenbahnknotenpunkt.

ROCHELLE Ich weiß noch, wie wir kurz nach unserer Ankunft in Baranowicze durch die Straßen gingen und aus den Radios in den Läden die Nachricht von Roosevelts Tod dröhnte. Es war der 12. April 1945.

Ich war schwanger. Wir waren überglücklich. Jahrelang hatten wir in unseren Verstecken in den Wäldern kaum davon zu träumen gewagt, daß wir am Leben bleiben würden. Und jetzt sollten wir eine Familie haben – unsere eigene Familie, aus Trümmern neu erstanden.

JACK Daß Rochelle schwanger war, bestärkte mich noch in dem Entschluß, die Sowjetunion zu verlassen. Nach endlosen Erkundigungen konnte ich uns durch Bestechung einiger Bahnarbeiter einen Platz in einem Güterwagen besorgen, der in das westpolnische Lódz fuhr, eine Stadt, die außerhalb des sowjetischen Einflußbereichs lag.

Mit uns reisten noch etwa ein Dutzend anderer Leute, und wir hatten Angst, die Waggons könnten durchsucht werden. Hätten die Russen uns entdeckt, hätten sie uns verhaftet und schwer bestraft, vielleicht sogar nach Sibirien geschickt. Trotzdem wollten wir es riskieren.

In dem Waggon stank es, als sei er für Viehtransporte benutzt worden. Um das Risiko einer Durchsuchung möglichst gering zu halten, schlossen die Bahnarbeiter uns ein und forderten uns auf, uns vollkommen still zu verhalten, wenn wir die Grenze zwischen dem russisch besetzten und dem westlichen Teil Polens erreichten. Westpolen war zu diesem Zeitpunkt noch unabhängig, gelangte aber bald darauf gleichfalls unter sowjetische Herrschaft. Als es soweit war, erklärten die Arbeiter den russischen Wachen, unserer Waggon enthalte Baumaterial. Zum Glück herrschten an der Grenze noch etwas chaotische Verhältnisse, und der Waggon wurde nicht durchsucht.

Unterwegs hielt der Zug in Warschau und Tschenstochau. Einer der Bahnarbeiter, den wir bestochen hatten, warnte uns: Wir sollten in Tschenstochau auf keinen Fall aussteigen, denn es gebe dort Polen, die die Züge überwachten und jeden Juden, den sie zu Gesicht bekämen, auf der Stelle erschießen würden. Es kursierten auch zahlreiche Gerüchte, daß Güterwagen durchsucht und Juden herausgeholt und erschossen würden – nicht von den Sowjets, sondern von den polnischen Bewohnern.

Zufällig kannten wir eines der anderen jüdischen Paare, die mit uns reisten. Sie hießen Abram und Leah und waren ebenfalls in Zorins *atrad* gewesen, wo wir jedoch wenig Kontakt zueinander gehabt hatten.

Unter den wenigen Dingen, die wir bei uns hatten, war auch das Kopfteil eines Bettes, das wir von unseren Freunden, den Talischs, bekommen hatten. Sie hatten es eigens für unsere Zwecke präpariert: Als Versteck für einen Teil der Goldmünzen, die wir noch besaßen, hatten sie eine Öffnung hineingebohrt, die mit einem hölzernen Stöpsel verschlossen wurde, so daß eine glatte Fläche entstand.

Vielleicht hatte die Art, wie wir unterwegs über das Kopfbrett sprachen, Verdacht erregt. Als Erklärung dafür, weshalb wir ein so großes Teil mitführten, hatten wir Abram und Leah erzählt, es sei von besonderem nostalgischem Wert für uns. Vielleicht hatten wir es auch zu ängstlich im Auge behalten. Als wir in Lódz ankamen, mieteten wir mit Abram und Leah zusammen ein Zimmer, um eine Ausgangsbasis zu haben und Kosten zu sparen. Zu fünft – mein Vater, Rochelle und ich und die beiden anderen – schliefen wir auf dem Boden. Nach ein paar Tagen schraubten wir den Stöpsel ab, um eine Münze herauszunehmen und auf dem Schwarzmarkt Lebensmittel dafür einzutauschen – und das Versteck war leer! Wir waren wie vor den Kopf geschlagen. Doch dann wurde uns klar, daß es nur Abram und Leah gewesen sein konnten.

Ich stellte Abram zur Rede, und er gab offen zu, die Münzen gestohlen zu haben. Er sagte, er habe ein Recht auf sie.

ROCHELLE Es war ähnlich wie bei dem Mann, der die Halskette von Jacks Mutter gestohlen hatte. Abram erklärte, er habe einen Onkel, Ischke, der vor dem Krieg in einer der Fabriken meines Vaters Lazar gearbeitet habe. Ischke habe ständig darüber geklagt, daß er so schwer arbeiten müsse und so wenig Geld dafür bekomme. Die Goldmünzen seien somit eine Entschädigung für das, was man Ischke angetan habe. Wer weiß, ob Abram die Wahrheit sagte.

Natürlich konnten wir nicht zur Polizei gehen und uns

beschweren; der Besitz russischer Goldmünzen war ja verboten. Außerdem würden die Sowjets, obwohl die polnische Polizei in Lódz angeblich unabhängig war, mit Sicherheit davon erfahren. Wir konnten nichts tun.

JACK Ich war so wütend, daß ich Abram am liebsten erwürgt hätte. Aber Rochelle warnte mich: Jede Form von Rache könne uns in größte Schwierigkeiten bringen. Wenn ich ihm etwas antäte, könne ich ins Gefängnis kommen, und selbst wenn ich ihn nur etwas zu massiv bedrohte, könne er zur Polizei gehen und uns als Schwarzhändler anzeigen.

Ich konnte mich nur schwer damit abfinden, aber wir beschlossen, die Sache auf sich beruhen zu lassen. Wichtiger war, daß wir am Leben und in Sicherheit waren, denn als wir in Lódz ankamen, war Rochelle schon fast im achten Monat. Nur eines taten wir: Wir suchten uns sofort ein anderes Zimmer. Abram und Leah sahen wir nie wieder.

ROCHELLE Wir blieben fast zwei Monate in Lódz. Eine jüdische Hilfsorganisation hatte dort ein Büro eingerichtet, wo man Überlebenden bei der Beschaffung polnischer Personalpapiere behilflich war. Mit diesen Papieren brauchten wir keine Angst zu haben, falls wir auf der Straße von der Polizei angehalten wurden.

Aber unser Ziel war noch immer, weiter nach Westen zu gelangen. Inzwischen war Deutschland eine besiegte Nation, aufgeteilt in vier Sektoren, die von den Hauptverbündeten – Amerika, England, Frankreich und der Sowjetunion – kontrolliert wurden. Am liebsten wollten wir nach Berlin, in den amerikanischen Sektor, denn wir hatten gehört, daß es dort Hilfsorganisationen für jüdische Flüchtlinge gab. Wir hatten das Gefühl, daß wir im amerikanischen Sektor am sichersten sein würden.

Da ich hochschwanger war, entschlossen wir uns jedoch, vorerst in Lódz zu bleiben. Julius brachte ein kleines Schild mit der Aufschrift »Zahnarzt« an unserem Haus an, und irgendwie beschaffte er auch die nötigste Ausstattung. Hin und wieder kamen Patienten, und von dem Geld, das sie für die Behandlung bezahlten, konnten wir Lebensmittel kaufen. Wir besaßen auch noch einen kleinen Vorrat an Goldmünzen, die zum Glück nicht alle in dem Kopfbrett versteckt gewesen waren. Jack trug sie jetzt ständig bei sich, in seinen Mantel eingenäht.

Eines Tages, zu Beginn meines achten Schwangerschaftsmonats, hörten wir, daß es in Kattowitz, einer polnischen Stadt südlich von Lódz, ein großes Pogrom gegeben habe. Alle noch lebenden Juden der Stadt waren von den polnischen Einwohnern umgebracht worden. Und das noch nach Kriegsende! Noch immer wurden Juden ermordet, nicht nur in Kattowitz, sondern auch in anderen polnischen Städten, als wollten die Polen nachholen, was die Deutschen versäumt hatten. In keinem anderen Land Europas wurden Juden getötet, die die Nazizeit überlebt hatten und in ihren Heimatorten wieder Fuß zu fassen versuchten. So etwas gab es nur in Polen.

Als ich davon hörte, geriet ich in Panik. Wir waren noch immer nicht in Sicherheit! Kattowitz war nicht weit entfernt, und wir waren überzeugt, daß es als nächstes in Lódz soweit sein würde. Wir hatten Angst zu bleiben, konnten aber auch nicht fort – nicht ohne Reisegenehmigung und nicht in meinem Zustand.

Eines Nachts – es war im Juli – erreichte uns das Gerücht, das Pogrom stehe unmittelbar bevor. Wir verbarrikadierten die Fenster und schoben unser Bett gegen die Tür. Wir zitterten vor Angst. Das Gerücht erwies sich als falsch, aber es tat seine Wirkung. In dieser Nacht setzten bei mir die Wehen ein. Ich wußte gar nicht, wie mir geschah. Ich wußte nur, daß ich furchtbare Schmerzen hatte, aber ich hatte keine Ahnung, daß es Wehen waren. Ich war noch nie schwanger gewesen, und es war keine Mutter da und keine Krankenschwester, die mir hätte sagen können, wie es sich anfühlt, wenn man Wehen hat.

Da ich Jack nicht beunruhigen wollte, sagte ich ihm nichts davon. In aller Frühe ging ich jedoch zu dem Frauenarzt, bei dem ich schon einige Male gewesen war, seit wir in Lódz waren. Seine Praxis lag vier oder fünf Blocks entfernt. Es war im Grunde nur ein Raum in seinem Haus, mit ein paar Betten darin und einer Handvoll Instrumente und Medikamente.

Der Arzt erschrak, als er mich so früh am Morgen sah. Er untersuchte mich kurz und sagte dann: »Der Muttermund ist schon ganz offen! In einer Stunde kommt das Baby!« Er legte mich in eines der Betten, und nach einer Stunde war das Baby da, genau wie er gesagt hatte.

Inzwischen war Jack aufgewacht, und als er sah, daß ich nicht da war, dachte er sich sofort, daß ich nur beim Frauenarzt sein könne. Doch bis er kam, war das Kind schon geboren. Es war ein Junge. Der Arzt sagte, er sei soweit gesund, brauche aber, da es eine Frühgeburt sei, Sauerstoff – ohne Sauerstoff werde er sterben. Aber der Arzt hatte keinen Sauerstoff.

Er sagte: »Das einfachste ist, wir legen das Kind ans offene Fenster. In der Kälte wird es schneller sterben.« Ich wollte das Baby sehen, aber der Arzt meinte: »Es ist besser, wenn Sie es nicht sehen, dann werden Sie sich nicht daran erinnern.« Er nahm das Baby und legte es ans Fenster.

Es lebte und atmete einen ganzen Tag, vom Morgen bis zum Abend. Um fünf Uhr kam der Arzt an mein Bett und sagte: »Es läuft blau an, da wird es nicht mehr lange dauern.« Nach ein paar Stunden kam er wieder, um mir zu sagen, daß es gestorben sei.

Jack war ebenso niedergeschmettert wie ich. Er holte einen Mann von der Chewra Kaddischa, dem jüdischen Beerdigungsverein, dem in Stolpce auch mein Vater angehört hatte. Jack gab ihm Geld, und der Mann nahm unser Baby, hüllte es in eine kleine Decke und versprach, es auf dem jüdischen Friedhof zu begraben. Ich weiß noch, wie ich ihm aus dem Fenster nachschaute, als er das Baby forttrug – ein kleines Bündel unter seinem Arm.

Ich dachte: »Wo ich auch hingehe, überall lasse ich ein Grab zurück.« In Stolpce lagen alle meine nächsten Angehörigen und jetzt in Lódz, schon nach so kurzer Zeit – ein neues Grab. Sobald ich wieder aufstehen konnte, sagte ich zu Jack: »Wir müssen fort von hier, weiter nach Westen.«

Aber ich mußte noch in ärztlicher Behandlung bleiben. Meine Brüste hatten sich mit Milch gefüllt. Da der Arzt keine geeigneten Medikamente besaß, nahm er Baumwolltücher und wickelte sie mir wie einen Verband um die Brust, so fest, daß ich wie ein Junge aussah. Er sagte, es werde einige Wochen dauern, bis die Milch »verbrannt« sei. Ich dürfe den Verband auf keinen Fall abnehmen.

Als ich ihn dann nach ein paar Wochen abnahm, sah ich, daß das Brustgewebe kollabiert war. Ich bekam Angst: Meine Brüste waren nicht mehr, was sie einmal gewesen waren.

JACK Ich überlegte hin und her, wie wir die Stadt verlassen konnten. Schließlich fand ich heraus, daß der beste Weg über Stettin, eine kleine Stadt in Ostdeutschland, führte. Dort mußten wir dann sehen, wie wir weiterkamen. Wir wollten mit einem anderen Paar zusammen reisen, das wir in Lódz kennengelernt hatten, David und

Nechama Garmizo. Es waren gute Menschen, und wenn wir zusammenlegten, konnten wir die nötigen Bestechungsgelder leichter aufbringen.

Im August 1945 war es soweit. Der Mann, den wir bestachen, war Jude und Offizier der Roten Armee. Er hatte Mitleid mit uns, war aber ebenso an der Bezahlung interessiert. Er versteckte uns auf einem sowjetischen Armeelastwagen mit Tarnplane und stapelte Unmengen von Vorratskisten über uns auf. Er sagte, wir würden einen sowjetischen Kontrollpunkt passieren, und wenn wir auch nur das geringste Geräusch machten, würden wir alle in Sibirien oder unter der Erde landen. Aber wir kamen wohlbehalten durch.

In Stettin blieben wir nur wenige Tage. Bei einer deutschen Familie, die ein großes Haus besaß, mieteten wir ein Zimmer und begannen uns sofort nach weiteren Reisemöglichkeiten umzusehen. Die ganze Zeit über hatten wir große Angst, denn Stettin hatte eine gemischte deutschpolnische Bevölkerung, und die Erinnerungen an den Krieg waren bei jedermann noch frisch. Wir sahen keine lächelnden Gesichter, weder bei unseren Vermietern noch bei den Leuten auf der Straße.

Zum Glück fanden wir sehr rasch eine Transportmöglichkeit nach Berlin, das jetzt noch eine Tagesreise entfernt war. Wieder konnten wir einen Offizier der russischen Armee bestechen, der uns auf einem Nachschublaster versteckte. Es war ein etwas kleineres Fahrzeug als das erste, eher ein übergroßer Jeep mit Ladefläche und Plane.

Wir wollten unbedingt in den amerikanischen Sektor von Berlin, weil wir gehört hatten, daß jüdische Flüchtlinge dort von zwei Hilfsorganisationen betreut würden, der jüdisch-amerikanischen HIAS (Hebrew Immigrant Aid Society) und der UNRRA (United Nations Relief and Rehabilitation Administration). Vor allem aber wollten wir in ein von Amerikanern – und nicht von Russen, Polen oder Deutschen – verwaltetes Gebiet.

Wir hatten keine Ahnung, was uns in Berlin erwarten mochte. Wir wußten nur, daß wir uns im täglichen Leben sicherer fühlen und beruhigter sein würden. Die Vergangenheit lastete so schwer auf uns, daß wir kaum an die Zukunft denken konnten.

ROCHELLE Immer wieder hörten wir, daß es schwierig, wenn nicht gar unmöglich sei, nach Israel zu kommen. Die Briten ließen es nicht zu. Und auch in den westlichen Ländern wollte man uns nicht haben: Die Einwanderung jüdischer Überlebender unterlag sehr strengen Quoten und Kontingenten. Wir fragten uns, ob wir in Deutschland letzten Endes in einem Flüchtlingslager landen würden – in der Höhle des Löwen.

JACK Der letzte Grenzübertritt nach Berlin würde der schwierigste sein. Berlin war ein heftig umstrittenes Gebiet, von den Alliierten in vier Sektoren aufgeteilt, und jeder, der die Stadt verließ oder betrat, wurde streng kontrolliert. Aber wir waren seit unserer Flucht aus dem Ghetto schon so viele Risiken eingegangen, daß uns das nicht mehr allzusehr schreckte.

Die Straße war sehr holprig. Wir waren eng zusammengepfercht und wurden kräftig durchgeschüttelt. Mein Vater stieß mit dem Kopf ständig gegen ein hervorstehendes Metallteil und begann schließlich zu bluten. Aber er legte eine bewundernswerte Selbstbeherrschung an den Tag; er gab weder ein Stöhnen noch sonst auch nur den geringsten Laut von sich, denn man hatte uns ja eingeschärft, mucksmäuschenstill zu sein. Wir preßten ein Taschentuch auf die

Wunde, um die Blutung zu stillen. Ich hatte Angst, er sei ernsthaft verletzt, aber es war nicht so schlimm, wie es zunächst ausgesehen hatte.

Endlich erreichten wir den letzten Kontrollpunkt. Der Offizier, den wir bestochen hatten, wußte, wie er mit den Grenzposten umzugehen hatte. Er gab ihnen eine Flasche Wodka und sagte, er transportiere Nachschub. Sie unterhielten sich ein paar Minuten, und dann wurde er durchgewinkt.

Nachdem wir noch ein Stück gefahren waren, hielten wir an einer Ecke, und der Offizier beugte sich nach hinten, um uns etwas zuzuflüstern: Wir befänden uns noch im russischen Sektor von Berlin – in den amerikanischen könne er uns nicht bringen, das sei für ihn verbotenes Terrain. Er sei jedoch nur einen Block entfernt, und dieser Block sei Niemandsland. Das Gelände werde sowohl von den Russen als auch von den Amerikanern beansprucht, und beide führten hin und wieder dort Patrouillen durch. Den Rest des Weges müßten wir allein zurücklegen. »Klettert herunter und lauft!« sagte er. »Wenn die Russen euch schnappen, dann wißt ihr, daß es heute nacht russisches Territorium ist. Mehr kann ich nicht für euch tun. Lauft, so schnell ihr könnt!«

Wir nahmen das wenige Gepäck, das wir bei uns hatten, und rannten los. Wir schafften es, an dem Block vorbeizukommen, und liefen noch ein paar Blocks weiter. Niemand war zu sehen. Es war Nacht, und Berlin war eine schwer zerstörte Stadt. Nur wenige Gebäude standen noch, sonst sahen wir nur Trümmer.

Wir wußten zwar nicht, wo die Amerikaner waren, aber wir wußten, daß wir uns endlich in ihrem Sektor befanden. Es war eine unendliche Erleichterung. Zum ersten Mal hatten wir das Gefühl, daß der Krieg *wirklich* vorbei war.

X

Von Deutschland nach Amerika

ROCHELLE Wir waren völlig durcheinander. Endlich waren wir im amerikanischen Sektor von Berlin, und jetzt fanden wir uns nicht zurecht.

Berlin war so schwer zerbombt, daß man teilweise kilometerweit sehen konnte, und dadurch wirkte alles noch fremdartiger.

Wir gingen immer weiter, und bald kamen uns Leute entgegen, die wir nach dem Weg fragen konnten. Und nach einigen Stunden trafen wir einen Mann, der sich in der Stadt gut auskannte und uns in seinem Wagen zum Gebäude der HIAS brachte.

Wir gingen hinein. Im Inneren befanden sich, über vier große Räume verteilt, etwa zweihundert jüdische Flüchtlinge aus ganz Europa; alle Neuankömmlinge wurden vorübergehend hier untergebracht. Jeder bekam ein Feldbett, eine Decke und Lebensmittelkonserven. Es gab auch eine kleine Cafeteria, in der man etwas Warmes essen oder trinken konnte.

Wir wurden aufgenommen, und am nächsten Tag teilte man uns mit, daß wir in einigen Tagen in ein DP[Displaced Persons]-Lager in einem anderen Teil Deutschlands gebracht werden sollten. Jeden Tag wurden mehrere Namen aufgerufen, und die Betreffenden wurden mit Lastwagen in die DP-Lager gebracht.

Endlich war es auch für uns soweit. Man hatte uns aufs Geratewohl dem DP-Lager Feldafing zugewiesen. Unser

Fahrer war ein Schwarzer, der erste Schwarze, den wir in unserem Leben zu Gesicht bekamen. Wir hatten kaum Gelegenheit, mit ihm zu sprechen, denn er saß vorn im Führerhaus, wo ihm ein jüdischer Flüchtling Gesellschaft leistete. Wir anderen saßen hinten auf der Ladefläche. Es war im September 1945, und die Fahrt dauerte zwei Tage. Die meiste Zeit fiel ein kalter Nieselregen, und wir deckten uns mit Decken zu.

Feldafing war ein kleiner Ort in der Nähe von München. Das Lager, ein ehemaliges Armee-Ausbildungszentrum, bestand aus siebzig Häusern, die für die deutschen Wehrmachtsangehörigen und ihre Familien erbaut worden waren. Jetzt waren darin über zweihundert jüdische Flüchtlinge untergebracht. Man wies uns einen Raum zu, den wir mit rund dreißig anderen Personen teilten. Wir schliefen in Kojen.

Das Lager wurde von der HIAS und der UNRRA gemeinsam geführt. Die UNRRA-Leute registrierten uns und versorgten uns mit Lebensmitteln und Kleidung. Gleich zu Beginn wurden wir gefragt, ob wir irgendwo in der westlichen Welt Verwandte hätten… In den USA, Kanada, Australien, Südafrika. War das der Fall, nahm man mit diesen Verwandten Kontakt auf und teilte ihnen unseren Aufenthaltsort mit. Man hoffte, daß sie uns finanziell unterstützen oder gar zu sich holen würden.

JACK Julius hatte einen Bruder, Louis, der schon lange vor Kriegsausbruch in das südafrikanische Johannesburg ausgewandert war. Louis schickte uns einige Lebensmittelpakete und etwas Geld. Julius stand diesem Bruder, den ich nie kennengelernt habe, jedoch nicht sehr nahe, und wir waren nicht daran interessiert, nach Südafrika zu gehen.

Wir erkundigten uns erneut nach Israel, und wieder hieß es, die Briten würden uns auf keinen Fall ins Land lassen; im Interesse des Friedens mit den arabischen Nachbarländern war die jüdische Einwanderung ganz gestoppt worden.

Was Amerika anbelangte, so wußten wir, daß Rochelle dort Verwandte hatte: Ihr Onkel Hermann war vor dem ersten Weltkrieg dorthin ausgewandert. Sie hatte ihn allerdings nie gesehen und wußte nicht, wie sie mit ihm Kontakt aufnehmen sollte.

Wir blieben ein paar Monate in Feldafing, eine Zeit, in der wir wie in einem Schwebezustand lebten.

Dann wurde das Lager geschlossen, und man verlegte uns in das Lager München Neu-Freimann. Mit seinen rund zweihundert Häusern war es fast eine kleine Stadt. Während des Dritten Reiches waren dort SS-Offiziere mit ihren Familien untergebracht gewesen. Die Häuser waren klein und sehr einfach: Erdgeschoß und ein ausgebauter Dachboden als erster Stock. In jedem Haus wohnten drei jüdische Familien; jede Familie hatte ein Zimmer, die Küche benutzte man gemeinsam. Es gab auch ein kleines gemeinsames Badezimmer, und als Toilette diente eine Holzbank über einer Grube, die zweimal im Jahr geleert wurde.

Ich weiß noch unsere Adresse: Tullinger Straße 11. Zum ersten Mal nach fünf Jahren hatten wir wieder ein richtiges Heim.

Rochelle und ich bewohnten ein kleines Zimmer im Erdgeschoß, Julius ein noch kleineres – fast ein Verschlag – neben unserem. In der Mitte unseres Zimmers stand ein Eßtisch mit Stühlen.

Das Haus hatte ein Vorgärtchen mit einem kleinen Pflaumen- und einem kleinen Apfelbaum. Im Hof stand eine Scheune voll Heu und kaputten alten Möbeln, und an die Scheune grenzte ein kleiner Garten an, hübsch eingezäunt, mit Gemüse und noch ein paar weiteren Obstbäumen. In den Sommermonaten konnten wir dort sitzen und ganz für uns alleine die Ruhe genießen. Wir konstruierten sogar eine Dusche, die nach einem sehr einfachen Prinzip funktionierte: Wir bohrten Löcher in einen Eimer, hängten ihn an einem Ast auf und schütteten abwechselnd aus einem anderen Eimer Wasser hinein. Ein herrlicher Luxus!

Endlich hatten wir ein Zuhause, doch solange wir ausschließlich auf HIAS und UNRRA angewiesen waren, hatten wir nur das Allernötigste zum Leben. Ich sah mich deshalb nach Möglichkeiten um, etwas Geld zu verdienen. Von der UNRRA wurden wir unter anderem auch mit amerikanischen Zigaretten versorgt, und da ich ja nicht rauchte, begann ich sie zu sammeln, als Tauschobjekte auf dem Schwarzmarkt, wo sie sehr begehrt waren. Auf diese Weise gelangte ich in den Besitz einer sehr guten Leica, die während des Krieges von der Luftwaffe zur Luftüberwachung eingesetzt worden war. Ich brachte mir das Fotografieren bei und besorgte mir auf dem Schwarzmarkt auch einen Vergrößerer und anderes Material, so daß ich meine Bilder zu Hause in unserem kleinen Zimmer entwickeln konnte.

Zunächst machte ich Fotos von kleinen Kindern und Gruppenaufnahmen von Familien, die ich an diese Familien verkaufte. Schon seit längerem schrieb ich außerdem Berichte für die *Landsberger Zeitung*, eine eigens für die Überlebenden in den deutschen DP-Lagern gegründete jüdische Zeitung. Eines ihrer größten Verdienste bestand darin, daß sie Listen mit den Namen und Aufenthaltsorten von Überlebenden veröffentlichte, die es ermöglichten, Familienangehörige und Freunde wiederzufinden. Ich schrieb ungefähr acht Artikel für die Zeitung, Lebenserinnerungen, in denen ich nicht nur von meinen eigenen Erlebnissen bei den Partisanen berichtete, sondern auch von den Heldentaten meiner Mitkämpfer, zum Beispiel meines Freundes Simon Kagan. Bald durfte ich auch für die Zeitung fotografieren, und wenig später machte man mich zum Cheffotografen und schickte mich zu größeren Ereignissen wie dem Besuch General Eisenhowers im Lager Neu-Freimann 1946. Meine Zusammenarbeit mit der Zeitung funktionierte bestens, und als es einem der Herausgeber gelang, illegal nach Israel auszuwandern und dort bei der hebräischen Zeitung *HaBoker* [Der Morgen] unterzukommen, erhielt ich von ihm eine Einladung, ebenfalls nach Israel zu kommen und dort als Reporter zu arbeiten. Das war natürlich sehr schmeichelhaft und aufregend, aber ohne Visa für mich selbst, meine Frau und meinen Vater konnte ich nichts damit anfangen. Und ein Visum zu bekommen, war nach wie vor beinahe unmöglich.

Durch meine Tätigkeit als Fotograf wurde ich im Lager Neu-Freimann ziemlich bekannt. Trotzdem war ich sehr überrascht, als ich sah, wozu diese Bekanntheit führte. Es sollte ein Komitee jüdischer Flüchtlinge gewählt werden, das die UNRRA bei der Verwaltung des Lagers unterstützen sollte. Irgend jemand setzte meinen Namen auf die Kandidatenliste, auf der insgesamt mehrere Dutzend Namen standen, und ich wurde zum Vorsitzenden des Komitees gewählt! Das hatte ich wirklich nicht erwartet.

Es war eine sehr befriedigende Tätigkeit mit vielfältigen Aufgaben. Wir richteten Tagesstätten für Kinder berufstätiger Mütter ein; einige Häuser funktionierten wir zu Schulen um, deren Klassen so klein waren, daß die Lehrer den Kindern ihre volle Aufmerksamkeit widmen konnten; und wir überzeugten die amerikanischen UNRRA-Leiter davon, daß der Lagerarzt uns nicht wirklich helfen konnte, solange er nicht über das nötige medizinische Material verfügte. Auch das wurde beschafft. Und schließlich organisierten wir eine ganze Reihe kultureller Veranstaltungen: regelmäßige Filmvorführungen und gelegentlich sogar Bühnenauftritte jüdischer Sänger und anderer Künstler, die eigens aus Amerika zu uns kamen.

Doch trotz meiner führenden Position reichten meine Kompetenzen nicht aus, um die Verwaltungsabläufe im Lager so zu verändern, wie es nötig gewesen wäre. Ich war unter anderem für die gerechte Verteilung der Kleiderbestände zuständig, die in Neu-Freimann eintrafen. In dem gesamten System der Anlieferung und Verteilung der Kleider aber waren dunkle Geschäfte im Spiel. Gute Sachen wurden nachts gestohlen und schon am nächsten Tag auf dem Schwarzmarkt verkauft.

ROCHELLE Jeder wußte davon. Aus Amerika wurde reichlich Kleidung geschickt, aber die guten Sachen kamen selten bei denen an, für die sie bestimmt waren – und wenn, dann nur zu einem hohen Schwarzmarktpreis. So wurde im Lager ein kleines jiddisches Lied populär:

Lebn sol Amerika, in naches und in gedule.
Wos si hot unds ungeschiekt, onetzes afule!
[Amerika soll leben, in guten und schlechten Zeiten.
Was es uns geschickt hat: eine Menge Lumpen!]

JACK Ähnlich war es mit Bett- und Tischwäsche, Handttüchern, Schokoladenriegeln, Zigaretten und besonders begehrten Nahrungsmitteln wie Zucker, Frischmilch, Eiern, Brot oder Frühstücksfleisch und anderen Fleischkonserven. Irgendwie waren sie nie zu haben – der Transport war nicht angekommen.

ROCHELLE Aber es gab immer reichlich Milchpulver, Trockenei, Erdnußbutter und Ketchup.

JACK Und wenn man um die Ecke auf den Schwarzmarkt ging, gab es dort alles zu kaufen, wovon es eben noch geheißen hatte, es sei nicht angekommen.

Einen entscheidenden Vorteil brachte mein Posten als Verwaltungsmitarbeiter unter anderem mit sich. Zur Ausstellung von Personalpapieren für neuankommende Flüchtlinge hatte man mir offizielle Stempel ausgehändigt, und ich konnte dafür sorgen, daß Julius, Rochelle und ich alle Papiere besaßen, die nötig waren, um in Ruhe leben zu können. Darüber hinaus hatte ich die Möglichkeit, bestimmten Leuten besonders zu helfen. Das war wichtig, denn wir hatten herausgefunden, daß eine Tante von Rochelle, Ronke, und deren Tochter Sofka ebenfalls überlebt hatten und sich in einem DP-Lager in der englischen Besatzungszone aufhielten.

So hatten wir die Chance, nahe Verwandte wiederzusehen, und ich besorgte nicht nur die nötigen Papiere, sondern konnte Ronke und Sofka auch in einem Zimmer unseres Hauses unterbringen, dessen Bewohner nach Westen ausgewandert waren. Wir kamen uns sehr nahe, und es herrschte eine Atmosphäre, von der wir geglaubt hatten, daß wir sie nie wieder erleben würden. Jetzt hatten Rochelle und ich lebende Verwandte. Später freundeten wir uns auch mit einer anderen überlebenden Tochter von Ronke, Eva, und ihrem Mann Sam an, die aber nicht nach Neu-Freimann kamen.

Rochelles Gastfreundschaft beschränkte sich jedoch nicht auf die Familie. Unser Haus wurde zum gesellschaftlichen Mittelpunkt von ganz Neu-Freimann. Rochelles Ruf unter den jüdischen Überlebenden war beispiellos.

Allen die neu ins Lager kamen, sagte man, wenn sie zu Mama Sutin gingen, würden sie etwas zu essen und zu trinken und für die ersten ein oder zwei Nächte sogar einen Platz zum Schlafen bekommen. Unser Gästebett war der Eßzimmertisch in der Küche, den wir mit Decken polsterten.

Rochelles beliebtestes Gericht waren eingelegte Heringe. Es schmeckte herrlich. Die Leute drängten sich in unserer Küche, um ihre Portion in Empfang zu nehmen.

ROCHELLE   Zweimal in der Woche legte ich Heringe ein, aber auch das konnte die Nachfrage nicht befriedigen. Die ganze Prozedur dauerte zwei Tage: Die Heringe mußten gewaschen, eingeweicht und dann eingelegt werden. Im ganzen Haus roch es nach Hering. Dazu gab es Brot und Butter. Ich buk von dem Brot – es war *challah* [Hefezopf] – immer gleich mehrere Laibe und stellte auch süßes Gebäck her. Die Leute saßen an unserem Tisch, ließen es sich schmecken und bedankten sich so überschwenglich, als wären es die köstlichsten Delikatessen der Welt.

Es machte mir Spaß, für Verwandte und Freunde zu kochen. In dieser Zeit kam ein Mann nach Neu-Freimann, der in Stolpce ein paar Häuser von uns entfernt gewohnt hatte. Er hieß David Zuchowicki und war ein sehr warmherziger, lustiger Mensch. Er lebt heute in Israel, und wir stehen noch immer mit ihm in Verbindung. Damals war er nur noch Haut und Knochen. Wir wurden sofort Freunde. Zum Spaß machte er mir immer Liebeserklärungen, und er tut es noch heute. Als er ankam, war der Küchentisch schon von einem anderen Übernachtungsgast besetzt. Da hoben wir unsere Schlafzimmertür aus den Angeln, legten sie über zwei Stühle, und schon hatte David ein Bett.

Es war eine Freude, so in dieses neue Leben mit Freunden und Verwandten eingebettet zu sein. Aber etwas fehlte mir doch.

Nachdem ich in Lódz das Baby verloren hatte, war ich völlig am Boden zerstört gewesen. Ein Kind war mir genommen worden, mein *eigenes* Kind, und ich sehnte mich danach, die Lücke zu füllen. Ich konnte es kaum erwarten, wieder schwanger zu werden. Und ich war nicht die einzige: Die meisten jungen jüdischen Paare in Neu-Freimann begannen Familien zu gründen. Sie wollten eine neue Generation schaffen, sich selbst und der Welt beweisen, daß einige wenige Angehörige des jüdischen Volkes überlebt hatten und sich ein neues Leben aufbauten.

Im Juni 1946 war es dann soweit. Wir freuten uns sehr, aber ich machte mir auch Sorgen. Ich hatte Angst, es könnte wieder so sein wie beim ersten Mal und ich würde nie ein Kind zur Welt bringen, das am Leben blieb.

Das Baby wurde für Anfang Februar erwartet. Es war mir eine große Beruhigung, daß ich dieses Mal meine Tante Ronke bei mir hatte. Sie sprach mit mir und sorgte dafür, daß ich mich gut vorbereitet fühlte.

Während meiner Schwangerschaft schlugen einige unserer engen Freunde Jack und mir vor, uns einer richtigen jüdischen Heiratszeremonie zu unterziehen, in der wir einander unsere Liebe erklären konnten. Rein rechtlich wäre das nicht nötig gewesen, denn wir besaßen bereits Papiere, die in dreifacher Ausfertigung – einer sowjetischen, einer polnischen und einer deutschen – bestätigten, daß wir vor dem Gesetz verheiratet waren. Unsere Freunde waren jedoch der Meinung, ein jüdisches Ritual würde im Gegensatz zu einer Ziviltrauung von mehr Gefühl und Freude begleitet sein.

Das leuchtete uns ein, und so stellten wir eine Gästeliste auf und baten einen orthodoxen ungarischen Rabbiner, der in unserem Lager lebte, die Zeremonie zu leiten. Es war im September 1946, und man sah mir – Ende des vierten Monats – meine Schwangerschaft noch nicht an. Nur wenige von unseren Freunden wußten, daß ich schwanger war. Der Rabbiner wußte es mit Sicherheit nicht.

Aber ein anderes Problem tauchte auf, das mich noch heute traurig und zornig macht. Ich trug damals einen Ring, den meine Eltern mir zu irgendeinem Anlaß – ich weiß nicht einmal mehr, zu welchem – geschenkt hatten. Es war kein eleganter oder teurer Ring, sondern ein einfacher schmaler Reif mit einem ganz kleinen funkelnden Stein, der mir aber als Andenken an meine Mutter und meinen Vater sehr viel bedeutete. Als die Juden im Ghetto von Stolpce aufgefordert wurden, allen Schmuck abzuliefern, hatte ich den Ring in meinem BH versteckt. Bei den Partisanen hatte ich ihn wieder getragen, und seitdem hatte ich ihn nicht wieder abgelegt.

Der ungarische Rabbiner aber, der uns trauen sollte, war streng orthodox, und eines der wichtigsten orthodoxen Heiratsgebote lautet, daß die Braut ganz in ein *mikwe* [ein Ritualbad] einzutauchen habe. Orthodoxe Jüdinnen überwachen das Ritual, und ganz heißt ganz: Die Haut muß lückenlos und durch nichts behindert von Wasser umspült sein. Ich hatte den Ring jahrelang getragen, und da es ein Kinderring war, bekam ich ihn nicht mehr ab. Es war, als wäre mein Finger durch ihn hindurch und um ihn herum gewachsen. Da sagte der Rabbiner, ich solle mich setzen, nahm eine Zange und brach mir den Ring vom Finger, um eine vollständige Reinigung zu ermöglichen. Er war sehr kühl und sachlich und schien nicht zu begreifen, was der Ring mir bedeutete, obwohl ich es ihm zu erklären versuchte. Handgreiflich wehren wollte ich mich auch wieder nicht – ich konnte mich ja nicht mit dem Rabbiner, der uns trauen sollte, auf einen Boxkampf einlassen.

Die Heiratszeremonie selbst – sie fand unter der *chuppa*

[dem Traubaldachin, unter dem Braut und Bräutigam ihre Gelübde ablegen] statt – war sehr schön. Sie gab Jack und mir Gelegenheit, vor unseren überlebenden Angehörigen und Freunden laut auszusprechen, was wir einander bedeuteten.

Aber die Episode in der *mikwe*, als mir im Namen Gottes mein Ring vom Finger gebrochen wurde, kann ich bis heute nicht vergessen. Rückblickend sehe ich, wie gut sie zu meiner damals schon veränderten Einstellung zur jüdischen Religion paßte. Ich war in einem Elternhaus aufgewachsen, in dem die Lehren des Judaismus als Gottes Lehren galten; Judaismus und Gott waren für mich eines gewesen. Während des Krieges hatte sich das grundlegend geändert. Es war zwar mein Wunsch, Jack in einer jüdischen religiösen Zeremonie zu heiraten, denn ich fühlte mich noch immer sehr jüdisch und dem jüdischen Volk zugehörig; daß aber die Ansichten orthodoxer Rabbiner den Willen Gottes repräsentierten, konnte ich nicht mehr akzeptieren.

Besonders ärgerte es mich, daß so viele Rabbiner den Standpunkt vertraten, Unterwerfung und Märtyrertum seien die richtige religiöse Antwort auf den haßerfüllten Wahnsinn der Nazimörder. Sich zum Märtyrer zu machen sei ein *kiddusch ha-Schem* [eine Heiligung des Namens Gottes]. Das kann ich zwar im Prinzip verstehen, denn der Talmud lehrt uns, Gott nicht nur für das Gute auf Erden zu preisen, sondern auch für das Böse. Wir müssen die Schöpfung so hinnehmen – und lieben –, wie sie ist, wie Gott sie geschaffen hat. Und dementsprechend sollen wir uns verhalten: Not und Elend und, wenn nötig, sogar Märtyrertum zu erdulden ist das Wesen des *kiddusch ha-Schem*. So soll es sein.

Aber ich konnte solche Lehren nicht akzeptieren. Ich konnte den Tod in den Händen der Nazis nicht als eine

Heiligung ansehen. Es war eine Erniedrigung, ein Horror. Ich wollte leben, ich wollte, daß meine Familie lebte.

Das heißt nicht, daß von meinem Glauben an Gott nichts mehr übrig gewesen wäre. Aber es war nicht mehr der Gott der Rabbiner, an den ich glaubte. Meine Mutter hatte einige Wochen vor ihrer Ermordung – sie wußte, daß sie nicht mehr lange leben würde – zu meinen beiden Schwestern und mir gesagt: »Sollte eine von euch diesen Krieg überleben, dann soll sie immer daran denken, daß ich im Himmel bin und sie beschütze. Ich will bei Gott für euch bitten, oder, wenn ich nicht bis zu ihm vordringe, bei irgendeinem Engel, der bereit ist, mich anzuhören.«

Ich habe ihre Worte nie vergessen. Während des Krieges habe ich nicht oft gebetet, und wenn, dann nicht zu Gott. Ich konnte es nicht. Angesichts dessen, was sich vor meinen Augen abspielte, überzeugte mich der Gott, den die Rabbiner lehrten, nicht mehr. Aber ich konnte zu meiner Mutter Cila beten. Was für die Katholiken die Heilige Maria ist, ist für mich meine Mutter Cila. Ich bete noch heute zu ihr. Wenn ich eine Operation vor mir habe, wenn Jack oder eines der Kinder krank ist oder ein anderes Problem hat, und sogar, wenn ich ein Flugzeug besteige, dann bete ich zu meiner Mutter. Ich habe nie eine klar erkennbare Antwort erhalten, aber manchmal glaube ich, daß sie mich hört. Und ich hoffe noch immer – ich kann nicht sagen, daß ich es glaube, aber ich *hoffe* es –, daß meine Mutter, wenn ich sterbe, im Himmel auf mich wartet.

JACK Auch ich bete zu meiner Mutter, so wie Rochelle. Ich bete zu Gott *und* zu meiner Mutter. Es war die Stimme meiner Mutter Sarah – es kann nur sie gewesen sein –, die mir im Spätsommer 1942 in dem Traum sagte, daß Rochelle zu mir kommen werde, in meinen Bunker in den Wäldern. Mein Glaube an Gott hat sich während des Krieges nicht abgeschwächt, sondern verstärkt. Ich spürte das Entsetzen und hatte zugleich das Gefühl, daß eine Hand mich führte.

In Neu-Freimann ging ich an allen hohen Feiertagen in die Synagoge. Daran hat sich bis heute nichts geändert, aber ich denke nicht, daß ich in einer Synagoge sein muß, um zu beten. Und wenn ich dort bin, bete ich nicht mit den Worten des Gebetbuchs. Ich spreche meine eigenen stummen Gebete, manchmal auch mit geschlossenen Augen. Ich bete in jiddischer Sprache. Zu Gott und zu meiner Mutter. Manchmal kommt es mir vor, als bekäme ich Antwort.

Wie Rochelle hoffe ich, daß meine Mutter im Himmel auf mich wartet, wenn ich sterbe. Ich hoffe auch, daß mein Vater auf mich wartet. Aber wenn ich genauer darüber nachdenke, frage ich mich, wie es sein kann, daß eine Mutter im Himmel auf ihr Kind wartet. Müßte das nicht Generation um Generation so sein, und Scharen von Müttern – die Seelen aller Mütter, die je gelebt haben – würden nichts anderes tun als warten? Das Leben muß weitergehen, es muß eine Entwicklung geben.

Trotzdem hoffe ich, meine Mutter wiederzusehen. Aber was nach dem Tod kommt, ob es ein Leben nach dem Tod gibt, das weiß niemand.

Vielleicht können unsere – Rochelles und meine – Gefühle für unsere Mütter, unsere Familien, begreiflich machen, was es für uns bedeutete, eine eigene Familie zu gründen.

Dann kam der 9. Februar 1947, der Tag, an dem unser Kind zur Welt kommen sollte. Im Lager Neu-Freimann gab es weder einen Krankenwagen noch sonst ein Sanitätsfahrzeug, aber wir konnten einen amerikanischen Soldaten ausfindig machen, der uns mit seinem Jeep ins Krankenhaus nach München fuhr. Es schneite heftig. Als wir ankamen, war es schon Abend, und es waren keine Ärzte da, nur eine Handvoll Ordensschwestern, die für das ganze Krankenhaus zuständig waren.

ROCHELLE Der Soldat, der uns fuhr, sagte, daß Jack und Ronke, den Vorschriften der DP-Lager entsprechend, wieder mit ihm zurückkommen müßten. So mußte ich allein ins Krankenhaus und konnte auch nicht mit Jack telefonieren, weil es in unserem Haus kein Telefon gab und die Lagerbüros nachts geschlossen waren. Jack würde erst am nächsten Morgen mit meiner Kusine Sofka wiederkommen, und bis dahin würde ich ganz allein sein.

Gegen zehn Uhr bekam ich starke Wehen. Die Entbindungsstation wurde von zwei Krankenschwestern betreut. Links und rechts von mir lagen mehrere deutsche Frauen in unterschiedlichen Stadien der Wehen. Die Betten waren durch kleine Vorhänge voneinander getrennt. Wer am lautesten stöhnte und schrie, sicherte sich damit die Zuwendung der Schwestern. Sie sagten dann entweder, es sei noch nicht soweit und sie könnten nichts tun – Schmerzmittel gab es nicht –, oder aber man wurde mit dem Bett in den Kreißsaal gerollt.

Da mir meine letzte Entbindung noch deutlich vor Augen stand, fragte ich, ob ein Arzt dabeisein könne, als es soweit war. Die Schwestern sagten, der Bereitschaftsarzt befinde sich nicht in der Klinik, sei im äußersten Notfall aber zu Hause zu erreichen. Bei normalen Geburten seien nur sie dabei.

Während der letzten Wehen forderten sie mich immer wieder auf, mit aller Kraft zu pressen. Und das tat ich: Ich preßte so stark, daß mir im Gesicht ein paar Adern geplatzt sein müssen, denn als Jack am nächsten Morgen kam, sagte er, ich sähe aus, als hätte ich die Masern.

Wenn es ein Mädchen würde, wollten Jack und ich es nach meiner Mutter Cila nennen. Und so wurde um ein Uhr nachts unsere Tochter Cecilia geboren – lebendig und, soweit man sehen konnte, im großen und ganzen gesund. Ich war erschöpft und unendlich erleichtert.

Bald darauf brachten die Schwestern uns in einen anderen Raum, in dem etwa ein Dutzend Liegen nahe beieinanderstanden. Es hieß, ich solle flach auf dem Rücken liegen und mich vierundzwanzig Stunden lang nicht bewegen, sonst würde sich die Gebärmutter nicht richtig zusammenziehen.

Neben mir schlief mein Baby. Doch plötzlich, mitten in der Nacht, spürte ich etwas Warmes zwischen den Beinen. Ich tastete danach und merkte, daß alles voll Blut war. Ich hatte furchtbare Angst, ich würde verbluten und keine Schwester würde mich hören. Ich war zu schwach, um laut zu rufen, und man hatte mir ja strikt verboten, mich zu bewegen. Die ganze Zeit mußte ich daran denken, daß mein Kind keine Mutter haben würde, wenn mir etwas zustieß.

Endlich kam eine Schwester. Sie untersuchte mich und sagte, es sei alles in Ordnung, das Blut und das Gewebe zwischen meinen Beinen seien ein Rest der Nachgeburt, die nach der Entbindung nicht vollständig abgegangen sei. Die Schwester tauschte das blutige Laken gegen ein frisches aus, und damit war der Fall erledigt.

Ich blieb mehrere Tage in dem Raum und lag, wie es damals nach Entbindungen üblich war, die meiste Zeit auf dem Rücken. Oft sah ich mir die anderen jungen Mütter an. Während Jack, Ronke und Sofka mich besuchten, bekamen sie so gut wie nie Besuch. Es waren Deutsche, junge Mädchen, die in der Stadt doch Freunde und Verwandte haben mußten – ich verstand das nicht.

Dann sah ich eines Morgens, wie eine von ihnen sich

fertig machte, um nach Hause zu gehen. Als ihr die Schwester ihr Baby brachte, begann sie zu weinen und flehte sie an, das Kind dazubehalten, sie nicht zu zwingen, es mitzunehmen. Sie versuchte sogar, sich ohne das Baby davonzustehlen. Schließlich zog sie mit ihrem Kind ab, und ich war so verwirrt, daß ich die Schwester fragte, was das zu bedeuten habe.

Sie erklärte mir, daß viele der deutschen Mädchen auf der Entbindungsstation von schwarzen GIs geschwängert worden seien. Und damals, so kurz nach der Nazizeit mit ihrer Betonung der Reinheit der Rasse, war es für ein deutsches Mädchen die größte Schande, ein gemischtrassiges Kind – Mischling nannte man es – nach Hause zu bringen. Die Mädchen wollten ihre Babys nicht haben, und es kam so oft vor, daß sie sich ohne sie davonzustehlen versuchten, daß die Klinik schließlich Wachen aufstellen mußte, um nicht von verlassenen Kindern überschwemmt zu werden.

JACK Wir waren glücklich, daß Tante Ronke bei uns war, als Rochelle mit dem Baby nach Hause kam. Ronke brachte uns die Grundlagen der Säuglingspflege bei, sie half uns, Cecilia zu baden, ihre Windeln zu wechseln und sie zu pflegen, wenn sie Erkältungen oder andere Krankheiten hatte, was häufig der Fall war.

Das lag vermutlich daran, daß unser Haus sehr zugig war und nur von einem einzigen Ofen im Erdgeschoß beheizt wurde. Es war tiefster Winter, und die Holz- und Kohlevorräte, die das Lager uns zur Verfügung stellte, waren begrenzt. Das Holz war oft naß, und man mußte sich die Lungen aus dem Leib pusten, bis es endlich brannte. Währenddessen füllte sich das Haus mit Rauch, man mußte ein Fenster öffnen, um zu lüften, und schon wurde es wieder kalt. Wir machten auf dem Ofen auch das Wasser für Cecilias Bad warm.

Einmal in der Woche wuschen wir Windeln. Es waren keine richtigen Windeln, sondern zurechtgeschnittene Stoffstreifen, aber wir nannten sie Windeln. Die Windeln waren ein besonderes Problem für uns, denn in der Winterluft trockneten sie nicht richtig, und außerdem waren sie im Lager äußerst knapp. Oft mußte Cecilia ohne Windeln auskommen. Wir setzten sie dann in einen Hochstuhl, in dessen Sitzfläche wir eine Öffnung geschnitten hatten, und stellten einen Eimer darunter. Mehr konnten wir nicht tun.

Da kam uns eine Tante in Israel zu Hilfe. Sie hieß Pola und war schon in den zwanziger Jahren ausgewandert, noch ehe das ganze Elend in Europa angefangen hatte. Wir fanden eine Möglichkeit, mit ihr Kontakt aufzunehmen, und sie kümmerte sich rührend um uns – sie war überglücklich, daß wir am Leben waren und ein Kind bekommen hatten. Obwohl sie selbst Not litt – die wirtschaftliche Lage Israels war damals miserabel –, schickte sie uns Pakete mit Windeln und Babykleidung, die uns ein großes Stück weiterhalfen.

Auch Milchpulver für Babys war damals extrem knapp. Hier kamen uns die amerikanischen Zigaretten wieder sehr gelegen, und ich klopfte in ganz München an die Türen, um sie gegen Babynahrung einzutauschen.

Aber Cecilia überstand das alles. Sie war oft krank, aber sie war ein süßes, liebes Baby, und Rochelle und ich waren jetzt Eltern, so wie wir es uns erträumt hatten.

Daß wir nun eine richtige Familie waren, verstärkte noch unseren Wunsch, in den Westen auszuwandern. Wie die meisten anderen Bewohner von Neu-Freimann ließen wir uns bei der HIAS als Auswanderungswillige registrieren, doch die Chancen, nach Israel zu kommen, standen nach wie vor schlecht.

Durch UNRRA-Mitarbeiter fanden wir jedoch die Adresse von Rochelles Onkel Hermann heraus, dem Bruder ihres Vaters, der nach dem ersten Weltkrieg mit nur vierzehn Jahren nach Amerika emigriert war. Damit verfügten wir über einen Kontakt nach Amerika, der uns die Auswanderung sehr erleichtern konnte. In Amerika gab es Juden, die sich großzügigerweise als Bürgen für jüdische Flüchtlinge zur Verfügung stellten, ohne mit ihnen verwandt zu sein. Das war allerdings eher die Ausnahme als die Regel. Onkel Hermann lebte damals in Saint Paul, Minnesota, und wir traten mit ihm in Briefwechsel. Nach einiger Zeit erklärte er sich bereit, für uns zu bürgen. Er wollte uns nach unserer Ankunft bei sich aufnehmen und uns helfen, so rasch wie möglich Arbeit zu finden.

ROCHELLE Um diese Zeit – Mitte 1948 – erhielten wir einen sehr bewegenden Brief von Jacks Tante Pola, die im Fall unserer Auswanderung nach Israel bereit gewesen wäre, für uns zu bürgen. Da Israel im Mai 1948 seine Unabhängigkeit erklärt hatte, waren die britischen Beschränkungen plötzlich kein Problem mehr.

Pola wußte, daß wir daran dachten, nach Israel zu gehen, selbst wenn wir Visa für Amerika bekommen würden. Sie schrieb, so sehr sie Jack liebe und sich gefreut hätte, uns alle bei sich zu haben, müsse sie uns doch davon abraten – die Lage sei zu schwierig. Israel befinde sich mit seinen Nachbarn in einem ständigen militärischen Spannungszustand, und Jack würde wieder kämpfen müssen. Zudem seien Arbeitsplätze und Lebensmittel knapp.

Zu unserem eigenen Besten, schrieb Pola, sollten wir ihre Gefühle außer acht lassen und lieber nach Amerika gehen. Wir würden dort ein besseres Leben haben. Und so entschieden wir uns für Amerika.

JACK Nach monatelangem Warten bekamen wir endlich unsere Visa. Aber ein letztes Hindernis war noch zu überwinden. Die CIA mußte Julius, Rochelle und mich noch überprüfen, um sicherzugehen, daß wir keine Kriminellen oder Kommunisten waren oder aus anderen Gründen ungeeignet, amerikanische Staatsbürger zu werden.

Bei unserer Aufnahme in die deutschen DP-Lager hatten wir nicht verschwiegen, daß wir mehreren Partisaneneinheiten, unter anderem auch Zorins *atrad*, angehört hatten. Allen ehemaligen Partisanen aber, auch den jüdischen, begegnete die CIA wegen des sowjetischen Einflusses auf die Partisanentätigkeit in Polen mit Mißtrauen. Man unterstellte, daß frühere Partisanen zwangsläufig Kommunisten seien.

Das war für uns emotional sehr schwer zu verkraften. Wir hatten als Juden gegen Deutsche gekämpft, und nun wurde uns genau das zum Vorwurf gemacht. Zum Glück hatten wir Gelegenheit, einem verständnisvollen CIA-Offizier unsere Situation zu erklären. Er versicherte uns, daß man uns keine Schwierigkeiten machen werde, und er hielt Wort.

Im August 1949 erhielten wir grünes Licht. Wir packten sofort alles zusammen, was den Transport noch lohnte, und fuhren in einer kleinen Gruppe mit anderen jüdischen Flüchtlingen, die ihre Visa ebenfalls bekommen hatten, mit dem Zug von Neu-Freimann nach Bremerhaven.

Wir hatten die ganze Zeit Angst, in letzter Minute könnte noch etwas schiefgehen. Unsere größte Sorge galt Cecilia, die ja kein sehr gesundes Kind war. Sie hatte ständig Ohren- und Halsentzündungen und oft auch Verdauungsstörungen. Wir fürchteten, von einem Amtsarzt untersucht zu werden, der dann erklären würde, ein Kind in so schlechtem Gesundheitszustand könne nicht nach

Amerika auswandern – was natürlich bedeutet hätte, daß keiner von uns gefahren wäre.

Im Lager Neu-Freimann gab es einen jüdischen Kinderarzt, der aber nicht genügend Medikamente zur Verfügung hatte. So machten wir uns auf die Suche nach einem deutschen Arzt, dem wir vertrauen konnten, was nach allem, was wir über die medizinischen Experimente in den Todeslagern gehört hatten, gar nicht so einfach für uns war.

Was die Todeslager anbelangt, so muß man wissen, daß während unserer Zeit bei den Partisanen weder Rochelle noch ich, noch sonst jemand in unserem Umkreis wußte, was sich dort wirklich abspielte. Wir glaubten, die Juden würden, so wie in Mir und Stolpce, durch Massenmorde an den Bewohnern der einzelnen Ghettos getötet. Was wir über die Lager gehört hatten, beschränkte sich auf Gerüchte. Erst in Lódz, nach unserer Befreiung durch die Sowjets, erfuhren wir – nicht nur durch russische Soldaten, sondern auch durch Überlebende der Lager selbst –, was dort wirklich geschehen war. Und später, in Neu-Freimann, wo alle unsere Freunde und Nachbarn jüdische Flüchtlinge waren, hörten wir noch sehr viel mehr über das Leben in den Lagern. Mit anderen Überlebenden konnten die ehemaligen KZ-Häftlinge am freiesten sprechen. Sie wußten, daß man ihnen glauben und sie verstehen würde. Was diese Juden durchgemacht hatten, machte uns bewußt, daß im Vergleich dazu unser Leben in den Wäldern – so schrecklich und schwierig es auch gewesen sein mochte – ein großes Glück und ein wahrer Segen gewesen war.

ROCHELLE Wir hatten in den Wäldern wenigstens so etwas wie Freiheit gehabt. Wir waren wie Tiere gejagt worden, aber wir waren den Nazis immer wieder entkommen, und manchmal hatten wir auch zurückschlagen können.

JACK   In Neu-Freimann arbeitete in der Verwaltung auch ein Überlebender aus Auschwitz mit mir zusammen. Es war ein gutaussehender junger Mann, und mehrere Flüchtlingsfrauen in unserem Lager bekundeten offen ihr Interesse für ihn. Das hörte jedoch schlagartig auf, als bekannt wurde, daß dieser Mann nie eine Familie würde haben können.

Er hat mir die Geschichte selbst erzählt. Der Nazi-Arzt Joseph Mengele hatte in Auschwitz Experimente an ihm durchgeführt. Über die Schlächterei dieses Arztes – er selbst nannte es »medizinische Forschung« – kann man in den Geschichtsbüchern nachlesen. Der junge Mann war von ihm kastriert worden. Er konnte nicht mit einer Frau zusammensein und litt deswegen Qualen. Die Möglichkeit, die sich Rochelle und mir bot – eine Familie zu gründen, ein neues Leben anzufangen –, blieb ihm verschlossen.

Man kann sich also vorstellen, wie wir uns fühlten, als wir nach einem deutschen Arzt für Cecilia Ausschau hielten.

Schließlich fanden wir eine Ärztin, zu der wir beide Vertrauen faßten. Wir baten sie um Medikamente, die Cecilias Symptome während der Überfahrt unter Kontrolle halten würden. Sie verschrieb uns Tabletten und Ohrentropfen und meinte, ein Klimawechsel – über den Ozean auf einen anderen Kontinent – könne in chronischen Fällen Wunder wirken. Und damit sollte sie recht behalten.

Unsere Gruppe fuhr also mit dem Zug nach Bremerhaven. Da wir ein paar Tage auf unser Schiff warten mußten, mieteten wir bei einer deutschen Familie ein Zimmer. Wir gaben Cecilia ihre Medikamente und versuchten sie für die Reise so gesund wie möglich zu bekommen.

Am 29. August 1949 sollten wir an Bord gehen. Am Pier angekommen, hielten wir nach einem großen Schiff Ausschau. Man hatte uns gesagt, die *General Taylor* sei ein Schiff der US-Marine mit einer Besatzung der US-Marine, und so hatten wir uns etwas ziemlich Großes vorgestellt. Doch als wir die *General Taylor* sahen, trauten wir unseren Augen nicht.

ROCHELLE Es war ein kleines Schiff, klein und alt, kein Passagierschiff, sondern ein ehemaliger Munitions- und Nachschubfrachter. Natürlich freuten wir uns, als in aller Frühe das Horn ertönte und wir aus dem Hafen ausliefen, aber sobald wir auf dem offenen Meer waren, fing das Schiff an zu schwanken und zu schaukeln... wie eine Nußschale, die auf den Wellen tanzt, nicht wie ein richtiges Schiff!

JACK Da es kein Passagierschiff war, gab es weder Kabinen noch Kojen. Statt dessen waren im Gepäckraum für die insgesamt zweihundert Passagiere vier getrennte Bereiche abgeteilt, in denen für jeweils etwa fünfzig Menschen Feldbetten mit Decken bereitstanden. Unsere Mitreisenden waren nicht nur Juden, sondern auch andere Flüchtlinge aus ganz Osteuropa. Gegessen wurde in mehreren Schichten in einer kleinen Kombüse.

Schon am ersten Tag wurden Rochelle und ich schrecklich seekrank. Nur Julius hielt sich tapfer.

ROCHELLE Von wegen tapfer! Es machte ihm überhaupt nichts aus. Er war der einzige von uns, der auf der ganzen Reise keine Mahlzeit ausließ, während Jack und ich nach unserer ersten Mahlzeit an Bord kaum noch einen Bissen hinunterbrachten. Die meiste Zeit lagen wir nur auf unseren Feldbetten. Uns war schwindlig, und wir konnten uns kaum zu einem Gang an Deck aufraffen, und wenn wir es taten, hielten wir uns verzweifelt an der Reling fest. Und ständig mußten wir uns übergeben.

Ich wurde so krank und verlor so viel Flüssigkeit, daß ich mich zu fragen begann, ob ich die zwölftägige Reise überhaupt überstehen würde. Und was noch schlimmer war: Cecilias Ohrenentzündung flammte wieder auf; durch irgend etwas, was mit der Überfahrt zusammenhing, hatte sich ihre Krankheit trotz der Medikamente wieder verschlimmert.

Ich war zu krank, um mich um sie zu kümmern; Jack mußte es tun.

JACK Es gab an Bord einen Marineoffizier, der auch als Schiffsarzt Dienst tat, und ich war entschlossen, Cecilia die Behandlung zukommen zu lassen, die sie brauchte. Es stellte sich jedoch heraus, daß die Medikamente, über die er verfügte, völlig ungeeignet waren und daß er wenig Kenntnisse in der Behandlung von Kleinkindern besaß. Aber eines tat er: Er isolierte Cecilia auf der Krankenstation des Schiffes, damit sie niemanden anstecken konnte.

Die Krankenstation war nicht mehr als ein Raum mit ein paar Feldbetten, und Cecilia war die einzige Patientin. Rochelle und ich durften sie nicht besuchen, auch nicht für wenige Minuten. Hin und wieder versuchte der Schiffsarzt sie zu füttern, aber sonst lag sie nur da, und häufig schrie sie vor Ohren- und Halsschmerzen. Es war schrecklich für uns, unsere Tochter so alleinzulassen, und ich begann darüber nachzugrübeln, wie ich sie trotzdem sehen konnte.

Da hörte ich, daß unter den Passagieren Freiwillige für Reinigungsarbeiten gesucht wurden. Die Bezahlung bestand in größeren Essensrationen, aber das war nicht der Grund, weshalb ich mich meldete; ich konnte das Essen ohnehin nicht bei mir behalten. Ich hoffte aber, bei regelmäßigen Reinigungsarbeiten in die Krankenstation zu gelangen, und so geschah es auch.

Als ich das erste Mal zu Cecilia kam, hatte ich Scheuerlappen und Eimer bei mir, und bei meinem Anblick fing sie an zu weinen, vielleicht vor Freude oder Überraschung. Man hatte ihr das Oberteil eines Herrenschlafanzugs angezogen, und sie sagte auf Jiddisch zu mir: »*Tate* [Papa], schau mal! Ich hab' genau so ein Hemd an wie du!«

Ich hatte die Medikamente bei mir, die ihr die deutsche Ärztin verschrieben hatte, und jedesmal, wenn ich zu ihr kam, gab ich ihr davon. Ich redete und schmuste mit ihr und versuchte so viel Zeit wie möglich mit ihr zu verbringen, damit sie sich nicht so einsam und verlassen fühlte. Das ging so, bis wir in den Hafen von New York einliefen. Nach jedem Besuch bei Cecilia erstattete ich Rochelle ausführlich Bericht und beruhigte sie, daß ihre Tochter am Leben und wohlauf sei. Rochelle machte sich ständig Sorgen, daß Cecilia nicht mehr lebend in Amerika ankommen würde.

ROCHELLE Ich lag auf meinem Feldbett, völlig entkräftet und ausgelaugt. Die Reise kam mir endlos vor.

Dann hörte ich von den Leuten um mich herum, daß das Schiff sich nicht mehr bewege und daß ich, wenn ich an Deck ginge, die Freiheitsstatue sehen könne.

Also raffte ich mich auf und ging hinauf. Das Schiff hatte Anker geworfen und lag still, und zum ersten Mal seit Tagen atmete ich wieder frische Luft. Es war Nacht, aber die Freiheitsstatue war beleuchtet, und auch ganz New York schien beleuchtet zu sein. Ein herrlicher Anblick! Man spricht ja von der alten und der neuen Welt, und von dort, wo ich stand, an Bord eines Schiffes, sah es wirklich wie eine neue Welt aus. Eine Welt, auf die keine Bomben gefallen waren. Eine Welt, in der man in Frieden leben konnte.

Am nächsten Morgen, am 12. September 1949, legte das Schiff an, und die Gangway wurde herangerollt. Wir dankten Gott, daß wir von Bord gehen konnten. Endlich waren wir in Amerika!

JACK Es war, als hätte man jahrelang mit einer Schlinge um den Hals gelebt, und plötzlich würde die Schlinge durchgeschnitten, und man fühlte sich wieder frei.

Bei aller Freude fragten wir uns natürlich auch, was in dem neuen Land auf uns zukommen würde. Wir konnten kein Wort Englisch. Wir wußten, daß unser Ziel Minnesota hieß, aber wir hatten im Grunde keine Vorstellung davon, wo Minnesota lag und wie es dort aussah. Und über eines machten wir uns keine Illusionen: daß es lange Zeit dauern würde, bis wir dort wirklich Fuß faßten – und damit sollten wir recht behalten.

An diesem Morgen gingen wir wie benommen durch die Aufnahmestelle für Neueinwanderer. Man prüfte unsere Papiere, stempelte sie und zeigte uns, wo unser Gepäck ausgeladen wurde. Amerika hatte uns offiziell aufgenommen.

Nein, wir hatten keine Ahnung, was uns erwartete.

Aber zumindest waren wir fort von Deutschland, fort von Polen, fort von unserer Vergangenheit, unseren Leiden. Und das allein war schon ein Segen.

XI

Leben in Amerika

ROCHELLE Shirley Greenberg, die Tochter meines Onkels Herman Schleiff, und ihr Mann Larry holten
uns in der Einwanderungsstelle ab. Die beiden wollten uns
zum Zug nach Saint Paul bringen, der noch am selben Tag
um vier Uhr abfahren sollte. Kaum in New York angekommen, sollten wir also sofort den halben amerikanischen Kontinent durchqueren. Uns drehte sich der Kopf.

Shirley und Larry erklärten uns, daß wir in Chicago
umsteigen müßten und daß Onkel Herman und seine Frau
Rose uns in Saint Paul vom Bahnhof abholen würden.

Für die Zeit bis zur Abfahrt des Zuges nahmen sie uns
mit zu sehr reichen jüdischen Freunden, bei denen wir zu
Mittag aßen. Als Cecilia dort zur Toilette mußte, zeigte
unsere Gastgeberin uns, wie die Spülung funktionierte –
sie glaubte, wir hätten so etwas noch nie gesehen. Ebenso
war es mit dem Aufzug: Sie fing an, mir zu erklären, was
ein Aufzug sei, ohne mich überhaupt zu fragen, ob ich Bescheid wisse, was natürlich der Fall war.

Da wurde mir klar, daß diese amerikanischen Juden
glaubten, wir wären wie *ihre Eltern*, jene Juden, die schon
in den Jahrzehnten vor dem ersten Weltkrieg nach Amerika gekommen waren, in der Mehrzahl *schtetl*-Bewohner
aus ländlichen Gebieten, die das Stadtleben nicht kannten.
Wir selbst, Julius, Jack und ich, betrachteten uns als intelli-
gente, moderne Europäer, aber so wurden wir von den
amerikanischen Juden, die wir in unseren ersten Jahren in

Amerika kennenlernten, nicht behandelt. Wir wußten, daß sie uns nicht kränken wollten, aber so war es nun einmal, und manchmal war das ein Hindernis.

Man hatte uns für die Fahrt einen Zwanzig-Dollar-Schein gegeben und uns erklärt, das sei eine Menge Geld und wir sollten vorsichtig damit umgehen. Ich hatte noch keinen Begriff von der amerikanischen Währung und bestellte deshalb im Speisewagen die billigsten Gerichte, die auf der Speisekarte zu finden waren. Einmal wollte ich es den Amerikanern an den anderen Tischen gleichtun und dem Ober ein kleines Trinkgeld geben. Um Geld zu sparen, wählte ich die kleinste Münze – das Zehncentstück –, weil ich dachte, sie sei am wenigsten wert. Nach dem Essen ließ ich drei Zehncentstücke für den Ober liegen – was mich bei den Preisen von 1949 zu einem äußerst großzügigen Gast machte. Der Ober, der unsere Einwandererkleider und das kranke Kind auf meinem Schoß mit Blicken taxiert hatte, hat sich über sein Trinkgeld sicher sehr gewundert.

Irgendwie schafften wir es, in Chicago den richtigen Zug zu besteigen, doch am zweiten Tag unserer Reise, als ich aus dem Fenster auf die Prärie des Mittelwestens hinausschaute und nichts als Bäume und Felder, Flüsse und Seen sah, begann ich mich zu fragen, wohin wir eigentlich unterwegs waren. Gab es wirklich eine Zivilisation mitten in diesem leeren Land?

Onkel Herman und Tante Rose erwarteten uns bereits, als wir ankamen, und in unserem ersten Monat in Amerika waren wir ihre Gäste. Nicht lange nach unserer Ankunft rief Tante Rose einen Reporter der Lokalzeitung *St. Paul Dispatch* an, der uns über unsere Holocaust-Erfahrungen und unsere Gefühle als Neueinwanderer in Amerika interviewte.

JACK   In dem Artikel werde ich mit den Worten zitiert, daß ich hoffte, eines Tages ein Buch über unsere Erlebnisse zu schreiben. Und jetzt, vierzig Jahre später, wird dieses Buch Wirklichkeit.

ROCHELLE   Der Artikel erschien am 22. September 1949 auf der Titelseite der Zeitung, mit einem Foto von uns vieren, Julius, Jack, Cecilia und mir. Leider war die Reaktion darauf – zumindest soweit wir sie persönlich zu spüren bekamen – sehr häßlich. In dem Artikel war Hermans und Roses Adresse genannt worden, und sofort, nachdem er erschienen war, bekamen wir böse Briefe und Anrufe, in denen über die dreckigen Juden geschimpft wurde, die man ins Land lasse, obwohl die richtigen Amerikaner selbst nicht genug hätten. Alle diese Briefe und Anrufe waren anonym. Einen Brief haben wir aufgehoben, als Erinnerung an diese Erfahrung.

JACK   Ein paar Wochen später fanden die Schleiffs in Saint Paul eine Wohnung für uns, an der Ecke Grand und Dale Street.

Wir lernten damals viele amerikanische Juden kennen, und ich muß sagen, daß es extrem schwierig war, mit ihnen über den Holocaust zu sprechen. Nicht weil sie nicht bereit gewesen wären oder sich gescheut hätten, darüber zu reden, sondern weil sie einfach nicht begriffen. Besonders wenn ich von unserer Zeit bei den jüdischen Partisanen erzählte, hatte ich das Gefühl, daß sie mir nicht glaubten. Rochelle empfand es genauso, und so beschlossen wir, nicht mehr über unsere Erlebnisse zu sprechen.

ROCHELLE Sie konnten einfach nicht aufnehmen, was wir erzählten. Das Entsetzen, das Ausmaß des Ganzen – wir konnten reden, soviel wir wollten, es drang nicht wirklich zu ihnen durch. Einmal fragte mein Onkel Herman mich nach meinen Eltern und anderen nahen Verwandten: »Woher wißt ihr, daß sie umgebracht worden sind? Vielleicht leben sie ja noch.«

Ich konnte nichts dazu sagen; ich hatte in all den Jahren zuviel gesehen und durchgemacht.

Nicht nur über den Holocaust zu sprechen war schwierig für mich. Ich spürte auch, daß ich anders war als die amerikanischen Frauen meines Alters – Mitte Zwanzig –, die ich kennenlernte. Sie hatten ihre Männer in den Krieg geschickt, aber der Krieg war nicht zu ihnen nach Amerika gekommen, in ihre Städte, ihre Straßen, und diese Frauen kamen mir in punkto Reife und Erfahrung wie kleine Kinder vor. Sie waren behütet, unbekümmert, ausgelassen... sie hatten nie ums Überleben kämpfen müssen und wußten nicht, wie das Leben sein kann. Ich kam mir vor wie ihre Mutter und nicht wie eine Gleichaltrige.

JACK Unterdessen tat ich alles, um Arbeit zu finden und unsere Familie zu ernähren. Meine erste Stelle bekam ich bei einem Bekleidungshersteller, der mich bat, abends und an den Wochenenden länger zu arbeiten. Als ahnungsloser Neueinwanderer war ich ein leichtes Opfer, und er betrog mich um den Überstundenlohn, den alle meine amerikanischen Arbeitskollegen bekamen. Als ich es merkte, kündigte ich sofort.

Schließlich verschaffte mir Onkel Herman einen Posten an der Laderampe eines Kaufhauses namens Golden Rule. Die Leute dort waren sehr nett zu mir, obwohl meine Englischkenntnisse anfangs noch recht bescheiden waren. Ich arbeitete hart und nahm an den dort angebotenen Abendkursen in Handelskunde, Marketing und ähnlichen Fächern teil. Ich hatte großes Interesse daran, denn ich träumte davon, eines Tages ein eigenes Geschäft aufzumachen. Ich entwickelte sogar Verfahren zur Verbesserung der Arbeitsabläufe an der Laderampe, die die Effizienz steigerten und dem Golden Rule eine Menge Geld sparten.

Onkel Herman fand auch für Julius eine Stelle, und dieses zweite Einkommen war eine große Hilfe für uns. Julius hatte als »spotter« in der zweiten Nachtschicht einer chemischen Reinigung die abholbereiten Kleider auf noch verbliebene Flecken zu kontrollieren. Wenn er nach Hause kam, packte er noch im Haushalt mit an und kümmerte sich um Cecilia. Er war nicht nur für mich ein Vater, sondern auch für Rochelle, und sie behandelte ihn auch, als wäre er ihr eigener Vater. Daran hat sich in all den Jahren nichts geändert.

ROCHELLE   Anfang 1951 wurde ich mit Larry schwanger. Am 12. Oktober 1951 wurde er geboren, ein prächtiger, großer Junge. Wir nannten ihn Lawrence, nach meinem Vater Lazar, und mit zweitem Namen Stanley, was dem Namen von Jacks Mutter Sarah am nächsten kam. Und da wir Cecilia nach meiner Mutter Cila genannt hatten, trugen unsere Kinder nun die Namen unserer drei toten Eltern. Ich war so glücklich, daß ich nach dem kleinen Jungen, den ich als Neugeborenen verloren hatte, noch einmal eine Chance bekam, einen Jungen großzuziehen.

Doch als ich mit dem Baby nach Hause kam, fühlte ich mich sehr schwach. Nach Cecilias Geburt in Deutschland hatte ich Tante Ronke gehabt, die mir half, aber hier in Saint Paul war ich ziemlich allein. Jack und Julius hatten täglich viele Stunden zu arbeiten. Cecilia, die damals viereinhalb war, tat als Babysitter ihr Bestes, und sie war wirklich eine Hilfe, auch wenn sie enttäuscht war, daß sie kein Schwesterchen bekommen hatte. Es ging auf den Winter zu, und in unserer Wohnung wurde es nachts sehr kalt, denn unser Vermieter war mit der Heizung nicht sehr großzügig. Larry wachte alle zwei Stunden auf und wollte sein Fläschchen, und ich lief barfuß zwischen Küche und Kinderbett hin und her, füllte Fläschchen und spülte sie später mit kochendem Wasser aus.

Schließlich bekam ich Husten. Vier Wochen lang hustete ich, dann wurde es schlimmer. Eines nachts bekam ich kaum noch Luft; es war, als würde man mir Messer in den Rücken stechen. Jack und Julius riefen einen Krankenwagen und brachten mich ins Krankenhaus. Es stellte sich heraus, daß ich eine doppelseitige Lungenentzündung hatte, und ich mußte über eine Woche in der Klinik bleiben. Jack nahm sich frei – ein Verdienstausfall, den wir uns nicht leisten konnten –, um sich um die Kinder zu kümmern, und da auch Julius mithalf, konnte er mich im Krankenhaus besuchen. Er brachte Blumen mit, umarmte und küßte mich und saß verzweifelt an meinem Bett, voll Angst, ich würde nicht wieder zu Kräften kommen.

Endlich konnte ich wieder nach Hause. In den ersten Tagen war mir so schwindlig, daß ich mich an den Wänden abstützen mußte, wenn ich vom Schlafzimmer in die Küche wollte. Es war eine furchtbare Zeit, aber irgendwie überstanden wir sie.

Um diese Zeit wurden von der US-Regierung wehrfähige Männer zum Einsatz im Korea-Krieg einberufen. Ich hatte Angst, es könnte auch Jack treffen, er würde ums Leben kommen und ich würde mit zwei Kindern allein in einem fremden Land zurückbleiben. Und nicht nur das: Ich fürchtete auch, der Korea-Krieg könnte sich zu einem dritten Weltkrieg ausweiten, und ich wollte nicht, daß mein Kind in Kriegszeiten hineingeboren würde.

Ich weiß, daß ich nicht die einzige Frau und Mutter in Amerika war, die damals um ihren Mann und ihre Familie bangte. Aber meine Angst verstärkte sich offenbar durch das, was ich im letzten Krieg erlebt hatte. Ich hatte nachts noch immer Alpträume: Wir wurden abgeholt, man schlug mich, oder ich war auf der Flucht. Wir wurden irgendwohin verschleppt, oder man schickte uns gar nach Europa zurück. Tagsüber war ich beruhigt und wußte, daß niemand an die Tür klopfen würde, aber nachts war es anders.

Zu diesen Ängsten kam noch die tägliche Schwierigkeit zu begreifen, wie sich das Leben in Amerika abspielte. Die Sprache zu lernen – und zu verstehen – war ein permanentes Problem. Wenn ich mit Cecilia zum Arzt ging – um Larry kümmerte sich unterdessen Julius –, konnte es vorkommen, daß mich an der Bushaltestelle jemand ins Gespräch zog. Ich verstand kein Wort, lächelte und sagte zu allem nur: »Yeah.«

Ich kam mir vor, als wäre ich stumm und gehörte nicht hierher. Ich konnte die Zeitung nicht lesen, verstand nicht, was im Radio gesagt wurde, konnte mich nicht unterhalten. Jack machte durch seine Arbeit beim Golden Rule viel raschere Fortschritte. Ich dagegen war zu Hause, wo wir nur Jiddisch sprachen. Aber es war für uns beide schwierig, für Jack und für mich. Oft gingen wir in die Bibliothek und liehen uns polnische und russische Bücher aus, um geistig beweglich zu bleiben.

Das heißt jedoch nicht, daß wir Heimweh nach Polen gehabt hätten. Das war nicht der Fall. Es ging uns nicht wie anderen Einwanderern, die noch Verbindungen zur alten Welt hatten und mit dem Herzen noch bei dem waren, was sie zurückgelassen hatten. Wie hätten wir Heim-

weh nach einem Ort haben können, wo alle, die wir gekannt hatten, entweder tot waren oder ihr Leben durch die
Flucht gerettet hatten? Wo alles jüdische Leben ausge-
löscht worden war?

JACK   Ich würde auch nicht für einen einzigen Tag
dorthin zurückgehen.

ROCHELLE   Wir waren in Amerika zwar noch
nicht richtig zu Hause, aber wir fühlten uns sicher, und
dafür waren wir dankbar, ebenso wie für das Essen auf
dem Tisch. Die Probleme, mit denen wir zu kämpfen hatten, waren geringfügig im Vergleich zu dem, was wir
durchgemacht hatten, aber sie konnten manchmal doch
sehr weh tun.

Cecilia war inzwischen groß genug, um in der Nachbar-
schaft mit anderen Kindern zu spielen. Sie sprach jedoch
sehr wenig Englisch, und sie hatte einen Akzent. Sie war ja
in Deutschland geboren, ihre ersten Worte hatte sie auf
Jiddisch gelernt, und zu Hause sprachen wir nach wie vor
Jiddisch. Als die anderen Kinder ihren Akzent hörten,
wollten sie nicht mit ihr spielen. Ich erinnere mich, daß
ihre Kindergärtnerin den Kindern in ihrer Gruppe erklärte, sie sei erst vor kurzem aus Deutschland gekommen
und könne noch nicht richtig Englisch. Aber es half nichts.
Sie nannten sie Nazi, weil ihr Akzent in ihren Ohren
deutsch klang. Cecilia kam nach Hause und fragte mich
auf Jiddisch, was ein Nazi sei. Ich konnte es ihr damals
noch nicht erklären. Ich sagte nur, die Kinder würden die
Deutschen nicht mögen, weil sie den Krieg angefangen
hätten.

Manchmal gab es auch lustige sprachliche Mißverständnisse. Jedesmal, wenn ich im Lebensmittelgeschäft einkaufen ging, sagte die Frau an der Kasse in einem routiniert-freundlichen Ton »Thanks a lot« – danke schön. Ich verstand immer »Thanksalad« – danke Salat – und dachte, sie würde mich ständig fragen, ob ich nicht auch Salat oder noch mehr Salat kaufen wolle. Eines Tages fragte ich sie einfach, und als das Mißverständnis aufgeklärt war, mußten wir beide sehr lachen.

Die größten Fortschritte machten meine Sprachkenntnisse in den Kursen, an denen Julius, Jack und ich teilnahmen, um die amerikanische Staatsbürgerschaft zu erwerben. Aber auch das Fernsehen half. Eine Menge Englisch lernte ich von Milton Berle und Eddie Cantor – sie waren meine Hauslehrer!

1954 wurden wir alle amerikanische Staatsbürger. Von da an fühlten wir uns in diesem Land heimischer und besser akzeptiert.

JACK   In all den Jahren sagte ich immer wieder zu Rochelle, ich würde ein Geschäft aufmachen und damit Erfolg haben. Ich hatte zwar keinerlei Vorstellung, was für ein Geschäft das sein würde, aber ich ahnte, daß sich eines Tages etwas tun würde.

ROCHELLE   Ich glaubte ihm kein Wort. Ich erinnerte ihn nur immer wieder daran, daß wir ja keine offizielle amerikanische Ausbildung und keine Diplome hatten. Und Kapital hatten wir auch nicht. Wenn Jack von seinem Geschäft sprach, ging er gewöhnlich davon aus, daß er irgend etwas verkaufen würde. Aber ich sah ihn einfach nicht als Kaufmann. Er war ein ruhiger Mensch, fast schüchtern, kein jovialer Schulterklopfer, und sein

Englisch war auch nicht das beste. Ich konnte mir nicht vorstellen, daß er auf fremde Menschen zugehen und ihnen etwas verkaufen würde.

JACK 1957, nach fast acht Jahren beim Golden Rule, kündigte ich schließlich und eröffnete ein Geschenkartikelgeschäft. Ich bin stolz darauf, sagen zu können, daß ich in den Jahren beim Golden Rule eine Menge geleistet habe. Ich wurde regelmäßig befördert – alle sechs bis acht Monate – und stieg schließlich zum Assistenten des stellvertretenden Betriebsleiters des gesamten Unternehmens auf. Ich lernte in diesen Jahren sehr viel über das amerikanische Geschäftsleben, und meine Vorgesetzten waren außerordentlich freundlich zu mir – einem Neueinwanderer.

Eine Stelle zu kündigen, die mir Freude gemacht und in der man mich akzeptiert hatte, war ein schwerer Entschluß. Aber ich wußte, daß ich meiner Familie nur so das Leben würde ermöglichen können, das ich mir für sie wünschte. Den Mut zu dieser Entscheidung gab mir auch die Tatsache, daß ich den Holocaust überlebt hatte. Das Schlimmste, was passieren konnte, so machte ich mir klar, war das Scheitern des Geschäfts; dann würde ich mir eben wieder eine Arbeit suchen. Das machte mir keine große Angst – ich hatte schon sehr viel Schlimmeres durchgemacht. Aber die meisten meiner amerikanischen Kollegen meinten, ich müsse verrückt sein, ein solches Risiko einzugehen. Sie selbst führten ein ruhiges, zufriedenes Leben in einem behaglichen Heim.

Ich fand es angemessen, meine Kündigung dem Präsidenten des Golden Rule, Mr. Phillip Troy, persönlich zu übergeben. Ich wollte ihm für alles danken, was das Unternehmen für mich getan hatte, und ihn außerdem um seinen

Rat bitten, wie ich bei der Gründung meiner eigenen Firma vorgehen sollte. Troy wünschte mir alles Gute und meinte, ich würde bestimmt Erfolg haben, wenn ich weiter so hart arbeitete wie bisher. Und er gab mir drei entscheidende Ratschläge mit auf den Weg: 1. Sei im Umgang mit den Kunden immer fair und ehrlich; 2. Versprich nichts, was du nicht halten kannst; und 3. Erwirb und erhalte dir größtmögliche Kreditwürdigkeit. An diese drei Punkte habe ich mich in all den Jahren stets gehalten.

Das alles hört sich so einfach an, aber das täuscht: Es war alles andere als einfach, mich selbständig zu machen. Ich wußte nur, daß ich es versuchen mußte. Doch wenig später landete ich im Krankenhaus. Ich hatte ein starkes Druckgefühl in der Brust und glaubte, es sei ein Herzinfarkt, aber es entpuppte sich als ein nervöser Angstzustand, wie ich sie seither häufig hatte.

Doch das Geschäft kam in Gang. Ich nannte die Firma »Rochelle's Inc.«, ein Name, der nicht nur meine Liebe zu Rochelle zum Ausdruck bringen, sondern auch darauf hinweisen sollte, daß sie an meiner Seite arbeitete und ihr Teil dazu beitrug, den Betrieb Jahr um Jahr auszubauen. Ohne die partnerschaftliche Zusammenarbeit mit Rochelle und den emotionalen Rückhalt, den ich bei ihr fand, hätte ich mein Ziel nie erreicht.

Von einem amerikanischen Freund bekam ich einen Startkredit, den ich ihm schon im Jahr darauf in voller Höhe zurückzahlen konnte. Und Onkel Herman half mir, Bankkredite aufzunehmen, indem er meine Anträge mit unterzeichnete. Ich entwickelte mich zu einem guten Kaufmann. Ich erkannte, daß man Verkaufstechnik nicht in Kursen lernen kann. Man hat Talent dazu, oder man hat es nicht. Ich arbeitete hart, weil ich wußte, daß ich eine Familie zu ernähren hatte – und das Talent kam ganz von selbst.

ROCHELLE   Die Leute mochten ihn, weil er ein netter, freundlicher Mensch war.

JACK   Die ersten fünfzehn Jahre betrieben wir sowohl Groß- als auch Einzelhandel, wobei der Einzelhandel immer den geringeren Raum einnahm. Wir fingen mit einem kleinen Betrieb in sehr beengten Räumlichkeiten an. Onkel Herman half uns mit der Miete, aber das Geschäft kam schrecklich langsam in Gang. Rochelle führte den Laden, während ich in einem kleinen Raum, der als Büro und Lager diente, die Buchführung des Großhandels erledigte. Manchmal arbeitete ich von acht Uhr morgens bis drei Uhr nachts.

Doch allmählich zeigten sich Erfolge. 1957 konnten wir unsere Wohnung aufgeben und uns ein Haus kaufen. Es hatte einen Garten, in dem die Kinder spielen konnten, und es wurde zu einem wirklichen Heim für uns.

ROCHELLE   In den ersten Jahren war es mir schrecklich, in dem Geschäft zu arbeiten. Zwar blieb Julius zu Hause und kümmerte sich um die Kinder, aber es war schlimm für mich, nicht bei ihnen zu sein. Hinzu kam, daß wir kaum etwas verdienten. Manchmal machten wir an einem ganzen Tag nur acht Dollar Bruttoumsatz – so gut wie gar nichts! Wenn ich abends nach Hause kam, kochte ich noch und machte sauber.

Aber wir hielten durch. Wir mußten. Und schließlich – wieder mit Onkel Hermans Hilfe – konnten wir uns bessere Räume leisten. Wir verlegten das Geschäft in die Eingangshalle eines großen Bürogebäudes in Minneapolis, und von da an ging es aufwärts.

Unsere Kunden mochten mich. Wir hatten eine Menge

Stammkunden, die bei uns Karten und Geschenke für alle möglichen Anlässe kauften. Sie vertrauten mir ihre Eheprobleme und sogar ihre geheimen Affären an. Ich unterhielt mich mit jedem. Trotz meines starken Akzents verstanden sie mich und vertrauten mir.

JACK   Im Dezember 1974 starb mein Vater Julius im Alter von neunzig Jahren. Er hatte all die Jahre in Amerika bei uns gelebt. Wir hatten nicht einen Augenblick daran gedacht, ihn in ein Altersheim zu geben. Und in dieser ganzen Zeit hatte er uns nicht nur geholfen, unsere Kinder großzuziehen, sondern in unserer Firma auch als Buchhalter fungiert. Seine Bücher waren von Hand geschrieben, in seiner schönen Handschrift, und er war immer äußerst akkurat gewesen.

Das Geschäft entwickelte sich so gut, daß ich schließlich das Gefühl hatte, es geschafft zu haben: Meine Familie hatte ein gutes Leben. 1973 verkauften wir das Einzelhandelsgeschäft. Den Großhandel mit Geschenkartikeln, die ich aus aller Welt importierte und an Läden in ganz Amerika verkaufte, behielten wir bei. Ich beschäftigte zwölf Handelsvertreter und drei weitere Angestellte, die mit mir in unserem großen Zentrallager in Minneapolis arbeiteten. Rochelle und ich reisten persönlich in den fernen Osten – nach Hongkong, Thailand, Singapur – und wählten dort die Waren aus. Um konkurrenzfähig zu bleiben, begannen wir auch eigene Geschenkartikel zu entwerfen und uns um deren Herstellung zu kümmern.

Überall, wo Rochelle hinkam, gewann sie Freunde. Und es gelang uns, Waren anzubieten, die den amerikanischen Kunden gefielen. Dafür hatte ich ein besonderes Gespür. Onkel Herman und Tante Rose waren stolz auf das, was Rochelle und ich zusammen erreicht hatten.

1991 gab ich das Geschäft schließlich auf und setzte mich zur Ruhe. Anfangs glaubte ich, ich würde meine Arbeit vermissen und nichts mit meiner vielen Zeit anzufangen wissen. Aber jetzt bin ich froh, daß ich die Sorgen los bin.

ROCHELLE Jack und ich stammten beide aus wohlhabenden Familien, und im Krieg waren wir beide bettelarm gewesen. Aber wir wußten, wie wir leben und was wir unseren Kindern geben wollten. Und wir waren überzeugt, daß wir intelligent genug waren und unsere Sehnsucht stark genug war, um unsere Ziele zu erreichen.

In der Kindererziehung waren wir nachgiebiger als die meisten amerikanischen Eltern, die wir kannten. Kinder zu haben war ein Wunder für uns. Wir hatten unsere Eltern nicht im Stich gelassen... sie lebten in unseren Kindern weiter. So viele jüdische Familien waren von den Nazis vernichtet worden – einige aber hatten überlebt!

Unsere Kinder bekamen kein festes Taschengeld. Wir gaben ihnen so viel Geld, wie wir konnten, und waren stolz darauf, ihnen so oft etwas geben zu können. Wenn sie um acht noch nicht ins Bett gehen, sondern bis neun aufbleiben wollten – kein Problem! Wenn sie ins Kino wollten, konnten sie das tun. Sie hatten keine regelmäßigen Pflichten, mit deren Erfüllung sie sich Vorteile erkaufen mußten. Sie sollten ihren Spaß haben und glücklich sein.

Ich weiß noch, wie ich mich fühlte, wenn ich in der ersten Zeit nach unserer Ankunft in diesem Land amerikanische Frauen von ihren Hochzeiten und Taufen erzählen hörte. Es gab ständig irgendwelche Feste, bei denen die ganze Familie zusammenkam. Ich war so eifersüchtig, besonders wenn ich Mütter mit ihren Töchtern sah! Ich ertrug es nicht, mit ihnen zusammen zu sein. Ich hatte das

Gefühl, sie hätten alles, was mir vorenthalten worden war. Wo waren meine Mutter, mein Vater, meine Schwestern?

Alle Liebe, die Jack und ich für unsere verlorenen Eltern empfanden, ging auf unsere Kinder über. Wenigstens sie sollten ein normales Leben führen und nicht entbehren müssen, was wir entbehrt hatten. Sie sollten um nichts schlechter gekleidet sein, um nichts schlechter leben als amerikanische Kinder. Alles sollte in unseren Kindern seinen Ausgleich finden.

Die Jahre sind vergangen. Cecilia hat ihr Studium an der University of Minnesota abgeschlossen, Larry hat Diplome an der University of Michigan und der Harvard Law School erworben. Drei Enkelkinder wurden uns bisher geschenkt, David, Danny und Sarah. Wir haben in Amerika ein gutes Leben.

JACK   Das also ist unsere Geschichte. Wir haben sie erzählt, so gut wir konnten.

Eines ist mir noch wichtig: Die Leser dieses Buches sollen wissen, wie sehr ich Rochelle liebe.

Lawrence Sutin

Ein Nachwort zur
»zweiten Generation«

Von manchen Lesern der Geschichte meiner Eltern wurde ich gefragt, ob ich nicht noch einige Gedanken zu meiner eigenen Situation als Kind von Holocaust-Überlebenden anfügen könnte. Das Thema der »zweiten Generation« scheint Interesse zu wecken, speziell im Hinblick auf das psychologische, moralische und geistige Vermächtnis, das Holocaust-Überlebende ihren Kindern hinterlassen.

Ich werde also versuchen, dieses Vermächtnis, so gut ich kann, an meinem eigenen Fall zu schildern. Zuvor aber möchte ich klarstellen, daß mir bei den Begriffen »Überlebende« und »zweite Generation« nie ganz wohl gewesen ist.

In geschichtlichen, philosophischen, psychologischen und anderen Veröffentlichungen zum Thema Holocaust ist eine starke Tendenz erkennbar, vom Holocaust-»Überlebenden« als einer einheitlichen, generalisierbaren Kategorie zu sprechen. In der Regel werden die verschiedenen Weisen des Überlebens und die Anpassungsformen der Überlebenden nach dem Krieg zwar sorgfältig unterschieden, aber es bleibt der Eindruck, als sei der Holocaust-»Überlebende« ein *Menschentyp*, der Heldentum, Tragödie, Trauma und anderes mehr anschaulich machen könne.

Bis zu einem gewissen Grad kann auch ich den »Überlebenden« als Typ akzeptieren. In meinem Vorwort habe ich geschrieben: »Im Holocaust war der Tod allgegenwärtig;

ohne die Zufälligkeiten des Schicksals gäbe es keinen Unterschied zwischen den Millionen von Juden, die starben, und dem kleinen Rest der Überlebenden.« Es ist durchaus angemessen und verdienstvoll, den Holocaust zum Gegenstand intensiver historischer Forschung zu machen. Es ist eine grausige, aber notwendige Aufgabe, den Völkermord der Nazis und die Schicksale seiner Opfer offenzulegen. Und es ist legitim zu fragen, wie jene, die überlebt haben, dies angesichts der Umstände, mit denen sie konfrontiert waren, vermochten.

Aber es ist eine widerwärtige Form des Forschens, wenn man die vermeintlichen tieferen Gründe dafür herauszufinden sucht, weshalb einige wenige überlebten, während so viele andere ermordet wurden. Widerwärtig deshalb, weil dieser Ansatz zu oberflächlichen moralischen und psychologischen Urteilen über Personen und Umstände führt, von denen jene, die sich solche Urteile anmaßen (und es ist immer eine Anmaßung seitens derer, die nicht dabei waren), keinerlei Vorstellung haben. Widerwärtig auch deshalb, weil solches Forschen unterstellt, es sei im Schicksal jener, die überlebten, und jener, die starben, eine »Nazi-Gerechtigkeit« des »Survival of the Fittest«, des Überlebens des Bestangepaßten, am Werk gewesen. Die Realität war systematisch geplanter Massenmord, der *alle* Juden in Europa – einschließlich der Überlebenden – zu seinen Opfern machte.

Man muß außerdem sehen, daß das Leben, das die jüdischen Überlebenden seither führen, absolut kein einheitliches Bild ergibt. Ich hatte den Vorzug, im Laufe der Jahre viele Überlebende kennenzulernen, und sie schienen mir alles andere als einen »Typ« zu verkörpern. Manche liebten das Leben trotz der Dinge, die sie durchgemacht hatten, mit aller Intensität, anderen war anzumerken, daß sie noch immer Qualen litten. Die einen hatten das Bedürfnis, ihren Gefühlen Ausdruck zu verleihen und ihre Geschichte mitzuteilen, die anderen brachten das Thema niemals zur Sprache. Ich könnte noch viele weitere Unterschiede aufzählen, aber es genügt wohl, wenn ich sage, daß sie Menschen sind und daß sich ihr Leben in wichtigen Bereichen unterscheidet. Mit einem Wort: Hier stößt die Kategorie des »Überlebenden« an ihre Grenzen.

Darin liegt natürlich auch der besondere Wert von Holocaust-Berichten der Überlebenden selbst: Sie bezeugen, daß im Mahlstrom des Todes das Leben, das verschont oder vernichtet wurde, ein *individuelles* Leben war, ein Leben, das mit der grauenvollen Statistik der »sechs Millionen« nicht zu erfassen ist. Wenn wir diese Berichte lesen, können wir uns – lebhaft, wenn auch nur sehr begrenzt – vorstellen, was es bedeuten mochte, den Gewalten ausgesetzt zu sein, die die Nazis entfesselten. Ein solcher Versuch des Verstehens führt zwangsläufig dazu, daß wir uns unliebsame Fragen stellen: die Frage, wer wir als Menschen wirklich sind, die Frage, wessen wir fähig sind. Nicht die Überlebenden, sondern uns selbst können wir dabei einer höchst fruchtbaren Prüfung unterziehen.

Ebensowenig wie eine geschlossene Kategorie des »Überlebenden« gibt es eine einheitliche »zweite Generation«. Zumindest eine grundlegende Unterscheidung drängt sich bei der Beschäftigung mit den Kindern von Überlebenden auf: Die Eltern der einen Gruppe sprechen über das Geschehen, die der anderen nicht. In meinem Vorwort habe ich erwähnt, daß ich dankbar bin, der ersten Gruppe anzugehören. Ich glaube, das hat vieles erleichtert, was sonst zu einer allgegenwärtigen Spannung hätte führen können. Ich möchte jedoch nicht den Eindruck erwecken, als würde ich Eltern, die nicht darüber sprechen, verurteilen. Zu schweigen oder sich zu offenbaren war für einen oder beide Elternteile zweifellos eine schwierige Entscheidung. Das heißt in meinen Augen aber nicht, daß diese Entscheidung in allen oder auch nur in den meisten Fällen das künftige Leben des Kindes bestimmt hätte.

Ich kann deshalb nicht über Holocaust-»Überlebende« und »Kinder von Überlebenden« sprechen (wenn ich der Versuchung auch hin und wieder erliegen mag), sondern nur über die Beziehung zwischen meinen Eltern und mir selbst.

Ebensowenig werde ich wohl jene Leser zufriedenstellen können, denen die Überlebenden und ihre Kinder ein faszinierendes diagnostisches Rätsel aufgeben. Von Bekannten, die die Vergangenheit meiner Eltern kennen, werde ich hin und wieder gefragt, wie sich diese Vergangenheit meiner Meinung nach auf mich ausgewirkt hat. Manche bieten mir sogar normative Etiketten wie »Transmission des Traumas« und »Überlebendensyndrom« an. Hinterfrage ich jedoch die Bedeutung und Tauglichkeit solcher Etiketten, riskiere ich damit, der »Verleugnung« verdächtigt zu werden.

So war es kaum zu vermeiden, daß ich mich selbst ein wenig in der psychologischen Literatur über die »zweite Generation« umsah. Die Notwendigkeit solcher Literatur – das heißt einer Literatur über die quälenden psychischen Probleme, mit denen nur allzu viele Kinder von Überlebenden zu kämpfen haben – ist schmerzhaft offenkundig. Der Holocaust endet nicht mit dem Leben jener, die ihn durchgemacht haben – das kann ich selbst bezeugen. Die Reaktionen der Kinder mögen unterschiedlich sein, aber sie sind zweifellos vorhanden. Methodisch behutsamer als jene, die mich gelegentlich dazu befragt haben, gehen die Autoren einschlägiger Untersuchungen vor. Hier ein repräsentatives Zitat, das zudem den Druck, unter dem die »zweite Generation« steht, verdienstvollerweise mit einem allgemeineren Aspekt menschlicher Existenz ver-knüpft:

> Wie vorauszusehen, sind nicht sämtliche Themen in jedem Fall [der zweiten Generation] vorhanden oder dominant, dennoch gibt es eine gemeinsame Grundlage – einen *Überlebendenkomplex* –, die an die Kinder wei-tergegeben wird. Die meisten, wenn nicht gar alle Ent-wicklungsphasen werden von der Überlebensproble-matik beeinflußt. Vielleicht ist dieser Komplex in der menschlichen Natur ebenso universal, wie Freud es vom Ödipuskomplex annahm. Auf diese Weise kann er zu einer Quelle der Kraft oder aber der Pathologie wer-den.*

Das mag durchaus der Fall sein. In meiner Familie war – und ist – Überleben keine Selbstverständlichkeit. Ich bin mit Erzählungen von Haß und Mord aufgewachsen, und der Haß richtete sich nicht nur gegen meine Eltern oder die Juden ihrer Generation, sondern gegen Juden zu allen Zeiten und an allen Orten, gegen jüdische Existenz an sich. Gegen mich. Nazis und »Neonazis« (ein fabelhafter Ausdruck: Er suggeriert, daß der Nazi-»Gedanke« eine Entwicklung durchgemacht habe, während in Wirklich-keit ein fast kultisches Beharren auf Haß und Unwissen-heit unverändert fortbesteht) und ihre Sympathisanten wollen bis heute meinen Tod. In Amerika bin ich vorläufig sicher. Würde man aber meine Familie und mich nach Deutschland, Polen, Rußland, Lettland oder Litauen ver-pflanzen – um nur die Hauptbrennpunkte zu nennen, an denen neonazistische Bewegungen und Gefühle heute wie-

* Kestenberg, Judith S. (1995). Überlebende Eltern und ihre Kinder. In Martin S. Bergmann, Milton E. Jucovy & Judith S. Ke-stenberg (Hg.): Kinder der Opfer, Kinder der Täter (S. 126). Frank-furt: Fischer.

der blühen und gedeihen –, befänden wir uns plötzlich in Gefahr. Das sind für mich schlichte Tatsachen.

Daß der »Überlebendenkomplex« entweder »zu einer Quelle der Kraft oder aber der Pathologie werden« kann, ist soweit richtig, aber das Entweder-Oder wirkt irreführend. Er kann zu einer Quelle der Kraft *und* der Angst *und* der Wut *und* der Qual (»Pathologie«) *und* vieler anderer Dinge werden. Mein größter Wunsch beim Schreiben dieses Buches war, daß die Geschichte meiner Eltern überdauern möge, daß sie nicht nur mir selbst – durch meine Arbeit an dem Buch –, sondern auch meiner Tochter Kraft geben möge, wenn sie einmal soweit ist, daß sie sie lesen, verstehen und darüber staunen kann.

Im folgenden nun einige Erinnerungen an mein Heranwachsen in meiner Familie. Das Skelett dieses Berichts wird der Leser anschließend seiner eigenen diagnostischen Analyse unterziehen müssen.

Sowohl mein Vater als auch meine Mutter waren sich sehr deutlich bewußt, was sie durchgemacht hatten, und ich ebenfalls. Unser ganzes häusliches Leben war davon geprägt. Meine Schwester Cecilia hat kürzlich in einer Rede vor ihrer Synagogengemeinde genau beschrieben, was es für uns beide bedeutet hat, in einer vom Tod dezimierten Familie aufzuwachsen:

Wenn meine Freunde ihre Großeltern und Tanten, ihre Onkel, Vettern und Kusinen besuchten, dachte ich an die Verwandten, die ich nie gekannt hatte – weil sie in der Blüte ihrer Jahre brutal ermordet worden waren. Diese besonderen Beziehungen zu meinen Großmüttern, den Tanten, dem Vater meiner Mutter – das alles hat man mir geraubt.

Als ich älter wurde, sah ich, wie die Eltern meiner Freundinnen und Freunde sich auf ihre Klassentreffen freuten, hörte, wie sie sich über Kindheitsfreunde und vergnügte Collegezeiten unterhielten. Wie oft habe ich mir gewünscht, ich könnte mein eigenes Glück mit meinen Eltern teilen, ihnen die Jahre der Freude und Freiheit zurückgeben, die sie mir geschenkt haben.

Ich bin so dankbar, daß David und Danny, meine eigenen Söhne, Großeltern haben und daß ihnen die Leere, die ich in ihrem Alter empfunden habe, erspart geblieben ist.

Aber *ein* älterer Verwandter hatte überlebt. Er lebte bei uns und gab uns dadurch das Gefühl eines größeren Familienverbandes, nach dem wir uns so sehr sehnten: mein Großvater Julius, der gütigste Mensch, der mir in meinem Leben je begegnet ist.

Mein Großvater und ich bewohnten ein gemeinsames Zimmer, und er hat sich, gleichsam als dritter Elternteil, meine ganze Kindheit und Jugend hindurch um mich gekümmert. Als er starb, war ich dreiundzwanzig. Seine Lieblingsspeisen waren für einen Menschen, der neunzig Jahre alt geworden ist, erstaunlich: Butter-und-Zucker-Sandwiches und in viel Fett gebratenes Fleisch. Zweierlei Medizin nahm er täglich ein – einen Löffel Magnesiamilch und ein (manchmal auch zwei) Gläschen Schnaps. Es war ein Ritual: Er trank den Schnaps stets zwischen vier und fünf Uhr nachmittags und schmatzte dazu anerkennend. Sonst trank er keinen Alkohol, allenfalls Wein oder Kirschlikör an den hohen jüdischen Feiertagen, wenn es bei uns ein Festessen gab.

Ich kann mich nicht erinnern, daß mein Großvater in all den Jahren des engen Zusammenlebens in der Familie je die Beherrschung verloren hätte. Hielt er es für nötig, mich zu tadeln, was selten vorkam (eher dank seiner Nachsicht als meiner Folgsamkeit), geschah das in Form einer sanften Bitte. Sein Gesicht – es blieb sein Leben lang glatt – rötete sich dann ein wenig, aber sein Lächeln, ein ruhiges, fast verträumtes Lächeln, vertiefte sich noch. Mit seinem Tadel, so wie er ihn verstand, wollte er mir nichts verbieten, sondern mich nur schützen. Die Wirkung war alles in allem gut. Ich liebte ihn und wollte ihn auf keinen Fall verärgern. Er hatte es, so fand ich, *nicht verdient*, daß man ihm nicht gehorchte. Aber es kam trotzdem oft genug vor.

In manchen Dingen konnte mein Großvater ziemlich stur sein. Am krassesten zeigte sich das in seinem Verhältnis zur englischen Sprache. In den fünfundzwanzig Jahren, die er in Amerika lebte, hat er die Sprache nicht gelernt oder war, genauer gesagt, nicht bereit, sie zu sprechen. Seine Sprache war das Jiddische; er hatte eine in New York City erscheinende jiddische Zeitung abonniert, *The Jewish Daily Forward*, für die unter anderen auch Isaac Bashevis Singer schrieb. Etwas Englisch verstand er natürlich, denn er sah sich hin und wieder amerikanische Fernsehsendungen an und schien auf Englisch geführten Gesprächen zumindest folgen zu können.

Aber seine eigentliche Sprache war das Jiddische. Wir alle sprachen zu Hause jiddisch, manchmal mit Englisch vermischt, was bei meiner Schwester und mir häufiger vorkam, weil wir das Jiddische – bis heute – bei weitem nicht so gut beherrschten. Doch als wir älter wurden und unsere Eltern sich in der Sprache ihres neuen Landes besser zurechtfanden, wurde das Englische zu unserer Hauptsprache. Nur wenn es ernst oder emotional wurde, verständigten wir uns auf Jiddisch. Der Übergang geschah nicht bewußt; wir folgten hier einem Instinkt, vielleicht einem Überlebensinstinkt. Das Jiddische ist im Hinblick auf Persönlichkeitstypen und seelische Verfassungen eine außerordentlich reiche Sprache. Jiddisch sprechen heißt darüber philosophieren, ob man es möchte oder nicht. Ich bin dankbar dafür, daß ich Kenntnisse dieser Sprache im Blut habe.

Was das Bewußtsein der Vergangenheit – des Holocaust – anbelangte, das in meinen Eltern noch so lebendig ist, so bildete mein Großvater eine »partielle« Ausnahme. Partiell deshalb, weil ich weiß, daß diese Jahre auch ihm ihren Stempel aufgedrückt hatten. Seine Welt war buchstäblich vernichtet worden, aber er sprach darüber so selten und mit so knappen Worten, daß ich offen gestanden nicht sagen kann, was für Gefühle ihn bewegten. Ich weiß nur, daß die heitere Gelassenheit seiner letzten Lebensjahrzehnte – er wurde wohlgemerkt niemals senil – eine Art Wunder an praktischer Weisheit war. Sie verblüffte selbst meine Eltern, und oft wünschten sie sich scherzhaft, sie hätten selbst etwas von diesem Seelenfrieden abbekommen. Die Antwort, die er gab, wenn man ihn fragte, warum er an Jom Kippur nicht in die Synagoge gehe, verdeutlicht seine Einstellung. Jom Kippur ist der höchste Feiertag des jüdischen Jahres, ein Tag der Buße, an dem Gott die Namen aller Juden in das Buch des Lebens oder in das Buch des Todes schreibt. Julius sagte (auf Jiddisch natürlich): »Na, wenn ich nicht in der Synagoge bin, kann Gott mich auch nicht sehen und vergißt vielleicht, daß ich überhaupt noch lebe.« Das hat, was ihn betraf, wunderbar funktioniert.

Bei meinen Eltern dagegen blieb der Holocaust immer spürbar. Sie legten eine Spannung, eine Heftigkeit, eine gleichbleibende Gefühlsintensität an den Tag, die sie von den amerikanischen Erwachsenen, den Lehrern und Eltern von Freunden, denen ich in meiner Kindheit und Jugend begegnete, unterschied.

Diese Intensität machte mir Angst. Ich wußte im wesentlichen schon früh über ihre Vergangenheit Bescheid. Hin und wieder kamen in meinen Träumen Nazis vor, die mich töten wollten. Die gleichgültige Welt (und sie war in der Tat gleichgültig in den Jahren während des zweiten Weltkrieges und davor, als man viel hätte tun können, um jüdisches Leben zu retten) war bereit, mich sterben zu lassen.

In diese Angst aber mischte sich ein Gefühl von Stolz und Hoffnung, das sie zum Teil sogar verdrängte. Meine Eltern hatten nicht nur überlebt, sie hatten sich auch zur Wehr gesetzt. Das allein war in der Hölle der Kriegszeit in Polen schon eine einmalige Chance gewesen. Und das war noch nicht alles. Als Kinder hörten wir mit immer neuem Entzücken, wie mein Vater geträumt hatte, meine Mutter würde zu ihm in die Wälder kommen, sie würden einander lieben und ihr Leben lang zusammenbleiben. Der Traum hatte die magische Wirkung einer Prophezeiung. Das Leben, so lernten wir Kinder, konnte voller Wunder sein, *wirklicher* Wunder, so selten sie auch geschehen mochten.

Die Liebe meiner Eltern zu uns Kindern war ungeheuer stark. Sie hielten leidenschaftlich an ihr fest, so daß es in gewisser Weise eine absolut bedingungslose Liebe war. Sie wurde uns niemals entzogen, egal, was wir taten. Nach der Erfahrung des Holocaust war Familie für meine Eltern etwas Heiliges, und durch ihre hingebungsvolle Fürsorge für uns wurde sie das auch für meine Schwester und für mich. Innerhalb der Familie waren wir sicher. Unsere Gespräche waren frei und offen, und es wurde viel gelacht. Wir konnten mit unseren Eltern über alles reden und sicher sein, daß wir direkte, ehrliche Antworten bekamen. Meine Schwester hat es einmal treffend und paradox zusammengefaßt: »Es ist unseren Eltern gelungen, uns ein normales, glückliches Leben zu ermöglichen – obwohl sie wahrscheinlich vergessen hatten, was ›normal‹ ist.«

Diese Liebe unserer Eltern unterlag stillschweigenden Bedingungen – Bedingungen, die nicht ihre Liebe als solche berührten, sondern die Freude und Zufriedenheit (das jiddische Wort *nache*s drückt das Gefühl befriedigter Liebe aus, das ich meine), die sie damit verbinden konnten. Sie ergaben sich daraus, daß jugendliche Anzeichen von Unabhängigkeit vor dem Hintergrund des geheiligten Wertes der Familie mit einer Mischung aus Stolz und Besorgnis betrachtet wurden (Stolz, weil meine Eltern wollten, daß ihre Kinder stark, glücklich und selbstbewußt waren, Besorgnis, wenn die familiäre Loyalität durch autonome Entscheidungen oder – noch schlimmer – durch Trotz und offene jugendliche Rebellion bedroht war).

Mein Vater ist, von seltenen Ausnahmen abgesehen, ein relativ stiller Mensch. Er hat Tag und Nacht gearbeitet, um uns zu ernähren. So sehr er seine Kinder liebt, so selten hat er doch mit uns gespielt, als wir noch klein waren, und noch heute fällt es ihm leichter, unserer Mutter seine Liebe physisch zu zeigen als meiner Schwester und mir. Sie ist der Leitstern seines Lebens. Von einer kurzen, unerfreulichen Ausnahme abgesehen, hat er in all den Jahren keine Geschäftsreise ohne sie gemacht. Sein Kosename für sie ist *maisele* – Maus –, was mit ihrer Vorliebe für Käse zusammenhängt. Mit diesem Namen sind wir groß geworden; »Rochelle« entsprach einer befangenen, durch die Anwesenheit von Fremden auferlegten Förmlichkeit.

Mein Vater ist ein geduldiger Mensch, zugleich aber ein Nervenbündel. Der Weisheit, die er im Laufe seines Lebens erworben hat, stehen die Schäden gegenüber, die ihm die Jahre der Hölle zugefügt haben. Trotz seines beträchtlichen Erfolgs als Geschäftsmann ist er erstaunlich frei von Habsucht oder Überheblichkeit. Er weiß, daß Geld zum Überleben nötig ist, aber er weiß auch, daß es kein Zeichen von Charakter und kein Garant für wahres Glück ist. Seine Großzügigkeit, nicht nur seiner Familie, sondern auch Freunden, Angestellten oder wohltätigen Zwecken gegenüber, ist ein Grundzug seines Charakters und hat nichts mit rosigen Stimmungen oder Nützlichkeitserwägungen zu tun. Manchmal bekommt er Wutanfälle, und fast immer ist der Anlaß etwas, was er als Bedrohung oder mangelnden Respekt für meine Mutter empfindet. War ich als Kind oder Jugendlicher in einem wichtigen Punkt anderer Meinung als sie, ging mein Vater auf die Barrikaden. Er schloß sich nicht nur ihrer Meinung an – was ohnehin selbstverständlich war –, sondern bekundete auch laut und empört sein Erstaunen darüber, daß ich es wagte, meiner Mutter Kummer zu bereiten. *Nichts*, was ich wünschen oder glauben mochte, konnte das in seinen Augen rechtfertigen.

Meine Mutter schien mir nie so viel Schutz nötig zu haben, wie mein Vater glaubte. Sie ist ein ebenso gefühlsbetonter Mensch wie er und kann genauso schweigen oder in Wut geraten. Doch das kommt selten vor. Meist strahlt sie im vertrauten Rahmen unseres Familienlebens Freude aus. Ihr verdanken wir die besten Augenblicke unseres Zusammenseins, sie ist diejenige, die entschlossen Themen aufs Tapet bringt, die der Diskussion bedürfen, diejenige, die lacht und mit größtem Vergnügen andere herausfordert und neckt. Meine Mutter hat einen äußerst scharfen, schnellen Humor. Mich hat das nie gestört, aber einige wohlerzogene Leute, die ihre Bekanntschaft gemacht haben, hat es bestimmt erschreckt. Meine Mutter sagt frei heraus, was sie denkt, und sie findet nun einmal vieles am menschlichen Verhalten fehl am Platz, abwegig oder heuchlerisch. Ihre besten Bemerkungen macht sie gewöhnlich auf Jiddisch, einer Sprache, die das Derbe liebt, was aber auf Englisch und aus dem Zusammenhang gerissen gröber klingen kann, als es gemeint ist.

Was hält sie beispielsweise davon, daß ich Schriftsteller geworden bin? Da sie mich liebt und sich um mich sorgt und weiß, daß 1. das Schreiben eine unsichere Existenzgrundlage ist und es 2. den meisten Leuten vollkommen gleichgültig ist, was ein Schriftsteller zu sagen hat, auch wenn sie lautstark das Gegenteil bekunden, umschreibt meine Mutter ihre Einstellung zu meinem Beruf mit einem jiddisch-russischen Ausdruck: Ein Schriftsteller gleiche einem »*philosof na iaitzach*«, einem Philosophen, der dasitzt und sich die Eier kratzt. Finden Sie das anstößig? Das sollten Sie nicht. Es ist eine Karikatur, in vieler Hinsicht eine sehr treffende. Für mich selbst ist es nicht nur eine Herausforderung, die ich angenommen habe, sondern auch ein wirksames Mittel gegen die vielfältigen Ansprüche an die »Rolle des Schriftstellers« in der Gesellschaft. Und während ich diese Worte schreibe, stelle ich mir das Gesicht meiner Mutter bei dieser Beschreibung vor und fange an zu lachen. Übrigens hat sie, auch nachdem ich dieses Buch über ihr Leben geschrieben habe, ihre Meinung über das Schreiben als Existenzgrundlage nicht geändert. In der langen Zeit unserer Interviews hat sie einmal zu mir gesagt: »Du solltest dir lieber ein Thema suchen, mit dem du Geld verdienen kannst.« Der Lohn für dieses Buch ist ganz bestimmt nicht ökonomischer Natur, das dürfen Sie mir glauben. Meine Mutter weiß das, und in ihrer scheinbar herzlosen Äußerung schwingt auch der Zweifel mit, ob die Leser wirklich erfassen werden, was sie zu berichten hat, es schwingt Respekt für meine Arbeit mit und auch die Sorge, ich könnte sie zu oft tun und meine Familie hätte materiell darunter zu leiden.

Nachdem nun von der herberen Seite meiner Mutter die Rede war, muß noch gesagt werden, daß die meisten Leute, die sie kennenlernen, begeistert von ihr sind. Sie lieben nicht nur ihren Humor, sondern auch ihre offenkundige Freundlichkeit. Sie ist eine reizende Gastgeberin und eine wunderbare Köchin. Von ihr zum Essen eingeladen zu werden heißt, einen Festschmaus jüdischer Leckerbissen zu genießen: *kugel* [Kartoffel- oder Nudelauflauf] und *kreplach* [gefüllte Teigtaschen], gehackte Leber und *kascha warnischkes* [ein Nudel-Graupen-Gericht], *gefilte fisch* [Fischklöße] und Hühnersuppe mit *knaidlach* [Knödeln] und so weiter, und so weiter. Dem Stereotyp der jüdischen Mutter entsprechend, tischt sie gewaltig auf, was aber in den letzten Jahren, seit das Gesundheitsbewußtsein die Erinnerungen an die Hungerzeiten allmählich verdrängt, seltener geworden ist. Die Leute stürzen sich nicht nur begierig auf ihr Essen, sie vertrauen sich ihr auch an, und das tun nicht nur enge Freunde, sondern auch ihre Friseuse, Handwerker, die ins Haus kommen, und die Kunden, die ihrem Geschenkartikelladen im Zentrum von Minneapolis so viele Jahre die Treue gehalten haben. Gerade die heitere Unbekümmertheit ihres Humors gibt anderen das Gefühl, einen Menschen vor sich zu haben, der ihnen unvoreingenommen zuhören und sie verstehen wird. Und so ist es auch. Meine Mutter hat zuviel erlebt, um allzu rasch und hart zu urteilen. Sie hat sehr hohe Maßstäbe hinsichtlich dessen, was wirklich verachtenswert ist – schließlich haben die Nazis selbst diese Maßstäbe gesetzt.

Meiner Schwester und mir war klar, daß umgekehrt die Beurteilungsmaßstäbe, die an meine Eltern als Holocaust-Überlebende anzulegen sind, besonderer Behutsamkeit bedürfen. Das wußten wir schon als Kinder. Es lag auf der Hand, es war eine Aufgabe, die uns gestellt war, eine Möglichkeit, unsere Liebe zum Ausdruck zu bringen, und manchmal auch ein Prüfstein. Meine Schwester hat es in ihrer Rede so beschrieben:

Ich habe immer ein ganz besonders enges Verhältnis zu meinen Eltern gehabt. Ich habe das Gefühl, daß ich sie verstehe, daß ich verstehe, warum sie so handeln und fühlen, wie sie es tun. Und...

– wenn sie manchmal ein wenig mehr weinen als andere, dann haben sie das Recht dazu;

– wenn sie manchmal etwas besorgter sind als andere, dann haben sie das Recht dazu;

– wenn sie sich ein wenig mehr an die Familie klammern, dann haben sie das Recht dazu.

Es gibt vielerlei Helden auf dieser Welt: Helden des Militärs, des Sports, der Politik. Aber es gibt auch Helden des Geistes. Für mich sind meine Eltern und andere Überlebende Helden.

Es ist richtig, daß unsere Eltern nach allem, was sie durchgemacht hatten, für meine Schwester und mich Helden waren, und es ist auch richtig, daß wir begriffen, weshalb sie manchmal so angespannt waren, sich so sehr an uns klammerten, unsere Liebe und Loyalität so heftig einforderten. Aber weder das Wissen um ihr Heldentum noch alles Verständnis, das wir aufbrachten, konnte uns vor den immer wiederkehrenden Erschütterungen des Heranwachsens als »amerikanische Kinder« in einer Familie von Holocaust-Überlebenden schützen. Viele unserer typischen Probleme – Anpassung in der Schule, Verständigung mit unseren Freunden, Identitätsfindung als Jugendliche – waren vor dem Hintergrund der durch den Holocaust gesetzten Maßstäbe für Schmerz und Kampf, die unsere Eltern *automatisch* an die Nöte ihrer Kinder anlegten, für sie kaum zu verstehen. Immer wieder bekamen wir zu hören: »Du solltest froh und dankbar sein, daß du kein größeres Problem hast!« Wen wundert es, daß sie, denen man einen so großen Teil ihrer Jugend geraubt hatte, nicht dafür prädestiniert waren, die Ängste von Kindern zu verstehen, die in der Sicherheit eines amerikanischen Vorortviertels aufwuchsen.

Es hat in meiner Kindheit und Jugend viel Schmerz und Verzweiflung gegeben, die ich trotz der offenkundigen Bereitschaft meiner Eltern, mir zuzuhören, nicht mitteilen konnte. Fast immer kam nur eine schwache Reaktion, weil meine Sorgen ihnen lächerlich erschienen. Rückblickend kommt natürlich auch mir vieles lächerlich vor, doch darum geht es nicht. Das Heranwachsen ist nun einmal etwas Lächerliches, und es war wenig hilfreich, ständig zu hören, daß es viel schlimmer, sehr viel schlimmer hätte kommen können. In meinem Fall hieß das Öl ins Feuer gießen. Ich rebellierte in meiner Teenagerzeit in den sechziger Jahren nur um so heftiger, einfach deshalb, weil ich nur die Alternative sah, entweder zu rebellieren oder von der Vergangenheit meiner Eltern verschlungen zu werden. Meine Schwester war in dieser Hinsicht sehr viel geduldiger als ich.

Ich erinnere mich an einen Vorfall, bei dem meine Mutter und ich beide in Rage gerieten, einen Vorfall, der deutlich macht, wie wenig nötig war, um in uns beiden tiefste Gefühle zu berühren. Ich war damals ungefähr achtzehn. Ich saß mit meiner Mutter in unserem gemütlichen Zimmer und unterhielt mich – diskutierte – mit ihr. Ich trug verwaschene Jeans mit einem Riß im rechten Knie – inzwischen eine beliebte, dauerhafte Mode bei amerikanischen Jugendlichen. In ihrer Enttäuschung darüber, daß ich gekleidet war, als könnte ich mir nichts Anständiges leisten, daß ich undankbar und trotzig war, obwohl sie so viel hatte, so viel vermochte und mir sehnlichst zu geben wünschte, fuhr sie mit dem gekrümmten Finger in das Loch und riß mir das Hosenbein bis zum Knöchel auf, so daß ich die Jeans nicht mehr tragen konnte. Wir starrten einander an. Dann rannte ich aus dem Zimmer und aus dem Haus. Wohin ich lief und ob ich lange fortblieb, weiß ich nicht mehr. Ich war wütend, aber allmählich gewann in meinem Innern doch der Standpunkt meiner Mutter die Oberhand. Meine zerrissenen Jeans waren nichts als Kostümierung, eine Pose der Lebenserfahrung. Ich würde meinen Eltern und mir selbst nichts zu bieten haben, solange ich nicht wirklich mein eigenes Leben führte. Also versuchte ich es.

Als ich älter wurde, schlossen sich viele Risse aus jener Zeit von selbst. Ich habe Entscheidungen getroffen, die meine Eltern nur schwer verstehen können. Oft genug habe ich den hohen Preis ihres Kummers oder ihres Zorns bezahlt, um der zu werden, der ich heute bin. Ich bilde mir nicht ein, immer das Richtige getan zu haben. Aber ich weiß, daß ich mich selbst nicht hätte achten können, wenn ich mich nicht so früh und für so lange von zu Hause losgerissen hätte – ich ging mit sechzehn aufs College und lebte, bis ich fünfundzwanzig war, weit von meinen Eltern entfernt. Und ich weiß auch, daß ich, wenn ich nicht in meine Heimatstadt Minneapolis zurückgekehrt wäre und seitdem in ihrer Nähe wohnen würde, ein kostbares Vermächtnis verloren hätte: das Vergnügen ihrer Gesellschaft, die Stütze ihrer Weisheit und die Erkenntnis (die vielen von uns zuteil wird, wenn wir mit unseren Familien in Verbindung bleiben), daß das Beste in mir im Besten meiner Eltern wurzelt.

Niemals, auch nicht in den neun Jahren der Rebellion und des Exils, verlor ich aus den Augen, daß meine Eltern außergewöhnliche Menschen sind, und das nicht nur, weil sie den Holocaust überlebt haben. Ein Beispiel mag genügen. Eines Tages ging mein Vater – es war 1971, und er war längst nicht mehr der Jüngste – über den Parkplatz eines Einkaufszentrums zu seinem Wagen, als er einen hochgewachsenen Mann bemerkte, der in höchster Erregung mit einer jüngeren Frau kämpfte und sie in sein Auto zu drängen versuchte. Mein Vater trat ruhig hinter ihn, hielt ihm einen Kugelschreiber, den er in der Tasche trug, wie einen Revolverlauf zwischen die Rippen und forderte ihn auf, die Hände hochzuheben. Der Mann gehorchte. Mein Vater ließ ihn vor sich her in ein nahes Geschäft gehen, von wo aus ein Wachmann gerufen wurde. Der Mann wurde verhaftet und später verurteilt, und der Frau, die er überfallen hatte, blieb das Schlimmste erspart. Die Erklärung meines Vaters für sein Handeln, das sein Leben in Gefahr gebracht hatte und seine Familie in Chaos und Schmerz hätte stürzen können: Als er gesehen habe, was sich dort abspielte, habe er sich vorgestellt, es könnte seine eigene Tochter sein, die der Mann in den Wagen drängen wollte.

Eine letzte Erinnerung möchte ich im Zusammenhang mit den Beziehungen zwischen Überlebenden und ihren Kindern noch festhalten. Sie soll eine Warnung an all jene sein, die die beiden Generationen allzu rasch zu verstehen glauben.

Es war bei meiner Bar-Mizwa-Feier. Der amerikanische Rabbiner kannte mich und meine Familie nicht sehr gut, was verständlich war, denn wir gingen nicht regelmäßig in seinen Gottesdienst. Dennoch war die Bar-Mizwa als Initiationsritus mir und meinen Eltern wichtig. Es war ein Ereignis, auf das sich die ganze Familie freute.

Endlich war es soweit. Der Rabbiner wußte, daß meine Eltern Überlebende waren, und sprach in seiner Sabbatmorgenpredigt hauptsächlich von der Tragödie des Holocaust und davon, daß an diesem Tag so viele unserer Verwandten nicht bei uns sein konnten, weil sie ermordet worden waren.

Von meinem erhöhten Platz links neben dem Rabbiner sah ich, daß meine Mutter und mein Vater weinten, mein Großvater (der gerade so viel Englisch aufnahm, wie er brauchte) schaute bekümmert drein, und meine Schwester wand sich unbehaglich und wußte nicht, wie sie die Erwachsenen neben sich trösten sollte.

Obwohl ich erst dreizehn Jahre alt war, wußte ich, daß der Rabbiner es zwar gut meinte, daß sein Verhalten aber völlig fehl am Platze war und jedes echte Verständnis vermissen ließ. Für ihn waren der Holocaust ein passendes Predigtthema und die Anwesenheit meiner Eltern eine willkommene Gelegenheit, den in Amerika geborenen Gemeindemitgliedern ein einigendes »Nie wieder!« zuzurufen. Für meine Familie aber war es eine unverdiente, banale Art und Weise, ihnen Schmerz zuzufügen (als hätten wir es nötig gehabt, an unsere Toten erinnert zu werden!), bei einem Anlaß, der uns das Gefühl gab, nichts als Freude verdient zu haben.

Die Überlebenden wie auch ihre Kinder befinden sich in einem ständigen inneren Zwiespalt zwischen dem, was nicht vergessen werden darf, und dem, was um des Lebens willen ad acta gelegt werden muß. Es kann hier keinen endgültigen Stillstand geben. Das Kommen und Gehen der Erinnerungen richtet sich nicht nach unseren bewußten Wünschen. Und die Bedürfnisse der Lebenden haben ihre ganz eigene Dringlichkeit.

Damit komme ich zur »dritten Generation«, den Kindern der Kinder. Wenn ich von den Bedürfnissen der Lebenden spreche, dann denke ich zuallererst an sie.

Während ich dies schreibe, ist meine Tochter Sarah – wir haben sie nach der Mutter meines Vaters so genannt – drei Jahre alt. Ich möchte, wie gesagt, daß sie dieses Buch eines Tages liest und das Leben ihrer Großeltern in ihr eigenes Leben aufnimmt. Sie soll begreifen, daß die Welt eines Holocaust fähig ist, sie soll erkennen, daß auch gute Menschen verzweifelt danach verlangen, das Böse zu ignorieren.

Aber ich bin auch ein dummer Vater. Ich möchte, daß

sie all dieses Wissen erwirbt, ohne den Preis des Schmerzes dafür bezahlen zu müssen. Ich möchte dafür sorgen, daß der Holocaust in ihrem Leben nicht den Raum einnimmt, den er in meinem Leben eingenommen hat. Ich möchte sie davor bewahren, daß sie die gleichen Kämpfe mit der Erinnerung ausfechten muß, die ich ausfechten mußte.

Vielleicht wird mir das alles nicht gelingen.

Aber eines weiß ich. Ich werde sie so leidenschaftlich lieben, wie meine Eltern mich lieben.

Danksagung und Anmerkungen

Viele Menschen haben die Entstehung und Veröffentlichung dieses Buches mit wichtigen und wertvollen Beiträgen begleitet. Den Folgenden möchten meine Eltern und ich unseren besonderen Dank aussprechen.

Meine Schwester Cecilia Sutin Dobrin hat die Bandaufnahmen der Interviews in Manuskriptform gebracht. Von größtem motivierendem Wert war auch die emotionale Unterstützung des Projekts durch sie und ihren Mann Steven.

Meine liebe Frau Mab hat mehrere Entwürfe des Buches gelesen und den Prozeß des Aufzeichnens der Wahrheit kräftig gefördert.

Unsere Agentin Gloria Loomis hat das Projekt angenommen, obwohl sie wußte, daß ein finanzielles Risiko damit verbunden war. Ihr Engagement und ihr Enthusiasmus haben wesentlich dazu beigetragen, das Buch Realität werden zu lassen.

Zwei gute Freunde, Randy Pink und Mary Logue, haben durch ihren einsichtsvollen Rat die Struktur des Buches mit geformt.

Außerordentliches Engagement bewies Scott Walker, der ehemalige Leiter von Graywolf Press, des Verlags, der das Buch gekauft hat: Er erbot sich, eine frühe Version des Manuskripts zu lesen, obwohl er den Verlag bereits verlassen hatte. Seine scharfsinnige Kritik hat zu weiteren Interviews mit meinen Eltern und einer vertieften Endfassung des Textes geführt.

Fiona McCrae, die neue Leiterin von Graywolf Press, war die zweite Säule verlegerischer Unterstützung. Besonders wertvoll waren ihre Anmerkungen zum »Nachwort«. Gordon Thomas, außerordentliches Verwaltungsratsmitglied bei Graywolf, hat sehr viel Wohlwollen bewiesen, zu einem Zeitpunkt, da es dringend benötigt wurde. Mit Janna Rademacher, der Marketing-Managerin, zusammenzuarbeiten, war eine Freude. Ann Czarniecki hat das Buch mit größter Sorgfalt lektoriert. Erik Saulitis hat den Fototermin für das Bild auf der Rückseite des Schutzumschlages zum Vergnügen gemacht.

Meine Eltern haben ihre eigenen Erinnerungen. Im Zuge der vorbereitenden Arbeiten für die Interviews habe ich zahlreiche Bücher über den Holocaust gelesen. Besonders hilfreich waren zwei Werke von Nechama Tec, einem Historiker und Soziologen, der sich ausführlich und in hervorragender Weise mit dem Holocaust in Polen befaßt hat. Sein Buch *In The Lion's Den: The Life of Oswald Rufeisen* (Oxford University Press, 1990) ist eine umfassende Biographie dieses bemerkenswerten Mannes, von dem mein Vater in Kapitel IV berichtet. *Defiance: The Bielski Partisans* (Oxford University Press, 1993) erzählt die Geschichte einer von den Bielski-Brüdern geleiteten jüdischen Kampfgruppe im Nalibocka-Wald; meine Eltern haben in einer ähnlichen, wenn auch kleineren, von Simcha Zorin geführten Einheit gedient.

Für besonders interessierte Leser möchte ich auf zwei Punkte hinweisen, in denen die Angaben meiner Eltern von denen Tecs abweichen. 1. Im Ghetto von Mir hörte mein Vater gerüchteweise, daß Rufeisen – sollte den Mitgliedern der Untergrundbewegung die Flucht gelingen – die deutsche Polizei in einen von ihnen vorbereiteten Hinterhalt führen wollte. In den ausführlichen Interviews, die

Tec mit Rufeisen für *In The Lion's Den* führte, erwähnt Rufeisen einen solchen Hinterhalt nicht, erinnert sich aber, daß er vorhatte, die Untergrundkämpfer über geplante Polizeimaßnahmen zu informieren und sich ihnen später anzuschließen. Das Gerücht um den Hinterhalt, das von meinem Vater und zumindest einigen anderen Untergrundkämpfern ernst genommen wurde, entsprach möglicherweise nicht ganz Rufeisens Absichten. 2. In *Defiance* berichtet Tec, die Kampfgruppe um Zorin habe während des Nazi-Angriffs auf den Nalibocka-Wald im August 1943 »schwere Verluste« erlitten. Meine Eltern, die dieser Gruppe angehörten, erinnern sich dagegen, daß die Verluste nur gering waren (siehe Kapitel VIII).

Eckige Klammern im Text enthalten Erklärungen, die von der Lektorin eingefügt wurden. In einigen Fällen wurden die Namen von Personen – ausnahmslos Juden –, die in der Geschichte eine untergeordnete Rolle spielen, geändert.

Inhalt

Politik und Zeitgeschichte

Enzyklopädie des Holocaust

Die Verfolgung und Ermordung der europäischen Juden. Hauptherausgeber: Israel Gutman. Herausgeber der deutschen Ausgabe: Eberhard Jäckel, Peter Longerich, Julius H. Schoeps. Vier Bände in Kassette. Zusammen 1912 Seiten. SP 2700

In über 1000 Stichworten wird der Versuch unternommen, die Hintergründe, Abläufe und Auswirkungen des Holocaust zu untersuchen. Neben der gesetzlich verankerten Rassenideologie des NS-Staates und den Maßnahmen der Ghettoisierung, Deportation und Ermordung der Juden wird den Verfolgten im nationalsozialistisch beherrschten Europa breiter Raum gewidmet. Die Haltungen der Menschen sowohl in den besetzten Ländern als auch in den freien Demokratien zu den Juden werden ebenso untersucht wie die Auswirkungen des Holocaust.

»Wer immer sich ins Studium dieser Schreckensgeschichte vertiefen will, findet hier eine unerschöpfliche Quelle für biographische Details, wissenschaftliche Skizzen oder lexikalische Informationen.«
Frankfurter Rundschau

»Eine Fundgrube für jeden zeitgeschichtlich Interessierten.«
Frankfurter Allgemeine

Hans-Günter Richardi

Schule der Gewalt

Das Konzentrationslager Dachau. 331 Seiten. SP 2057

Hans-Günter Richardi gibt einen dokumentarischen Bericht der beiden ersten Jahre des Konzentrationslagers Dachau. Sein Buch ist nicht nur ein Standardwerk zur Geschichte dieses Lagers. Es leistet auch einen entscheidenden Beitrag zur historischen Erforschung des Dritten Reiches, denn in Dachau wurden die Weichen gestellt für die Entwicklung des Systems der nationalsozialistischen Konzentrationslager. Dachau war das Vorbild aller Konzentrationslager.